De Zweedse Aino Trosell schrijft romans, thrillers, kinderboeken, toneelstukken en novelles. Ze ontving verschillende prijzen. Voor *Als het hart nog slaat*, het eerste avontuur met Siv Dahlin dat bij De Geus verscheen, werd Trosell bekroond met de prijs voor de beste Zweedse thriller. *Niet het kind, wel de vrouw* is haar tweede spannende roman met Dahlin in de hoofdrol.

FSC
Mixed Sources
Product group from well-managed
forests and other controlled sources
Cert no. SCS COC 001256
www.fsc.org
© 1996 Forest Stewardship Council

Aino Trosell

Niet het kind, wel de vrouw

Vertaald uit het Zweeds door
Edith Sybesma

DE GEUS

Oorspronkelijke titel *Tvångströjan*, verschenen bij Prisma

Published in agreement with Stilton Literary Agency

Omslagontwerp Mijke Wondergem
Omslagillustratie © Jitka Saniova/Arcangel Images/Hollandse Hoogte
ISBN 978 90 445 1621 0
NUR 332

Mijn moeder

Siv Dahlin

geboren 16 juni 1959

heeft me vandaag met een onbeschrijflijk
verdriet en gemis achtergelaten.

Malung, 1 oktober 2006
Åsa

In plaats van bloemen graag een bijdrage aan
het fonds voor onschuldig veroordeelden.

De begrafenis zal plaatsvinden.

I

WAT DACHT JE DIE OCHTEND? Doe je de gewone dingen op de dag waarop je een ander mens van het leven wilt beroven?

Heb je zelfs ontbeten?

Je had het allemaal af kunnen blazen. Je had kunnen besluiten dat het maar een zieke fantasie was, wat het in feite ook was, en je had het leven gewoon door kunnen laten gaan … desnoods zonder jou. Zonder dat je iemand moest terugpakken midden in de groep, zonder je angst, je dood, je verbeten destructiviteit. Zonder jou had deze ochtend niet die Dagermanachtige nagalm gekregen.

Het was een zonnige, heldere septemberochtend, de hemel was hoog en de lucht nogal fris toen ze bij de regioschool in de bus stapten om naar de bergen te worden vervoerd voor de laatste excursie vóór de winter.

Er gingen maar twee leraren mee, de rest had de zoveelste studiedag over het nieuwe beoordelingssysteem – onderzoekers moeten ook leven. Daarom gingen er ook een paar familieleden mee, en daar had de school op gerekend. Eén moeder, die bij het arbeidsbureau werkte, had een dag vrijgenomen, ze was overwerkt en had een verzetje nodig, maakte ze zichzelf wijs. Het arbeidsbureau was een van de grootste werkgevers van de plaats en ze moesten daar zwoegen als molensteenhouwers. In ieder geval volgens deze moeder.

Eén vader was werkloos en had daarom zo snel geen goede reden weten te geven waarom hij niet mee kon toen de klassenouder hem met een telefoontje overrompelde. Nu hij in de bus zat, was hij blij dat hij geen keus had gehad, wat zou hij anders gedaan hebben op deze stralende herfstdag … net als anders achter de computer zitten en te veel eten?

Een tante hield de deur van haar damesmodezaak tot vier uur dicht, er kwamen toch weinig klanten en ze had het idee dat haar neefje het leuk zou vinden als ze meeging, ook al beweerde hij van niet. Misschien werd hij gepest, dat wist ze niet. Aan zijn moeder had de jongen niets. De tante had met hem te doen en voelde zich een tikkeltje rebels – zomaar de winkel sluiten op een gewone dag, wat zouden de mensen wel zeggen? Maar als ze op een dag haar conclusies trok uit de sombere boodschap van het jaarsaldo zouden ze pas echt iets hebben om over te praten. Misschien had deze tante nog andere motieven om mee te gaan naar de bergen, maar in dat geval zweeg ze daarover, ook tegenover zichzelf.

De meesten hadden niets te kiezen, ze gingen mee omdat het moest. Als je vijftien bent, sta je bol van emoties terwijl verder echt alles je armslag en je gezichtsveld inperkt, zodat je voortdurend om je heen moet slaan om de plek vrij te maken waar je je toevallig op dat moment bevindt. En je bent alleen. Ondanks de vrienden, de vrienden door dik en dun, voor wie je alles zou doen, die ook alles mogen weten, bijna alles …

De protesten waren niet van de lucht, gadver, alweer een excursie, dat is toch nergens voor nodig en verschrikkelijk saai en zinloos, maar nu zitten ze hier en de bus laat Alcatraz achter zich en je ziet alleen maar vrolijke, jonge gezichten, niemand zit onderuitgezakt van vermoeidheid, terwijl het toch nog maar half negen is. Nee, gewoon levensvreugde, levenshonger en blikken en geschater dat de toch al goede sfeer nog verder verhoogt.

Opeens vrijheid, de hoge lucht is aromatisch en de reis naar het noorden door het dal, het water van de Västerdalälven helderblauw, de lucht lichtblauw en het kleed van de natuur sjiek roestkleurig, geel en bruin met nog dunne strepen groen. De rode boerderijen met hun grote schuren, met hun geschiedenis in een muisgrijs klein woonhuis, dat is blijven staan maar waarvan de functie is overgenomen door een groter huis dat ook in de winter bewoonbaar is met een balkon en een bovenverdieping die er later op gezet is.

De witte vinger van de kerk van Lima wijst recht omhoog naar het licht en aan de zuidkant liggen de graven in de zon te wachten op het laatste oordeel. Verkeer is er niet, de bus zoeft langs de dorpen: Skålmo, Husom, Berga, de dorpskernen die je via sleepwegen bereikt. Bij alle boerderijen zijn de veranda's en portaaltjes beglaasd en dichtgemaakt, adequate bouwmaatregelen, want op de kou van de winter sluit de muggenhel van de zomer naadloos aan, om van de knutten nog maar te zwijgen.

De oude gymleraar Linjo Sven wendt zijn ogen af van het mooie dallandschap, bedenkt dat hij aan het werk is en probeert nu iedereen aan het zingen te krijgen zoals ze vroeger altijd deden toen hij jong was, maar dat is echt het toppunt ... een en al gekreun en hemelwaarts draaiende ogen, wat wil die sukkel nou weer? Maar hij is wel aardig. Ja, aardig, maar wel verschrikkelijk stom en wat zingt hij nou? Iets over stoere knapen? Wat is dat voor een prehistorische tekst? Nooit van gehoord en al helemaal nooit gezongen. Als we onze mond houden, geeft hij het vanzelf op. Maar nee hoor. In plaats daarvan komt Axel Svensson, de jongere gymleraar, Linjo Sven te hulp en zet 'Open landschap' in. 'Zeg nou niet dat jullie dat niet kennen. Het open landschap is mij het liefst, ik wil wonen bij de zee.' Maar Axel, kom op ... bij de zee ... hier is toch alleen maar bos, mijn oma heeft de zee nog nooit gezien, alleen op tv. Dus kunnen we dit niet overslaan of laat anders Radio Mix Megapol horen door de luidsprekers, dan zingen we mee, dat beloven we.

Waarna ze blikjes openmaken zodat het sist, energiedrankjes en Coca-Cola, met koude worst, koude pizza en snoep, die honger. Axel Svensson kijkt de andere kant op, in de verte, de hele bus ruikt nu naar pizza.

Leegstaande boerderijen helemaal intact verlaten zoals ze er rond de vorige eeuwwisseling uitzagen, ze hebben alles gewoon laten staan en verderop nieuw gebouwd, er was immers hout genoeg en ze kunnen het zich dan nog veroorloven om niet te verkopen aan de zakenlieden in de bergen, de grondprijs kan alleen maar stijgen. De leegstaande boerderijen zeggen zachtjes dat er geen haast bij is, wat geweest is, is geweest en je weet niet wat er komt, je kunt het maar beter rustig afwachten.

Hoewel je het niet kunt weten. Er is brand geweest. Er zijn veel woonhuizen afgebrand, nooit leegstaande boerderijen, nee, alleen nieuwe huizen. Het is net een wond geworden omdat er te vaak brand is geweest, de bus kruipt nu langs de lege plek waar Åsens bergboerderij heeft gestaan, er is niets van over. De branden in Lima hebben iets spookachtigs, maar in de vrolijke chaos in de bus werkt het alleen spanningsverhogend, deze lege plek waar brand heeft gewoed. De stemming stijgt weer na de pogingen van de leraren tot samenzang ... jemig, hoe oud zijn ze, moeten ze niet haast eens met pensioen?

Twee enthousiaste, aardige leraren gaan weer zitten om de natuurkrachten hun gang te laten gaan in de bus en algauw wordt het weer rumoeriger, het gelach, de grappen, de kleine flirts en contacten waarvan de betrokkenen zelf niet altijd zeker weten of ze echt bestaan of dat ze slechts het product zijn van hun wensdenken, vrije fantasieën die voortkomen uit heftige hormoonaanvallen die hen dreigen te verraden en te vernederen. Ze durven het ook niet te laten merken of rechtuit te zeggen, ook al gluurt Kicki of Stefan of Andreas of Pilla echt wel terug, bijna continu. Maar je weet het niet. Je staat hoe dan ook weleens voor gek, maar daarom hoef je de krachten van het lot nog niet in die mate te tarten dat je toegeeft hoe je je diep in je hart voelt, hoe het daarbinnen gist, borrelt en stroomt, het zijn allemaal gevoelens die zo goed en zo kwaad als het gaat in bedwang worden gehouden.

De frisse geur van de grote zagerij van Fiskarheden dringt door tot in de bus en de aardige tante krijgt een blik toegeworpen van haar neefje Sammy, de uitwisseling vindt bliksemsnel plaats, maar ze kan op tijd glimlachen en ze is blij dat hij ergens blij is dat ze mee is en dat hij het niet gênant vindt. Zij wordt ook vrolijk van Fiskarheden, dat het goed gaat met het bedrijf, er zijn hier andere bedrijven keihard op de fles gegaan, er zijn meer faillissementen geweest dan nieuwe vestigingen, als die laatste er al zijn geweest. Ze loopt al wat langer mee, ze heeft het vaker gezien.

Naast de bevallige vinger van de kerk van Lima is de stompe toren van de kerk van Transtrand een duim, de bergruggen daarboven zijn gehuld in een wolk die als een kapje is blijven zitten, een ruige leren muts om de kale schedel te beschermen.

Kleine, eenzame eilandjes midden in de woelige golven, zonder de contacten van hun klasgenoten, maar niet echt gepest. Mats bijvoorbeeld, wiens assistente hem precies vertelt wat er straks gaat gebeuren. Ze hoopt stiekem dat het ook echt zo zal verlopen, anders wordt het een hoop gedoe, ruzie en veel moeilijke vragen voor iemand met een psychische beperking die alles heel letterlijk opvat.

Het is al herfst en Mats krijgt nog steeds een assistente mee, is dat een wettelijk recht dat een vooruitziende, paternalistische samenleving hem geeft? Daar denkt de assistente over na. En hoe jong ze ook is, ze denkt een eigen gedachte daar op de zachte stoel van de bus. En die gedachte is dat je misschien niet alles alleen in geld kunt uitdrukken. Dat er nog andere maatstaven zijn ook, die de oude samenleving misschien wel in haar afwegingen meenam. De oude samenleving, die vast wel wist dat het goedkoper was geweest om hem in een tehuis te stoppen, samen met andere gehandicapten, dat ze daarmee geld bespaard zouden hebben. Dat was in alle opzichten voordeliger geweest. Maar hoe zou hij zich dan hebben gevoeld, hoe zou zijn moeder zich hebben gevoeld en iedereen die ervan op de hoogte was? De oude samenleving had het besef dat er misschien nog andere waarden waren dan financiële. Ze was ook in staat dergelijke inzichten om te zetten in concrete daden, en daarom zit zij daar nog, ook al begint de stoel te wiebelen. Hij is zacht, maar wiebelt, er is vast een schroef aan de onderkant losgeraakt en verdwenen tussen de rommel op de vloer.

Ook Sammy is een eenling, ook al heeft hij geen psychische of fysieke handicap, het is gewoon zo gekomen. Hij wordt niet echt gepest, hij is alleen eenzaam, heel eenzaam. Hij is rustig en stil en doet niet stoer zoals de andere jongens, en niemand weet wat deze jongen denkt maar wat erger is, het kan niemand iets schelen. Hoewel, zijn tante, die een stuk of drie stoelen achter hem zit, is blij met zijn nieuwe jack, dat van goede kwaliteit is, en dat ze dankzij haar goede grossiers goedkoop op de kop heeft kunnen tikken. Hij heeft het vanmorgen gekregen en meteen aangetrokken; hij vindt het kennelijk niet erg dat zij net zo'n jas heeft. Het probleem is alleen dat het hier nog geen mode is. In Stockholm zou deze jas goed geweest zijn op een dag als deze en waren er zeker bewonderende opmerkingen over gemaakt. Maar zijn klasgenoten hebben er niets van gezegd, zij zien er niets bijzonders aan, een rood jack dat ze nog niet eerder hebben gezien, so what? Over een half jaar of zo is dit jack ook in deze verre uithoek helemaal in, maar dan is Sammy allang dood en het bebloede jack opengeknipt door medisch personeel, geïnspecteerd, weggegooid en verbrand, en geen enkele maatregel ter wereld kan Sammy dan het leven teruggegeven.

Toen ze halverwege de klim waren, sloeg de mist opeens toe, de bus reed recht de wolk binnen die het hele bergmassief omhulde. Het was net alsof iemand duizend vuren had aangestoken en er vochtig moerasmos op had gelegd zodat de rook flink grijs en ondoorzichtig was geworden. Gelukkig kon de chauffeur de witte strepen op de pas aangelegde brede bergweg nog zien en hij stuurde het voertuig eerst veilig langs Sälenstugan,

Lindvallen en het Högfjällshotel en daarna langs Tandådalen en Hundfjället. Vervolgens sloeg hij rechts af en het laatste stuk was de weg smal en glibberig ook al was hij wel geasfalteerd, wegwijzers wezen in alle windrichtingen naar de meest vreemdsoortige plaatsen ... bungalowparken waarvan de oude inwoners van Sälen vast nog nooit hadden gehoord.

Bij het bungalowpark Myrflodammen werd er eindelijk gestopt en alle kinderen gingen staan alsof ze door een gemeenschappelijke springveer omhoog werden geduwd, een kakofonie van stemmen, maar Linjo Sven liet zijn basstem horen, en iedereen ging zitten. 'Ga zitten! Ik moet nog een paar dingen zeggen nu we hier nog allemaal zijn. Let goed op! Haal het niet in je hoofd om te verdwalen of de weg kwijt te raken, horen jullie dat? Heeft iedereen een kaart en een kompas? Laat zien!'

Een bos van kaarten en kompassen schoot binnen een seconde uit de grond, het waaide, het trilde in de wilde, warme wind die liet zien dat hier stoere jongens en meiden waren en dat niemand de weg kwijt zou raken. Maar ze wilden wel zo snel mogelijk weg van de volwassenen met hun scherpe ogen en grote oren, in groepjes. Behalve de eenlingen en misschien nog een paar brave meisjes, zag niemand het nut ervan in om bij de leiding te blijven, bij de volwassenen, niet eens bij de tante. Dag, nu gaan we – laat me erdoor – pas op – ik was vóór jou – au, je knijpt – dat deed hij – wie deed dat dan – dat was hij weer – kom Linda – kom Jonas – ha, ik was eerst – laat me los zeg ik en duw niet zo – ha, jij bent de laatste.

Linjo Sven en zijn collega Axel werden praktisch tegen de zijkant gestuwd terwijl de stroom van de komende generatie zich door de voordeuren naar buiten perste. Ze keken elkaar met verbaasde blikken aan, gelaten, net als anders: ja, wat doe je eraan? Maar ze zijn wel lief.

De jongere gymleraar trok vervolgens een sprintje en haastte zich langs de stoet van onlangs geconfirmeerde kinderen, hij kende zichzelf het recht toe om de leiding te nemen en voorop te lopen.

Linjo Sven slenterde om achteraan te komen en de langzame en luie kinderen op te vangen en de kinderen die ondanks alle instructie in de klas en in de dichter bij de school gelegen bossen niet konden kaartlezen, maar sommige wilden het gewoon niet leren, dus kon hij maar beter achteraan lopen. Tamelijk achteraan liepen ook de moeder van het arbeidsbureau, de tante van de modezaak en de werkloze vader, want het was best lastig om het tempo van de kinderen bij te houden. Waar kwam die haast nu vandaan, die gedrevenheid, die wil om pardoes deze grijze wereld binnen te gaan om de ene controlepost na de andere te passeren met behulp van kaart en kompas, waarom had dat opeens zo'n haast dat de meesten bijna holden? Het antwoord was simpel en begon met een a. Het avonturenbad in Tandådalen was de finale van deze bergtocht, de beloning. Hoe eerder ze hun taak hadden vervuld, hoe meer tijd in het zwembad, in de waterstralen en de heerlijke bubbelbaden en in het bad dat gedeeltelijk in de openlucht lag zodat het water dampte in de kou. Daarna dook je gewoon en was je in een wip weer binnen en liet je je weer meezuigen op de stroom, je speelde dat je verdronk en dat je werd meegevoerd door het tij, ja, daar keken ze naar uit, maar eerst in draf het berglandschap van Myrflodammen rond.

Je zag niets, alleen het pad vlak bij je, de mist omhulde verder alles, zodat het onwerkelijk werd, net alsof je op Mars was of in Kongo, het was spannend en net niet eng, ze waren immers met veel, er kon niets ergs gebeuren, er was nog ruimte voor dromen en heftige emoties. Nog steeds werd er volop geglimlacht en gelachen; er werden grappen gemaakt en de vlotte bink gaf zijn dame voor de grap een duw, zodat ze viel en hij haar uit het moerasgat moest trekken maar o, dat viel niet mee, hij moest zelf op zijn knieën gaan zitten, haar vastpakken en omhoogtrekken, zijn armen om haar schouders slaan en daarna om haar middel, en zij maar lachen. Hij snapte het. Hij bloosde en verbleekte en wist niet meer wat hij moest doen, hij wilde haar omhelzen, maar werd bang en liet haar los. Haar lach verdween met de woorden 'ben je nou helemaal', en toen was het sprookje voor die keer uit. Ben je vijftien, dan zit je gevangen, er is geen genade, je valt en je doet je telkens pijn, maar uitgerekend die dag zou het leven hun leren wat echt vallen is en voordat het duister inviel zouden ze allemaal een vrije val maken in het nieuwe, vreselijke inzicht dat de vlam van het leven helder kan branden, maar als die gedoofd is, dan is die gedoofd. Dan kan geen macht ter wereld er weer leven in blazen. Zo levend als Sammy was, zo hevig werden de fantoompijnen die hij zou achterlaten, want naderhand begrepen ze allemaal dat hij was zoals zij. Dus waarom was hij eigenlijk zo eenzaam? Als ze de klok terug konden draaien zouden ze hem opnemen en met hem optrekken en hem warmte en vriendschap betonen, ja, genegenheid, het kon allemaal.

Totdat het opeens niet meer kon.

Op luide, militaristische toon gaf Axel Svensson hun de opdracht te stoppen bij de monding van de Myrflodammen. Nog een paar korte instructies, ze zouden er niets mee opschieten om te jagen voor het geval ze graag snel naar het avonturenbad wilden. Nee, degenen die het eerst weer terug waren, moesten daar die hut binnengaan, daar kon iedereen gebruik van maken, en vuur maken, zodat degenen die na hen kwamen zich daaraan konden warmen en daar hun cacao konden drinken.

De leraar van de 'cacao' kon met geen mogelijkheid begrijpen waarom het wel leek alsof iedereen opeens God zag, boven de mist. 'Chocolademelk dan', verduidelijkte hij en hij kreeg een grijns terug, iedereen had blikjes energiedrank bij zich of water, niemand had een thermosfles bij zich, dat was ouderwets, maar dat wist Axel niet. 'Dat zal vet gezellig worden', vond iemand peinzend, en Axel struikelde net als altijd over dat modewoord dat nu ook de lokale jeugdtaal begon te vervetten. 'Nu mogen jullie vet vertrekken', zei hij in een stomme poging een grap te maken, maar dat leverde hem ditmaal geen grijnzen maar alleen boze blikken op, het was ook nooit goed. 'Blijf op het pad', riep hij. 'Jullie verdwalen niet als jullie op het pad blijven en de rode markeringen volgen, en vanaf Kungsleden de gele. Blijf bij elkaar, dan komt het goed.'

De meest ondernemende kinderen bestudeerden de kaart en daarna de mist om hen heen. Links, naar het noorden, moesten de bergen Lägerdalsfjället en Syndalskläppen liggen, in het zuiden Flatfjället en recht voor hen in het oosten lag het nu onzichtbare Öjskogsfjäll. In de verte klonk het ritmische geblaf van honden.

Op het veen was vaag een bord te zien in de mist: 'Pas op. Zwak ijs!' Ze lachten. Toen drong het tot hen door dat het voor sneeuwscooters in de winter bedoeld was. Even verderop stuitten ze op een paal met blauwe wegwijzers met witte letters die in verschillende richtingen wezen: Kläppenskjulet 2,5; Syndalen 3,5; Tandådalen 4. Vervolgens liepen ze naar de hut om daar een kijkje te nemen, ze moesten weliswaar verder maar dit was ook leuk. Het was er koud, kouder dan buiten, en op een plank vond een van de jongens een Ierse lamsstoofschotel in folieverpakking, misschien konden ze die klaarmaken als ze terugkwamen, misschien konden ze de meisjes een maaltijd voorzetten, Ierse stoofpot met Red Bull erbij. Het gastenboek was geen boek, maar gewoon een multomap, die begon bij de afgelopen eeuwwisseling, ze lazen de aantekeningen van een paar Noorse bezoekers, die ze heel erg komisch vonden, hardop voor: 'Moet je dit horen, 1 oktober 2000. "Het was weer heerlijk om hier te zijn. We zijn van de ene pol op de andere gesprongen. Om niet nat te worden en geen verkoudheid op te lopen. Ik had mijn nieuwe blauwe familiemuts op en we hebben een lekkere, frisse wandeling van twee uur rond de Myrflodammen gemaakt. Groeten, Cecilia, Felicia en Nora." Of deze van januari: "We hebben hier gezellig ons lunchpakket opgegeten. Bosse doet het vuur en ik zit lekker."'

Wat? Hier? Midden in de winter?

Ze lachten zich bijna een ongeluk.

Er lagen houtblokken en kleinere houtjes klaar. Ze wisten dat ze nieuwe moesten hakken als ze vuur hadden gemaakt, Axel zou hen daar niet onderuit laten komen. Er stonden een pan en een koffiepot, de pan voor de Ierse stoofschotel. Op de muur lazen ze een vermaning dat ze het huisje in de staat moesten achterlaten waarin ze het zelf wilden aantreffen. Zo in ieder geval niet. Maar warm, met pizza en cola op tafel en een vette videofilm in de niet aanwezige videorecorder. Ja, waarom niet, er waren toch accu's, je zou iemand kunnen vragen en dan hier overnachten, er een echt gezellige avond van maken. Ze fantaseerden er stiekem over met wie allemaal.

Buiten was het enorm licht als je uit de schemering daarbinnen kwam. Ze hadden nu al zin om hier terug te komen en bij het vuur te zitten. Ze keken uit over de Myrflodammen. Ze konden niet ver kijken, het leek voornamelijk een groot drassig moeras, maar waarschijnlijk was er verderop open water, net als bij de eigenlijke afdamming waar het water diep was, heel diep, hoe diep? De hoogte was indrukwekkend. Onder hen, waar de rivier over de rotsen sprong, vloog de een of andere vogel rond, nu eens zat hij midden in de stroom, dan weer maakte hij een snelle vlucht, kwiek en venijnig. Continu natte voeten, constateerde iemand laconiek. Kennelijk uit eigen vrije wil. Ze vonden het een mooie vogel, maar dat zeiden ze natuurlijk niet.

Nu klonk er gegiechel en gegil. Ze verstijfden ongemerkt, de meisjes kwamen eraan. Ze moesten vóór hen bij de rustplaats in Syndalskläppen zijn, dan konden ze zich verstoppen en de meisjes laten schrikken. Als schaduwen gleden ze over de brug, onder hun voeten raasde met woeste snelheid het luidruchtige begin van een van de zijrivieren van de Stora Tandån. Iemand maakte een schouderworp, maar dan voor de grap, het zou me wat zijn als er iemand in gevallen was.

Nu drong Axel zich weer langs hen heen om op kop te lopen over het pad dat in noordoostelijke richting langs de Myrflodammen liep. Ze kwamen door een dicht en hoog sparrenbos waar de nevel geen voet aan de grond kreeg, maar zodra er ook maar een klein stukje moeras overgestoken moest worden, was het weer wit en bovendien drassig, maar er lagen loopplanken overdwars tegen de ontelbare stroompjes die in de Myrflo uitkwamen, zoals het moeras vast had geheten voordat de dam er was.

Oude, vieze sneeuw lag achter een paar bosjes verborgen, de eerste sneeuw was alweer gevallen en toen ze bij de volgende drassige opening in het hoge bos kwamen, voelden ze de ondergrond af en toe kraken, het was die nacht zo koud geweest dat die bevroren was, tussen de bergen liet de winter zijn tanden zien en op sommige kleine geulen lag nog een dunne ijslaag. Maar de opdracht was al te makkelijk, het pad was zo duidelijk dat sommigen hun headset opzetten en hun discman aan, en Axel wist niet wat hij moest zeggen, mocht dit of was het verboden, hij wist het feitelijk niet en besloot er niets van te zeggen, al helemaal niet omdat de groep jongeren verspreid was zodat het ene deel niet wist wat het andere deed.

Maar met de veiligheid was het prima in orde. Aangezien je hier met je mobieltje soms geen bereik had, hadden de leraren allemaal een jachtradio mogen lenen, een walkietalkie, zodat er contact gehouden kon worden tussen de verschillende onderdelen van de groep, die meteen geformeerd waren: de eerzuchtige jongens voorop, een clubje ergens in het midden en ten slotte achteraan een horde slenteraars, de meeste volwassenen en Linjo Sven, die zich met de nodige zorg om eventuele schaafwonden en andere narigheid bekommerde.

Sven wond zich op over de mist, in ieder geval vond hij die irritant. Toen hij hier een paar dagen geleden was geweest, had de zon geschenen en hij had zich voorgesteld wat voor prachtige dag het zou worden, en nu zagen ze net zo weinig als het Zweedse leger op het slagveld van Lützen. Hoewel de kinderen het niet minder naar hun zin leken te hebben in deze mist; misschien fantaseerden ze wel allerhande flauwekul bij elkaar. Er lag opgevroren sneeuw op de loopplanken, het zou niet best zijn als iemand nu iets brak, maar in zijn rugzak zat alles wat je eventueel nodig zou kunnen hebben. Dus ze konden van alles breken en bezeren, hij had het hele arsenaal van vereiste medische artikelen bij zich en bovendien had hij een cursus gevolgd, iedereen kon zich veilig voelen; Linjo Sven zelf voelde zich ook veilig.

Echt. Zo onnozel. Pas naderhand begreep hij wat voor een middelmatige figuur hij was.

Achteraan deden ze niet langer hun best om de anderen in te halen of bij te houden. Ze hadden het best gezellig, een paar kinderen liepen met veel gestommel te luisteren terwijl de volwassenen over koetjes en kalfjes praatten en over wat hun op dat moment maar net te binnen schoot. De laatste tijd hield een beverpaartje de gemoederen in Grönland, het centrale dorp, erg bezig. De bevers waren uit de rivier omhooggekomen en dreigden nu de Bloemenbeek in te dammen, wat een overstroming tot gevolg zou hebben. Maar goede raad was niet duur, iedereen deed een duit in het zakje en zelfs de wethouder had in een interview in de krant verteld hoe men zich tegenover ongewenste bevers diende op te stellen, zijn raad was nuchter en gebaseerd op degelijke ervaring. Ja, de bevers waren het nieuws van de week geweest. Ook al had Rosengren zijn productie verplaatst en ook al had de Leerlooierij haar faillissement aangevraagd en ook al was de woningbouwcorporatie Malungshem miljoenen aan huurinkomsten misgelopen door leegstand in de flats die binnenkort, als er niets gebeurde, moesten worden afgebroken.

Linjo Sven wordt opgeroepen door Axel, die nu ongeveer halverwege de rustplaats bij Syndalskläppen is, tot zover is alles onder controle, en achter zich ziet hij de middenmoot, de grote groep kinderen, ze stappen stevig door, het gaat goed oké over en sluiten, klik en de radio weer in het foedraal.

De eigenares van de modezaak was iets sneller gaan lopen om contact te krijgen met de jongen, maar hij zag het en deed er nog een tandje bij om niet helemaal voor gek te staan en nu heeft hij geluk. Een paar jongens laten hem ertussen en het pad is smal. Ze lopen verder en Marlene – zo heet zijn tante – raakt nu het contact met haar neefje kwijt, maar daar is ze alleen maar blij om als ze ziet dat ze hem als vrienden tussen zich in nemen, dan heeft hij haar goede zorgen ook niet nodig, het is waarschijnlijk helemaal niet zo droevig gesteld met de jongen als ze had gedacht.

De voorsten zijn nu bij het open schuurtje aangekomen. Een bord verkondigt dat ze zich op 710 meter boven de zeespiegel bevinden en dat het hutje wordt onderhouden door het Provinciebestuur, het is voorzien van banken, een tafel en brandhout en de inspectie is snel afgehandeld, de inscripties met kool zijn vers, niet creatief, nee, alleen data en namen. Teleurgesteld wachten ze terwijl Axel omkeert om de grote middengroep op te halen. Ze vervelen zich en struinen rond. Aan de noordkant vinden ze sporen van sneeuwhoenderen op de berijpte grond, en ze geven commentaar op de mierenhopen die puntig zijn en helemaal niet zo afgerond als thuis, misschien komt de naam Myrflo niet van het moeras maar van de mieren, shit wat doet die man er lang over, hoe langzaam lopen ze wel niet? Heeft hij gezegd dat we een vuur moesten aanleggen? Nu horen ze een hond heel dichtbij, een aanhoudend geblaf, een drever of een jämthund, legt een kenner uit, hopelijk komt hij hierheen.

De grote middengroep heeft zich verspreid en is uit elkaar geraakt en Axel zet zijn walkietalkie aan om Sven weer op te roepen, hij wil horen hoe het er achteraan uitziet. Maar voordat hij een oproep kan doen, hoort hij duidelijk iemand in zijn jachtradio zeggen: 'Ik zie hem, nu rent hij weg, ik ga erachteraan, ik hem heb op de korrel.' 'Dat bestaat niet', antwoordt iemand anders en daarna klinken er metalige lachsalvo's door de jachtradio en dan klinkt er een schot, een huilend, fluitend geluid, een kogel, onbetwistbaar een kogel, fluit vlak langs Axel Svensson heen, hij komt met veel misbaar door de takken heen. Hij laat zich op het mos vallen, schreeuwt recht in de jachtradio: 'Verdomme', maar niemand schijnt hem te horen, hun communicatie gaat gewoon door, hij heeft hun frequentie binnengekregen, dat beseft hij, maar hij kan hen niet bereiken. Nu holt hij gehurkt rond en schreeuwt: 'Iedereen terug naar de bus! Nu! Omkeren!'

Radeloze meisjes en jongens staan daar maar wat, terwijl ze in levensgevaar zijn. 'Verdomme, luisteren nu, terug naar de bus! We zijn in een elandjacht terechtgekomen. Ook al is het daar nog te vroeg voor. Rennen en zeg tegen iedereen dat ze moeten omkeren! Begrepen?'

Dan klinkt er weer een knal, van de andere kant van het moeras, nu horen de kinderen die daar dichtbij zijn een kogel vlak langs fluiten en iedereen begint te schreeuwen en te rennen, dan komt het derde schot, iedereen vlucht in wilde paniek. Dat zou Axel Svensson ook het allerliefste doen. Maar de verantwoordelijkheid en de plicht winnen het, zodat hij de andere kant op vlucht, tussen de bomen door zigzagt, schreeuwt, bloed proeft, hij rent urenlang als door watten, heeft hij het gevoel, maar algauw komt hij bij het schuurtje waar een groepje stomverbaasde jongens de opdracht krijgt terug te gaan. Niet langs de zomerweiden van Syndalen of over Kungsleden zoals eerst was gezegd, maar rechtstreeks terug onder de beschutting van het bos. Ze zijn in een elandjacht beland waar niemand van wist, terug naar de bus!

Iedereen ziet dat het ernst is en ze gehoorzamen meteen. Ze hadden de schoten wel gehoord, maar ze dachten dat het een vogeljacht was, de andere kant op, het geluid wordt door de bergwanden heen en weer gekaatst. 'De schoten kwamen van de andere kant van het moeras', zegt Axel Svensson hijgend, het had helemaal verkeerd kunnen aflopen. Nu meteen naar de bus en dan naar het zwembad!

It's a rich man's game no matter what they call it ... use your mind and they never give you credit ... what a way to make a living ... working nine to five ... Wow – een witzijden dekbed vliegt als een parachute naar het plafond terwijl Radio Dalarna Dolly Parton ten gehore brengt. Tussen het bed en het raam, waardoor ik een eveneens wit uitzicht heb, sta ik dansend het super-de-luxe bed op te maken. Wat bof ik met dit baantje, de manager van het hotel kreeg het benauwd, voelde zich schuldig en gaf mij een tip waar ik wat extra's zou kunnen verdienen, ze heeft een goed woordje voor me gedaan.

Dit baantje is perfect, een droom die in vervulling is gegaan. Op mijn vrije dagen kom ik hier het ene huisje na het andere schoonmaken, zonder dat iemand me vertelt wanneer. Als ik maar klaar ben voor de sneeuwgarantie en voordat de verhuur begint, kan het niemand iets schelen hoe ik de huisjes tiptop in orde krijg, van vloer tot plafond schoongemaakt, de jaarlijkse herfstschoonmaak, vijftien huisjes heb ik gekregen en dat brengt flink wat geld in het laatje.

'Good Golly Miss Molly' – in het voorjaar moet ik de schuren schilderen, daklijsten vervangen en grind op het erf storten, bovendien komt Åsa met Kerst bij me met haar verloofde, maar dat kan Bruin gelukkig wel trekken, en ook op het psychische vlak gaat het goed, hoe moeilijk ik het ook heb gehad. Maar ik ben erdoorheen gekomen, ik ben sterker dan ooit, sterk door eigen kracht, want wat pijnigt, dat reinigt, dat is echt zo. Het was een vuurproef die ik heb doorstaan, weliswaar in stilte, want waarschijnlijk ben ik de enige die weet heeft van mijn zelfoverwinningen, mijn overwinningen op mijn zwakheid en mijn angst. Oppervlakkig beschouwd ben ik die schoonmaakster die een paar keer te vaak in de problemen is geraakt en daarmee heeft bewezen dat je je niet met andermans zaken moet bemoeien. Maar de hoofdzaak is dat ik me bewust ben van die kostbare ervaringen, wat ze me hebben opgeleverd en waar ze toe hebben geleid, niet alleen in de vorm van kennis, maar ook van inzicht. Op een goede dag zal ik waarschijnlijk zo geleerd als een professor de pijp uit gaan, alleen weet ik niet waar ik dan een professoraat gehad moet hebben, aan de spinazieacademie misschien.

Ik ben tevreden met mijn leven, meer dan tevreden. Soms bedenk ik dat je die woorden moet denken: ik ben gelukkig, op dit moment ben ik gelukkig. Geen pijn, geen ongerustheid behalve de volledig normale, en geen angsten, ik ben gelukkig, ik ben gezond en sterk, het barrel dat voor de deur staat, is wel bijna aan zijn eindje, maar dan nog, dat komt wel goed. Het is altijd nog goed gekomen. Radio Dalarna blijft nog even nagenieten van de jaren zestig, *Don't bring me down, yes*, ik bedoel *no* ... als ik nou ook nog een goede danspartner had hier tussen de vegers en de stofzuiger, *I'm telling you it's gonna be the end don't let me down. No, please don't let me down!*

Ik ben begonnen met bedden opmaken, zoals ik het in het Högfjällshotel heb geleerd, aangezien dat zo ontzettend veel stof geeft. Ik heb gelucht en het beddengoed geklopt, hoewel ze misschien wel van stof en huismijt houden, die rijke stinkerds die een luxueuze villa als deze verhuren, ik kan er niet bij dat dit een vakantiehuisje is, het lijkt meer op een paleis. Maar ook paleizen moet je schoonmaken, de open haard, de barbecue, de vriezer, de koelkast, de sauna, de droogruimte, de jacuzzi, de wijnkelder, het washok, de waxruimte, de slaapkamers, de douches en het open landschap dat 'gemeenschappelijke ruimte' genoemd wordt, waarvan de onderdelen via halve trappen met elkaar verbonden zijn. Een gemeenschappelijke ruimte met smaakvolle niveauverschillen, voorzien van tv, video- en dvd-recorder en andere apparatuur, zelfs ook nog een paar boeken om de lange avonden mee door te komen als je niet in de kroeg zit ergens in de bergen in de grootste uitgaansmetropool van Dalarna. Ik ben niet jaloers, maar wel verbaasd dat er op sommige plekken zo veel geld zit. Deze villa is maar een van vele. En het grootste deel van het jaar staat hij leeg.

Op dit moment is het hele terrein onbewoond, maar er zijn wel een paar timmerlieden bezig bij een grote alpenhut verderop in de Flatfjällsvägen, af en toe hoor ik gehamer. Ze zijn bezig met het isoleren en beglazen van het grote terras met uitzicht over het dal richting Hundfjället en Tandådalen en op de onder druk geïmpregneerde vloer hebben ze een badkuip geïnstalleerd. De gasten zitten straks in de sneeuw en de kou onder de sterrenhemel in het warme water, met misschien een beker glühwein op de rand. Ik geef toe dat ik wel een tikje jaloers word als ik me deze warme taferelen midden in de winter voorstel. Maar dan word ik wakker en ik denk: wat een gedoe met schoonmaken en al die leidingen die misschien bevriezen. Hoewel iemand anders die problemen waarschijnlijk oplost, dat doen die types zelf niet die hier alleen maar komen voor de variatie en om te genieten.

Een duizendje is een boel geld, vooral als het zwart is. Ik had zulke goede voornemens, toen Jan en ik getrouwd waren en hij actief socialist was, die goede voornemens zijn ergens gaan rammelen en alle kanten op gevlogen. Ik hoef maar 'Skandia' te zeggen, dan is mijn geweten stil en schaam ik me dat ik zo naïef ben geweest om de lui te spekken die slechts het topje van een ijsberg waren. Ik werk in ieder geval voor mijn centen, voor elk uur staat honderdvijftig kronen zwart. Zíj werkten helemaal niet, als ze dat niet allemaal kregen. De mensen die dat allemaal opstreken, deden helemaal niks, ze staakten, ze weigerden hun best te doen als ze geen extra miljoenenbonussen kregen. Wat moet je ervan zeggen, ik kan er met de pet niet bij, ik ben mijn illusies kwijt. En ergens betaal ik toch, hoe slim ik ook ben. Want er worden geen sociale premies betaald, daarvoor krijg ik zelf de rekening gepresenteerd. Degene die werkt, moet altijd betalen. Hoe die lui aan hun onvoorstelbare posities zijn gekomen, begrijp ik niet. Misschien kennen ze iemand, of hebben ze een erfenis gehad of iemand omgekocht, dat zou kunnen. Ze maken deel uit van een ander universum, waar ik heel weinig van weet, een aparte gesloten groep van ons-kent-ons. En wij zijn kippen die zich makkelijk laten plukken, ze kunnen ons zo een voor een vangen sinds de solidariteit de deur uit is gezet en levensgevaarlijk wordt gevonden.

Kom op, Radio Dalarna! Maar daar zijn de jaren negentig losgebarsten, het klinkt als een pneumatische hamer en ik zet hem uit. Ik pak zo'n trekker op een extra lange uitschuifbare steel waarmee ik de bovenkant van het grote raam, dat helemaal tot in de nok doorloopt, kan bereiken. Buiten is de mist iets minder dicht en beneden op de keerzone van het receptiegebouw staat een bus. De chauffeur komt het café uit dat het hele jaar open is en steekt een sigaret op. Hij loopt naar de bus, terwijl er een paar kinderen komen aansjokken van de andere kant, van het bos. Ze kijken continu om zich heen en roepen iets naar de chauffeur, die abrupt blijft staan en met zijn handen een gebaar maakt van: wat?

Nu komen er nog meer kinderen aan, kennelijk maken ze

een uitstapje met school. De meesten rennen, misschien doen ze een wedstrijdje wie het eerst terug is. Ik zie geen leraar. O, toch wel, nu komen er een paar volwassenen aan, ze praten aan één stuk door met elkaar en met de kinderen. Ze lijken zich ergens nogal druk over te maken. Zijn ze van slag? Zijn ze misschien boos? Heeft een van de kinderen stiekem gerookt of rommel gemaakt of het voor iemand anders verpest? De sfeer is opgewonden, dat is duidelijk.

Als ik op een stoel ga staan, kan ik met de trekker helemaal bij de nok komen.

Niet weten is altijd het ergste. De chauffeur had de smaak van koffie nog in zijn mond toen de eerste kinderen terugkwamen met het verbijsterende nieuws dat er een elandjacht gaande was in het gebied. Hij vergat te roken. Elandjacht? Hoe dan? Waar dan? Hier, nu? Ja, ze hadden schoten gehoord en een hond en iemand had een eland voorbij zien denderen door de struiken. Er was een elandjacht aan de gang en ze hadden de opdracht gekregen om terug te gaan.

Linjo Sven en de andere volwassenen behalve Axel Svensson kwamen nu in zicht met een grote groep kinderen. Veel van hen lachten en floten toen ze de bus zagen. Nu mochten ze veel eerder naar het Avonturenbad, ze vonden het wel grappig dat de volwassenen zo bezorgd keken.

De radio kraakte en Axel Svensson rapporteerde van de zuidhelling van de Lägerdalsfjäll. Voorzover hij kon zien bevonden alle kinderen zich nu ergens vóór hem, er kwam niemand meer achter hem, hij was de laatste. Dus hij ging nu terug, over en sluiten.

Even later kwam er weer een oproep van hem. Hij had contact gehad met enkele jagers. Ze zouden met hem meegaan naar de verzamelplaats. Ze waren geschrokken en wilden kijken of alles in orde was.

Linjo Sven was boos en onder zijn woede zat angst. Hij had de route uitgezet. Hij was hier een paar dagen geleden nog geweest, hij had het hele stuk gelopen en zich ervan vergewist dat de route niet te zwaar was, kinderen kunnen zo weinig hebben tegenwoordig, je moet zo voorzichtig met hen zijn, ze kunnen niks en snappen niet wanneer iets echt is en niet alleen maar een videospelletje met superieure graphics.

Hij had overal rekening mee gehouden. Dacht hij. Maar had hij dit ook moeten checken? Hoe dan? Wie had hij ernaar moeten vragen en hoe had hij überhaupt op het idee moeten komen, het was immers nog maar begin september? Dus ... was dit echt zijn verantwoordelijkheid? Het antwoord was: nee, dit was niet zijn verantwoordelijkheid, dat kon het niet zijn, dat moest hij duidelijk stellen. Er zou nu geen elandjacht moeten zijn, dus waarom had hij daar dan over na moeten denken?

Waar was hij eigenlijk mee bezig? Hij zocht manieren om zijn eigen straatje schoon te vegen, ook al had nog niemand hem ergens van beschuldigd. Hij kon er gewoonweg niets aan doen en hij mocht blij zijn dat de vergissing zo snel aan het licht was gekomen.

Ze waren nu allemaal verzameld, de moeder van het arbeidsbureau en de werkloze vader stonden vol vertrouwen te wachten totdat Linjo Sven het bevel zou overnemen. De jonge assistente had heel wat te stellen met Mats, die boos was en luidkeels bleef vragen: 'Je zei toch dat we naar een hut gingen? Moeten we nu met de bus? Ik wil nu niet zwemmen, we zouden toch naar een hut gaan en daar barbecuen?'

Nu moest hij zorgen dat er een beetje orde kwam in de groep. Eerst moest iedereen geteld worden. Hij zou hun vragen per klas bij elkaar te gaan staan en elkaar te tellen.

Maar er was een storende factor.

De eigenares van het Modecentrum, die tante. Ze liep van de een naar de ander om iets te vragen. Haar neefje Sammy was natuurlijk nergens te zien! Typisch. Linjo Sven werd weer boos.

Hij keek het pad af. De mist was iets opgetrokken, de bomen in de verte stonden te wachten, het pad wachtte, de struiken en de kruisen die het pad markeerden.

Alles wachtte, maar er kwam geen Sammy het pad over lopen, als laatste van iedereen omdat hij was gaan plassen of had lopen klooien of hen gewoon bang had willen maken.

De in mist gehulde bomen in de verte bleven in de houding staan en wachtten, met hun takken geheven alsof ze de hemel wilden bedwingen. Er kwam niemand aan over het pad.

Alles werd zo stil. In een oogwenk stierf het geroezemoes weg en nu kwam ze op hem af.

'Ik dacht dat hij bij hen was ...' zei ze en ze wees onzeker naar een paar kinderen.

Ze schudden verwoed hun hoofd en vertelden dat ze maar een klein stukje samen op hadden gelopen, daarna was hij doorgelopen. Of hoe het ook precies was gegaan. Ze wisten het niet meer. Maar in ieder geval was hij maar een meter of honderd met hen meegelopen. Of tweehonderd. Tweehonderd meter, ze hebben geen idee waar hij daarna heen gegaan is. Vermoedelijk naar de kopgroep. Axel Svensson zal hem wel vinden, zeggen ze met stemmen die iets hoger zijn dan anders, niet met een kopstem, maar ijler dan anders, opgewonden, ze willen er niet van beschuldigd worden dat ze niet naar een klasgenoot hebben omgekeken, ze zijn onschuldig.

Marlene, de eigenares van het Modecentrum, kijkt de leraar smekend aan alsof ze wil dat hij de kinderen onder druk zal zetten, zodat ze snel zullen stoppen met hun ontwijkende gedrag. Haar blik gaat heen en weer van de kinderen naar Linjo Sven, zeg er toch alsjeblieft iets van, ik heb toch gezien dat hij bij hen was. Linjo Sven ziet opeens bleek, de kleur verdwijnt van zijn wangen en zijn lippen.

Alles draait. Tegelijkertijd lijkt het wel alsof er stekende distels langs zijn ruggengraat gaan en de hele wereld beweegt, het pad, de struiken en de bomen.

Dan kraakt de radio weer. Het is Axel.

Hij heeft de jachtleider gesproken, de jachtploeg is verzameld, we staan hier nu allemaal. Over.

'En? Over.'

'En … het is niet zo mooi. Over.'

'Nee? Over.'

'Bel een ambulance. Meer kan ik op dit moment niet zeggen, er staan natuurlijk mensen om je heen? Mobieltjes hebben hier geen bereik maar in het centrum is vast wel een telefoon, of in de bus. Over.'

'Begrepen. Ga ik doen. Over.'

Een tiende van een seconde heeft hij zichzelf niet helemaal in de hand. Hij kijkt toevallig een jongen aan die vlak bij hem staat en het misschien heeft gehoord. Hij doet meteen zijn ogen dicht, stopt dan de radio weg. Hij zegt dat hij moet bellen. Ze moeten hier wachten.

Dat kind dat recht in zijn hart keek, begint meteen met een vriendje te praten, opgewonden, dat kan van kwaad tot erger gaan. Hij moet de boel onder controle zien te krijgen. Daarom verheft hij zijn stem en hij verbaast zich erover dat die zo sterk is, zo helder, zijn stem, die helpt hem. Hij zegt dat een van de jagers zich kennelijk heeft bezeerd, maar dat het niet ernstig is. Hij gaat bellen en intussen moeten ze per klas tellen of iedereen er is en dan iets gaan drinken, hij is zo terug.

Bij de receptie zit een meisje dat niet veel ouder is dan zijn leerlingen, ze verzorgt zowel de administratie als de koffie – er zijn geen gasten. Ze deinst terug als hij naar binnen komt stormen om te vragen of hij mag bellen. Maar dan hangt hij al over de balie, en met de hoorn in zijn hand zet hij de jachtradio weer aan.

In een simultaan gesprek tussen de alarmcentrale, hemzelf

en de mannen ver weg in een moeras maken ze de stand van zaken op en de ambulance, de reddingsdienst en de politie krijgen het alarm hoogstens een halve minuut later.

Er is een vijftienjarige jongen per ongeluk neergeschoten tijdens een excursie, hij ligt hemelsbreed circa anderhalve kilometer ten noordoosten van de Myrflodammen. De situatie is zeer ernstig, hun lekenoordeel is dat hij overleden is, door het hoofd geschoten. Met een 4 x 4 kun je tot vlak bij een hut rijden. Verder te voet of per helikopter, maar het is te mistig, de grond is nat en drassig, kan lastig lopen zijn. Een sneeuwscooter zou kunnen. De jachtploeg en een leraar zijn nog ter plaatse. Een groep kinderen en enkele volwassenen hebben zich verzameld bij het hoofdgebouw van bungalowpark Myrflodammen. Ze mogen niets aanraken, alleen levensreddende handelingen zijn toegestaan. Begrepen. De reddingsdienst heeft een amfibievoertuig met rupsbanden, dat meteen uit de garage in de bergen vertrekt, ze zijn er over een paar minuten, met de politie en de ambulance kan het iets langer duren.

Een zakelijke, kurkdroge, emotieloze, maar efficiënte communicatie met een medewerkster die de taak heeft alle benodigde gegevens los te krijgen van dronken en hysterische mensen om de juiste acties tot stand te kunnen brengen, en alles gaat goed totdat ze nog een keer wil weten hoe het met de patiënt is, waarschijnlijk om de juiste soort ambulance of de juiste arts erheen te kunnen dirigeren. Maar dan gaan ze door het lint en door het gekraak van de walkietalkie heen schreeuwt iemand: 'Hij is dood! Zijn jullie doof geworden daar bij 112? Hij leeft niet meer, moeten we de uitgangswond beschrijven, die kogel was bedoeld voor een eland van vierhonderd kilo!'

Daarmee is de communicatie ten einde, zou je denken. Maar wanneer alles al is misgelopen zegt de medewerkster van de alarmcentrale in Falun bij wijze van troost dat ze allemaal onderweg zijn.

Ze komen allemaal. Alsof er in de bergen een feest met allemaal beroemdheden wordt gegeven, dat je niet zou willen missen. Linjo Sven en Axel verbreken stilletjes de verbinding. Nu kunnen ze alleen nog wachten.

'Als een van die mensen buiten hier binnenkomt, dan zeg je geen woord over wat je hebt gehoord!' Linjo Sven kan streng zijn en de ogen van de jonge receptioniste beginnen vochtig te glimmen en dreigen over te lopen. Ze wordt een spiegel. Hij ziet zichzelf in de uitdrukking op haar gezicht, hij ziet hoe angstaanjagend hij is en wat voor akelig verhaal ze door zijn toedoen te horen heeft gekregen zonder dat ze erom had gevraagd. Hij ziet dat haar handen trillen, maar hij heeft geen tijd om iets goed te maken, ze moet het nu zelf maar zien te regelen, iemand bellen.

Zonder nog iets te zeggen loopt hij naar buiten en onderweg steekt hij al zijn energie in pogingen om zijn gezicht weer in de plooi te krijgen, om een masker op te zetten. Zijn enige gedachte is dat hij hoopt dat de professionals snel komen, maar intussen?

De eerste die hij tegenkomt is natuurlijk Marlene, haar blikken zijn speren die hem vanaf een afstand van zo'n meter of vijftig toegeworpen worden, hij kan er niet aan ontkomen, ook al doet hij de laatste tiende van een seconde zijn best om gewoon te kijken. Ze staat daar alsof ze de pest heeft, de anderen hebben allemaal elkaar, ze staan in groepjes bij elkaar, maar om Marlene van het Modecentrum heen is het leeg. Maar ook al is ze alleen en kijkt er niemand naar haar, toch staat ze in het middelpunt. Onvermijdelijk.

Hij moet dit doen. Er is nu geen weg terug.

Als er een speciaal plekje in de hel is waar ze extra hete poken hebben om de slachtoffers mee te porren en te kwellen, dan zou ik daar de architecten naartoe sturen die er nooit bij nadenken dat een huis schoongehouden moet worden. Dat grote raam met een punt tot in de nok … wie verzint zoiets?

Net wanneer ik de trekker weer optil, zie ik tussen de strepen van de rubber strip door een heleboel kinderen bij elkaar staan, beneden op de keerzone bij het receptiegebouw van Myrflodammen. De manier waarop ze zich bewegen, een soort onrust, er is iets mee, hun lichaamstaal trekt mijn aandacht. Mijn focus verandert, eerst de strepen op de ruit en dan de kinderen. Zodat mijn ramenlapmissers een lijst vormen om het drama dat ik alleen maar vermoed, maar dat er iets mis is, zie ik wel. Er is nu onrust in de gelederen, angst, ze zijn geschokt, en iedereen kijkt naar het receptiegebouw dat met de achterkant naar mij toe staat, evenals een afvalcontainer en een rij brievenbussen.

Dan krijg ik haar in het oog, maar op dat moment weet ik nog niet dat het Marlene is, bij wie ik een keer een bh heb gekocht, ook al was het een dure. Ik zie alleen een vrouw van mijn eigen leeftijd die doodstil blijft staan terwijl de anderen nerveus om haar heen bewegen, maar wel een meter of drie afstand houden. Ze staat daar roerloos en staart onafgebroken naar de ingang van het gebouw.

Nu komt er een man de deur uit lopen, hij schrijdt als het ware naar de vrouw toe. Ze heeft een leuk, kort jack aan, rood, op een zwarte broek en ze draagt ook rode laarzen. Het is smaakvol, sommige mensen zijn schijnbaar altijd elegant gekleed, of ze nu een afvalputje schoonmaken of naar een bal gaan, dat maakt niet uit, het heeft iets te maken met je houding en met aandacht voor details. Rubberlaarzen – hoe kom je erop?

Hij pakt haar bij de elleboog. Nu beweegt ze voor het eerst, een afwerend gebaar, ze wil niet meelopen, ik zie haar mond bewegen.

Wanneer ik weer kijk, is de chaos losgebarsten. De man houdt beide armen om de vrouw heen, die zich niet meer verweert maar als het ware in zijn armen hangt met haar gezicht tegen zijn borstkas. Om hen heen zijn een heleboel meisjes in elkaars armen gevallen. Bijna iedereen huilt, zie ik opeens tot mijn verbazing. Een paar huilende jongens staan wat apart, ze keren de rug naar de anderen toe, maar hun gezicht naar mij, ik zie hun wanhoop. Hier en daar is een volwassene aan het troosten, maar ze zijn met zo weinig, de volwassenen. De meeste kinderen lopen doelloos heen en weer, een paar monden zijn zwarte gaten, ze brullen. De man die de vrouw troost maakt een gebaar met zijn hand dat ze het wat rustiger aan moeten doen. Waarom?

Er is iets gebeurd, een ongeluk, of ze hebben een droevig bericht gekregen, dat lijkt me duidelijk. Het is erg voor hen, wat er ook aan de hand is.

Hoewel het helemaal mijn zaken niet zijn, hoe instinctief ik ook reageer. Ik kan evengoed medelijden hebben met mensen die ergens honger lijden, het heeft nog meer zin een bedragje op een rekening te storten dan dat ik me hier bemoei met iets waar ik totaal geen deel aan heb. Dit huis zou trouwens leeg moeten zijn, ik zou hier niet moeten zijn, ja, het hele bungalowpark is zo'n beetje leeg, ik ben hier niet besteld en er is geen enkele reden waarom ik hier zou moeten blijven staan kijken.

Maar ik kan het niet laten, daar ben ik nou eenmaal Siv voor. Met mijn wonderdoekje op de lange steel wrijf ik verwoed over elke veeg, vlek, streep en opgedroogde druppel. Het raam wordt zo schoon dat het bijna onzichtbaar is en ik sta midden in de lucht, dezelfde lucht die die arme kinderen en hun begeleiders op dit moment opsnuiven, wat is er toch voor verschrikkelijks gebeurd? Nu zie ik een rupsvoertuig, hoelang staat dat daar al? Is het een oefening, van de bescherming burgerbevolking of zo?

Op dat moment hoor ik sirenes in de verte. Dat kan natuurlijk van alles zijn.

Maar het geluid komt almaar dichterbij en de beweging in de groep geeft aan dat het geluid deze kant op komt. Maar waarom? Ik zie geen gewonde of zieke, geen brand of vergiftiging, maar de shock en het huilen worden erger.

Een meisje trekt zich in haar eentje terug achter de afvalcontainer. Haar gezicht steekt wit af tegen het groen van de container. Ze leunt er met haar rug tegenaan, haar gezicht naar de lucht, ze kijkt omhoog, misschien roept ze God aan. En ik zie dat ze haar gezicht vertrekt, ze schokt van het huilen, ze ademt in en moet zo huilen dat haar hele lichaam ervan schokt, het ziet er eng uit, alsof ze verkracht wordt.

Opeens zakt ze in elkaar. Ze wordt gewoon een hoopje kleren, geen zielenroerselen of andere bewegingen, geen trillingen of krampen meer. Ze is flauwgevallen.

Ze ligt achter de container. Niemand die haar ziet. En ze beweegt nog niet, wat zou er gebeurd zijn? Ze is toch zeker gewoon flauwgevallen? Of heeft ze epilepsie? Insulineshock? Niemand ziet haar!

Ik sta al buiten, hoe heb ik mijn jas zo gauw aan gekregen? De lucht is zo guur, en vol sirenes. Blauwe lampen knipperen tussen de dennen wanneer ik bij het flauwgevallen meisje kom.

Ze wordt wakker als ik haar hoofd optil en begint meteen weer te huilen, ze pakt me vast en snikt, ze jammert als een drenkeling.

Ik help haar overeind en breng haar naar de anderen. Een sirene zwijgt abrupt. Een ambulance komt aankruipen en stopt, in de verte zijn nog meer sirenes te horen. De mist ligt in lagen over het beeld, er dansen nu sluiers als elfen op een overdreven nationaal-romantisch schilderij. Het is allemaal onwerkelijk. Afbeeldingen liegen meestal. Geluiden ook. Maar er zijn ook geuren. En koud geworden snot op mijn pols, een beetje vies, ik ben wakker, dit gebeurt hier en nu.

Bränd Sven Eriksson werd op 18 april 1945 geboren in Mobyarna in de gemeente Malung, district Kopparberg. Hij was de zoon van Bränd Pär Larsson, arbeider op de houtzagerij, en diens echtgenote Josefina, geboren Jönsdotter, en de jongste van vijf.
Ondanks zijn eenvoudige komaf slaagde Sven erin zijn middelbareschooldiploma te halen. Hij was al jong actief in de politiek en werd al als tweeëntwintigjarige gekozen in de gemeenteraad van Malung. In die tijd werkte hij als controleur en vervolgens inkoper bij de legendarische Niss Oskar Jonsson, de oprichter van Jofa, een contact dat zich trouwens ontwikkelde in wederzijds respect, ook al liepen hun opvattingen soms uiteen.
In 1970 werd Bränd Sven lid van de Provinciale Staten en hij verhuisde naar Falun. Na nog eens vier jaar klom hij op tot provinciesecretaris. Hij had overzicht en was in staat de juiste, moeilijke beslissingen te nemen, dat was bekend, en als leidinggevende was hij erg populair.
In 1992 werd Bränd Sven benoemd tot directeur-generaal van het nationale telecommunicatiebedrijf in Stockholm, een post die hij tot aan zijn pensioen bleef bekleden. Bij zijn afscheid sprak de toenmalige minister van Economische Zaken zijn bewondering uit voor 'een man gedreven door het idee dat het algemene ook het persoonlijke is en dat het persoonlijke in zekere zin ook altijd het algemene is. Een man wiens bezieling en rechtschapenheid een voorbeeld is geweest binnen de organisatie, een persoonlijkheid van de oude, solide stempel die een moeilijk te vullen leegte achterlaat.'
Bränd Sven Eriksson had een brede belangstelling. Hij stortte zich met hart en ziel op zijn werk en hij merkte vaak op dat zijn baan ook zijn belangrijkste vrijetijdsbesteding was, maar daarnaast ging hij ook graag jagen en

vissen, en als het even kon, sloeg hij de jaarlijkse elandjacht niet over. Aangezien zijn vader uit Sälen kwam, maakte Bränd deel uit van een jachtploeg uit Sälen waar zijn weinige, maar goede vrienden ook in zaten.
Bränd Sven liet zijn geboorteplaats nooit in de steek. Hij kwam altijd weer terug in het ouderlijk huis in Mobyarna en toen zijn ouders waren overleden, nam hij hun boerderijtje over, waar hij na zijn pensioen ging wonen.
Bränd Sven bracht elke zomer in de bergen door, op de zomerboerderij van zijn grootvader. Daar was hij het liefst, daar kwam hij naar eigen zeggen tot rust en deed hij nieuwe energie op. Hij zette zich ook actief in voor het renoveren van de weg, alsmede het onderhouden van de hekken om de oude bergweide en hij was ook erelid van de zomerweidevereniging.
Bränd Sven Eriksson is nooit getrouwd geweest en had geen kinderen. De politiek is mijn gezin, zei hij altijd en de arbeidersgemeenschap en de sociaal-democratische partij zijn dan ook diep bedroefd over zijn heengaan. Hij laat een oudere broer na met een gezin, alsmede vele neven en nichten met hun nakomelingen. Wij hebben jarenlang het voorrecht gehad nauw samen te mogen werken met Bränd Sven Eriksson en voor ons komt het bericht van zijn heengaan als een schok. We zullen hem in onze herinnering bewaren als een resultaatgericht en door en door integer mens, die zich onvermoeibaar inzette voor het nut van het algemeen.

Stockholm, 29 oktober 2006
Bo Einar Skottgård
Svante Rydman

De reddingsdienst heeft politie en ambulancepersoneel meegenomen in het rupsvoertuig, recht het moerassige, mistige terrein op. Het is een amfibievoertuig met plaats voor vijftien man, er zit verwarming in en eigenlijk kan niets zijn vaart stuiten behalve echte tankversperringen of misschien al te grote waterstromen.

Er staan nog een paar geüniformeerde agenten bij de auto's en de ambulance. Zij blijven op hun post voor het geval er een ander alarm binnenkomt. Een agent in burger is met een paar kinderen in gesprek, ze praten druk, de agent maakt aantekeningen, af en toe krijgt hij een oproep via zijn portofoon.

Ik stelde me meteen voor zodra ik met het snikkende meisje aankwam en Axel was blij met iedere volwassene extra die kon helpen in deze ellende, hij vertelde heel in het kort over het schietongeluk, daarna moest hij weg naar het bos samen met de anderen in het brommende rupsvoertuig om de weg te wijzen. Ik bleef met nog drie volwassenen en al die kinderen achter, al die bange jongeren die steun nodig hadden.

Het meisje, Nora, schaamt zich omdat ik de ongecensureerde versie van haar achter de container heb gezien. Linjo Sven had geen informatie over suikerziekte of een andere aandoening. Ze zal wel gewoon geschokt zijn net als de anderen, zei hij, ik was opeens opgelucht. Ze staat nu bij twee vriendinnen, ze hebben hun armen om elkaar heen, en ze doet net of ze mij niet ziet. Andere kinderen komen echter instinctief op mij als volwassene af. Een paar jongens en een meisje staan bij me te vertellen, ze praten en praten, een stortvloed van woorden. Ik luister en zeg 'hm' en af en toe een troostend woord. Het is natuurlijk absurd. Tegen pech en toeval doe je niets, er is geen troost. De woorden 'waarom, waarom' worden heen en weer gekaatst alsof het gloeiende aardappelen zijn, ze vinden geen plek waar ze neer kunnen komen, ze steken en knijpen telkens wanneer ze worden uitgesproken. Een van hen is dood. Een onnodige dood. Totaal zinloos. Dat kan toch niet waar zijn?

Zo werkt het toch niet in het leven? Je gaat toch niet zomaar dood door een toeval? Er moet toch een bedoeling zijn en een logische verklaring?

Maar die heb ik niet. Toch zeg ik al mompelend iets verschrikkelijks, dat je door schade en schande wijs wordt, maar dat de prijs soms wel erg hoog is. Ik heb er meteen spijt van. Die clichés kan ik wel voor een andere keer bewaren, maar de kinderen luisteren en willen meer horen. Wat moet ik zeggen? Ik kan niet doorgaan met bagatelliseren, dat zou een belediging zijn. Dus vraag ik hun dingen over school en over andere excursies, we kletsen wat, het gesprek verloopt haperend. Ze komen steeds weer terug op de dood, de dood zelf die zo sterk en levend tussen hen in kwam staan en die zo nonchalant en lichtzinnig een eind maakte aan het leven van de jongen.

Dat het hun allemaal had kunnen overkomen.

Het duurt even voordat het me helemaal duidelijk is wat er is gebeurd. Een kind, een jongen, en hij heeft een naam, hij heet Sammy, ligt daar nog ergens in de mist. Maar een vrouw van middelbare leeftijd die de jongen niet eens heeft gekend, moet natuurlijk niet huilen en dat doe ik ook niet. Ik slik gewoon een paar keer en denk nog niet eens een halve seconde aan mijn dochter Åsa, want dan zou ik het te kwaad kunnen krijgen en het is belangrijk dat ik niet huil zoals alle anderen, maar rustig blijf en vertrouwen en veiligheid uitstraal.

De tijd verstrijkt. Zijn het minuten of uren? Het is na twaalven, het licht wordt minder. Er is tijd voorbijgegaan. Er is nog een ambulance met zwaailicht gearriveerd met een arts uit Lima. Hij verdwijnt in de richting van het bos met een jachtradio aan zijn riem, hij stapt rustig door. 'Waarom loopt hij niet harder?' fluistert iemand ontdaan.

Opeens nadert vanaf de andere kant de jachtploeg, ze lopen daar heel gewoon met een paar agenten! Ze verschijnen opeens op het met kruisen gemarkeerde pad, ze zijn met zijn achten, acht mannen in jagerstenue met een schreeuwerig lint om hun hoed of pet en een van hen met een aangelijnde jachthond. Rugzakken en wapens, ze dragen de wapens zelf, dat is niet raar. Hun stappen zijn zwaar alsof ze een last van honderd kilo dragen, maar dat is ook niet raar, bij het lopen zak je als vanzelf door je knieën. Het is allemaal niet raar, het ziet er heel gewoon uit. Toch wordt alles stil en de sfeer wordt bedrukt, beklemmend, wordt verstijfde angst.

De kinderen weten niet wat ze moeten doen, de sfeer is zo gespannen dat de agent in burger zijn rug naar de jagers toe draait en roept: 'Leerlingen, allemaal luisteren. Ik wil dat jullie allemaal in de bus gaan zitten! Jullie gaan hier zo weg, zodra jullie leraren er weer zijn. We moeten alleen nog een paar dingen bespreken, dus gaan jullie alvast in de bus zitten, dan kom ik zo bij jullie.'

De kinderen kijken naar de jagers die vanuit de verte naderen, maar stappen toch gehoorzaam in de bus, ze hebben het koud en verlangen naar warmte, sommige zijn verkleumd, ze willen die mannen niet groeten, ook al was het een ongeluk.

Alsof de chauffeur hun gedachten kan lezen, start hij de motor en zet de ventilatie aan en ze stappen gauw in.

De volwassenen blijven staan als een soort moedeloos ontvangstcomité, het is een absurde situatie. Zij staat nu weer helemaal alleen. Ook al is ze de tante van de overleden jongen en ook al weet iedereen dat, ik ook.

Ik hoef alleen maar naar haar toe te lopen en oogcontact te maken. Ik hoef niet veel te zeggen, ze heeft grote behoefte aan iemand, het maakt niet uit wie. Haar ogen zijn rood en er zit mascara op haar slaap en wang. Ik geef haar mijn zakdoek hoewel die nat is van de tranen van dat meisje, Nora, maar Marlene heeft een pakje papieren zakdoekjes dat ze omhooghoudt. Ik sla een arm om haar schouders en zeg een paar meelevende woorden, ik betuig mijn medelijden, niet meer en niet minder.

Nu zie ik dat ze me herkent hoewel ik maar één keer iets bij haar heb gekocht, die bh. Gezichten herkennen, dat is vast een beroepsafwijking.

Nu zijn de jagers vlakbij en het is onmogelijk om niet te kijken, iedereen kijkt, ook wij tweeën kijken en ik heb het idee dat Marlene kleiner wordt, bijna in elkaar zakt, ik sla weer een arm om haar schouders en fluister zacht: 'Het was een ongeluk. Wat vreselijk voor degene die het heeft gedaan.'

Ze knikt, ze trilt en slaat haar ogen neer, iets in haar lichaam geeft aan dat ze graag heel ver weg zou willen zijn.

Ik vraag of ze weg wil, ik kan haar misschien helpen, maar dan protesteert ze energiek. 'Nee, absoluut niet. Hij is daar toch nog. Ik kan het nu niet laten afweten, ik moet hier blijven, begrijpt u! Maar u blijft toch wel bij me! Hoe heet u, ik ken u toch ergens van? Ik moet blijven, begrijp je? Je naam ligt op het puntje van mijn tong. Je blijft toch? Wie ben je?'

Ik begrijp het. En ik zeg dat ik Siv heet. Ik moet blijven, ik ben een strohalm. Marlene snikt hartverscheurend tegen mijn schouder. Stiekem denk ik: dat moet mij weer overkomen. Ik ken die vrouw niet, maar nu heb ik alweer iets op me genomen waar ik moeilijk meer onderuit kan, hoe krijg ik het voor elkaar, daarboven wacht het schoonmaakwerk op me en ik ben nog lang niet klaar, maar ik kan moeilijk zeggen dat ik helaas geen tijd meer heb en dat ze maar een andere schouder moet zoeken om op uit te huilen. Zo onbehouwen, ongevoelig en door en door verdorven moet ik ook niet willen zijn, ik verdien een pets om mijn oren, dat zou me leren.

Schuldbewust mompel ik iets vriendelijks: dat het vast wel goed komt, wat natuurlijk helemaal niet waar is, ik ben nog een huichelaar ook, maar Marlene leunt alleen maar zwaarder op mijn arm. Wie ben ik om te klagen, loodzware verschrikking, het wordt nog een lange dag voor haar, de nachtmerrie is nog maar net begonnen.

De jagers hebben zich bij stapels bouwmateriaal verzameld en op een ervan zit een grote man met een hoed op en een geweer, en zijn rugzak nog op zijn rug. Hij zit daar alsof hij op die stenen is gedropt en de anderen gaan om hem heen staan. Iemand probeert met hem te praten, maar de zwaartekracht lijkt zo aan die hele man te trekken dat hij zich niet beweegt, hij houdt zijn hoofd gebogen, zijn gezicht wordt verborgen door de schaduw van de rand van zijn hoed. Hij zit zo stil dat het wel lijkt of hij slaapt. De anderen bewegen zich daarentegen allemaal onrustig. Ze hebben hun bepakking neergezet en de twee agenten die met hen meegelopen waren, zijn naar het ene politiebusje gelopen waar ze staan te praten, en waar ze iets uit lijken te halen.

Die grote man, onbeweeglijk met de hoed op die zijn gezicht verbergt. Nu pakt een van zijn kameraden de schouderbanden van de rugzak vast en helpt hem voorzichtig om zich van de last te ontdoen. De zware man laat het toe, maar hij werkt niet mee en zijn last is zo duidelijk, zijn hele lichaamstaal roept: 'Ik ben de schuldige!' Een bordje met 'dader' in vurige letters op zijn borst had niet duidelijker kunnen zijn.

Hij is groot en fors en beweegt niet. De anderen steken sigaretten op, vegen het zweet onder hun pet vandaan, halen hun vingers door hun haar, kijken alle kanten op en iemand drinkt iets uit een plastic fles, een ander spuugt tabak uit. Het lijkt allemaal doelloos, maar de snelle blikken en nerveuze bewegingen vormen een choreografie van schuldbewustzijn.

Een van hen is oud, hij gaat nu ook zitten, hij lijkt uitgeput. Het haar onder zijn pet is krijtwit en hij heeft een grote snor. Hij draagt een knickerbocker, dikke kniekousen en wandelschoenen, hij tast naar iets aan de binnenkant van zijn groene jas en, hup, hij neemt een slok uit een veldfles met een leren rand, het gaat zo snel en zo discreet dat ik het niet gezien zou hebben als ik hem niet recht aan had gekeken. Er reageert ook niemand, iedereen beweegt zich net als eerder en de oude man zit nu over zijn dijen te wrijven en gluurt ietwat weifelend naar de grote man die uit steen gehouwen lijkt en zijn ogen nog steeds neergeslagen houdt.

Een van de jagers heeft een paardenstaart, een vlassig baardje en puistjes, hij lijkt jong maar is vast wel ouder dan dertig. Hij rookt en nu schenkt hij iets in uit een thermoskan, koffie misschien. Hij overhandigt het bekertje aan de grote man, die opeens in beweging komt, het kopje vastpakt en het in één teug leegdrinkt. Hij knikt, bedankt en geeft het kopje terug. Daarna zet hij zijn hoed af, strijkt met beide handen over zijn haar, dat donker is, en keert daarna zijn gezicht naar de hemel en doet zijn ogen dicht, zoals ik altijd doe als ik pijn in mijn nek krijg en nu zie ik opeens wie het is – die typerende snor!

Ik hap naar adem. 'Het is Bränd Sven', fluister ik. 'Het is Bränd Sven!'

Marlene houdt het papieren zakdoekje onder haar ene oog en tilt haar hoofd op van mijn schouder, ze kijkt voorzichtig. 'Ja,' zegt ze, 'ik zie het, Bränd Sven. En daar is Klas Lekare.' Ze maakt een gebaar en ik begrijp dat dat de man met de paardenstaart is, maar die ken ik niet.

'Zijn er nog meer bekenden bij?' vraag ik opdringerig; het identificeren van personen kan tijdelijk de gedachten afleiden van de wanhoop.

Van achter haar zakdoek kijkt ze nu wat beter. 'Het zou kunnen', zegt ze uiteindelijk. 'Een klant misschien … en een paar mannen uit Sälen … daar heb je Karl-Erik Lindvall.'

Ze wijst voorzichtig naar een vijftiger die met twee leeftijdgenoten staat te praten. Hij heeft die speciale gezichtshuid die echte buitenmensen krijgen, een roodbruin gepigmenteerd vel met daarop blauwachtige baardstoppels als wolken voor het avondrood.

Een magere vent van een jaar of veertig is naast de oude man gaan zitten.

‘Die bejaarde man heeft een slokje genomen’, fluister ik.

‘O ja?’ Ze pakt de mouw van mijn jas steviger vast, ik geef een kneepje in haar hand en ik weet zeker dat we hetzelfde denken: als alcohol hier de oorzaak van is, dan is er geen genade verdomme dan is het moord dan moet dit gewroken worden dan wordt geen leven gespaard als het van de alcohol komt, dat is zo onverantwoordelijk, dan staan we niet voor onszelf in als hier alcohol in het spel is zijn wij tot alles in staat!

Alsof God gebeden hoort, komen op dat moment de agenten terug. Ze hebben een alcoholmeter bij zich en beginnen meteen de nuchterheid in de jachtploeg te controleren, ik kalmeer. Er is nog wel gezond verstand en efficiëntie binnen het Zweedse politiekorps, het doet me bijna deugd. De ene houdt het apparaat omhoog en verwisselt steeds het mondstuk, terwijl de andere noteert – heel goed.

Voorzichtig doe ik een paar stapjes naar voren en Marlene gaat mee, maar daarna stribbelt ze tegen. ‘Ik wil niet met ze praten’, fluistert ze. ‘Dat moet je begrijpen.’

Maar iedereen is dichterbij gekomen en een paar mensen van wie ik aanneem dat het begeleidende ouders zijn, zijn met de jagers in gesprek, ook al hebben de agenten duidelijk aangegeven dat het nu niet zo’n geschikt moment is.

Het ziet ernaar uit dat Bränd Sven nuchter is, hij mag als eerste blazen en de procedure gaat heel ondramatisch verder met de volgende, we kunnen een paar losse woorden opvangen en de volgende, die Klas Lekare met zijn paardenstaart, is ook nuchter evenals de drie mannen uit Sälen en die magere die wat jonger lijkt, ook al is Lekare met zijn paardenstaart duidelijk de jongste.

Een man met een onbevangen blik en zelfs een glimlach mag blazen en vanaf tien meter afstand mag ik hem, dat is toch ook vreemd. Sommige mensen zijn zo open, daar wil je op af rennen om kennis te maken ook al hebben ze geen woord gezegd, hij heeft zo'n uitstraling, hoewel hij niet lelijk is en niet mooi, maar gewoon sympathiek, in de vijftig net als de anderen en hij is ook niet onder invloed. Zijn lichaamstaal is niet gestrest zoals die van de anderen, hij beweegt rustig, maar niet verwaand. Hij is blond en enigszins kalend, zie ik wanneer hij zijn hoed afzet om zich koelte toe te waaien. Misschien is hij een paar kilo te zwaar, maar hij ziet er toch atletisch uit en hij is absoluut niet dik. Hij komt me ergens bekend voor, maar nu de oude man nog.

Dat is natuurlijk een voltreffer en ik krijg bijna medelijden met hem. Het volume gaat meteen omhoog en ik hoor duidelijk hoe hij in het Duits en in gebroken Zweeds de uitslag van het apparaat, die volgens de niet al te discrete agent positief is, probeert te verklaren. Met gebaren en woorden verklaart de oude man dat hij om medische redenen alcohol gebruikt, hij heeft vaatkramp en lijdt aan de gevolgen van een bloedprop in zijn been. Daarom moet hij drinken, zijn arts in Dortmund heeft hem zelfs mondeling voorgeschreven af en toe een paar druppels te nemen, samen met de bloedverdunners doet de alcohol zijn werk en dit stelt hem in staat ondanks zijn genoemde handicaps en zijn leeftijd, hij is bijna tachtig, een actief leven te leiden.

De agenten die tot nu toe zo informeel en vriendelijk waren, nemen nu een starre houding aan en het tafereel verandert in een bitse voorstelling, alles volgens het boekje, maar opeens maakt Bränd Sven een eind aan het dreigende tumult en zegt met zijn zware bas: 'Hij was niet eens in de buurt, hij stond een paar honderd meter van ons af en die buks van hem, daar heeft hij de laatste tien jaar geen schot mee gelost, neem me niet kwalijk, *Herr Jelten, Entschuldigung, ich muss ja sagen wie es war und ist, Sie haben ja kein Schuld daran*, hij is meer een soort mascotte. Hij en zijn zoon betalen goed, maar schieten doet hij nooit, zijn zoon daarentegen, *'Bitte, Otto, erklärst du wie es ist!'*

De magere man stapt naar voren en bevestigt in goed Engels wat Bränd Sven zojuist heeft gezegd. Franz Jelten heeft de laatste tien jaar nog geen veldmuis geschoten, maar hij houdt van de jachtcultuur hier in de bergen in Sälen, Zweden, en wanneer hijzelf, Otto Jelten, de gelegenheid heeft om mee te gaan om zijn vader te helpen, vindt iedereen dat best. Wat die alcoholinname betreft, hoopt hij dat de politie begrijpt hoe dat zit. Natuurlijk is het medicinaal. Af en toe een slokje om de problemen voor te zijn. Hij heeft zijn vader nog nooit van zijn leven dronken gezien, dat wil hij duidelijk stellen. Hij drinkt al zeker dertig jaar elke dag, maar van verslaving is geen sprake, we kijken daar op het continent anders tegenaan en hij was dus niet eens in de buurt van de plaats waar het gebeurde.

De agenten overleggen openlijk en heel kort; het is niet bij wet verboden om alcohol in je bloed te hebben en een met scherp geladen geweer in je hand. Of dat zo'n geschikte combinatie is, daarover valt natuurlijk te twisten, maar aangezien deze meneer Franz Jelten volgens een complete jachtploeg bij de bergweiden van Syndalen was, en niet eens in de buurt van waar geschoten is, laten ze dat voorlopig maar in het midden.

Nu komt er opeens een minibus aanrijden op hoge snelheid, die midden op het plein stopt. 'Tandådalens Bergkerk' staat er op de zijkant en er springen een jonge vrouw en een jongeman uit, onder het halsboord van het meisje is een stukje priesterboord te zien. Ze kijken om zich heen om zich te oriënteren, ze krijgen de bus met de kinderen in het oog en lopen daar meteen heen. Een vrouw die volgens mij de moeder van iemand moet zijn, rent achter hen aan om te vragen wat ze komen doen.

Ze komt algauw weer terug, ze vormen een crisisteam dat regelmatig ingezet wordt wanneer kinderen en jongeren betrokken zijn geraakt bij traumatische gebeurtenissen en ongelukken hier in de bergen. Ze bekommeren zich nu meteen om de kinderen, voordat ze allemaal naar huis gaan, om hen te helpen het gebeurde te verwerken. Ze komen ook met het voorstel om de bus naar de kerk te laten rijden in plaats van meteen terug naar school, om ervoor te zorgen dat niemand aan zijn lot wordt overgelaten en dat iedereen de kans krijgt zijn gedachten en gevoelens uit te spreken.

De moeder kijkt opgelucht, zij werkt toch op het arbeidsbureau?, denk ik bij mezelf.

We knikken, dat is dan weer positief, wat een inzet! De chauffeur zit natuurlijk alleen in de bus, deze mensen komen als geroepen. Wat een geluk dat iemand iets verder heeft nagedacht, geen van ons was nog op dit idee gekomen.

Ja, de dominee en haar assistent zijn echt net op tijd, want nu breekt de finale aan van dit drama zonder rollen, dat geen duidelijk begin of zinnig einde heeft. Een duistere climax nadert puur fysiek. We horen het allemaal tegelijk, het geluid waarop we hebben gewacht, het gebrom van het naderende rupsvoertuig, en ik ben vast niet de enige die een brok in de keel krijgt.

De beide leraren stappen als eersten uit. Linjo Sven en zijn jongere collega zaten naast de bestuurder, je ziet aan het optreden van de andere man dat hij ook leraar is, hij heeft een kompas en een hoesje met een kaart erin en beweegt zich gemakkelijk. Ze houden hun ogen neergeslagen ook al weten ze vast wel dat iedereen hen aanstaart.

Achter hen aan stappen twee mannen uit in de felgekleurde jasjes van de reddingsdienst en daarna laat de chauffeur zich van zijn plaats zakken, gekleed in net zo'n jasje als de anderen.

Even later worden de achterdeuren opengemaakt. De ambulancebroeders komen naar buiten en nemen de brancard tussen zich in. Ook al doen ze het voorzichtig, toch beweegt het lichaam als ze op de grond stappen en je ziet het duidelijk ondanks het zeildoeksachtige lijkkleed en de brede riemen die eromheen zitten.

De hond slaat aan. Ik was hem vergeten. Honden hebben een zesde zintuig of gewoon een verdraaid goede neus. De hond was erbij, hij weet ervan en kent de geur van de dode, ook al zou dat niet moeten kunnen. Eén blaf, en dan zie ik dat hij zich los zou willen trekken om ver weg te rennen van datgene wat daar op de brancard ligt te schommelen. De hondengeleider loopt op hem af en aait hem geruststellend; de hond jankt en likt de handen van zijn baasje.

Nu komt er iemand aanlopen vanaf de geparkeerde ambulance, ze heeft de hele tijd staan wachten. Ze loopt recht op ons af en overhandigt Marlene een knalgele deken, zodat ze die om zich heen kan slaan.

Waarom krijgt een mens het koud? Ik heb het ook koud. De kou komt van binnenuit, waar gaat het warme bloed naartoe? Marlenes rode jack verdwijnt onder de deken en als op commando begint ze te rillen. Ik geef klopjes op haar rug, wrijf er stevig overheen en sla op haar schouders zodat ze het weer warm krijgt.

Nu lopen de ambulancebroeders met hun last heel langzaam voor ons langs, langs de bus waar iedereen huilend zit te kijken, naar de ambulance. Marlene pakt me vast en kijkt me aan. In haar blik zie ik duizend wanhopige vragen. Daarna draait ze zich om en loopt met snelle stappen naar de ambulance, ik loop achter haar aan, Joost mag weten wat ze van plan is.

Het begint nu al te schemeren, de mist draagt ook het zijne bij aan het aankondigen van de duisternis, ook al is het daar te vroeg voor. Ik merk het verschil dankzij het licht dat uit de ambulance komt, waarvan de achterdeuren nu wijd openstaan.

Linjo Sven is er snel bij komen staan en stelt Marlene voor aan de arts die mee terug is gereden in het rupsvoertuig en zich nu hierheen heeft gehaast. Marlene wordt klein in het bijzijn van de expert en stelt de banaalste vraag van allemaal: 'Vertel me, is hij echt dood?'

De gewoonste, banaalste – die zou ik zelf ook gesteld hebben, het is immers onvoorstelbaar. De dokter, die jong en sterk is, antwoordt dat er geen twijfel mogelijk is, maar hij kan haar troosten met de mededeling dat de dood onmiddellijk is ingetreden, de kogel is door de hersenen gedrongen heeft de belangrijke bloed- en zenuwbanen meteen doorgesneden, waarschijnlijk was hij zich op het moment dat hij op de grond terechtkwam al nergens meer van bewust. Het had niet sneller kunnen gaan en hij heeft niets gevoeld, helemaal niets, geen pijn, geen lijden en geen angst, hij heeft het niet geweten, het leven is gewoon opgehouden, het is afgeknipt en hij heeft het niet eens gemerkt. Dus voor de jongen is het niet moeilijk geweest, maar hij begrijpt heel goed hoe het voor de nabestaanden moet zijn en hij vindt het echt heel erg.

Ze blijft hem aankijken, ze drinkt elk woord in en als hij zwijgt, professioneel maar gegeneerd, komt meteen haar volgende vraag: 'Mag ik hem zien?'

Ik krijg het benauwd. Kan ik ertussenuit knijpen? Als een onmiddellijk antwoord op mijn gedachte pakt ze mijn elleboog vast, als klauwen knijpen haar vingers door mijn jas heen. 'Ik moet hem zien, toe, ik moet Sammy zien, dat ben ik aan zijn moeder verplicht, dat zal ze me vragen.'

Niemand zegt iets, maar zodra ze de brancard met het lichaam op een tweede brancard hebben gelegd die ze uit de ambulance hebben getrokken, willigt de arts haar verzoek in.

Waarschijnlijk hebben ze dit voorzien. Er zit namelijk een kompres met een paar klemmetjes diagonaal boven het linkeroog, dat waarschijnlijk de ingangswond afdekt. Hij ligt op zijn rug en in het halflange haar in de nek zie ik nog zwart en vochtig bloed, daar ziet het er vast erger uit.

Het is een jongen geweest, maar hij is overduidelijk dood, geen kleur op zijn gezicht en zijn lippen vaagblauw. Zijn ogen zijn gesloten en zijn gezichtsuitdrukking neutraal of misschien een beetje beteuterd, alsof hij vlak voor hij stierf 'flauw van jullie' had willen zeggen. Het rode jack is kapot, is er met een mes in gesneden? Iemand heeft zo veel haast gehad dat hij de rits niet naar beneden heeft getrokken, maar de jas heeft opengesneden en later weer goed gelegd. Voor mijn geestesoog zie ik jagers die tevoorschijn komen, in paniek raken en de jongen door elkaar schudden, daarna zijn kleren opensnijden om eerste hulp te kunnen bieden, hartmassage en mond-op-mondbeademing, hoe gaat het nu met hen?

Nu wordt het beeld onderbroken, weer die gele deken die ditmaal als een gordijn omhooggetrokken wordt en de jongen helemaal bedekt, de brancard gaat de auto in en wij staan daar weer. We kijken nog steeds naar beneden, maar nu naar de zwarte grond, aarde, steentjes en een peuk.

En de schoenen van de dominee. Ze is jong en knap en vast vrolijk van aard, maar nu is ze ernstig. Naast haar staat de man die de leiding heeft over de agenten ter plaatse, hij stelt zich voor als Johan Lund. Ik mis Mor Lennart en Harskari Olof, mijn trouwe medestrijders, deze agenten komen me niet bekend voor, maar dat zal wel komen doordat ze bij de kleine ploeg van Sälen horen.

Ze willen met haar praten over de moeder van de jongen en ik denk, dan ben ik nu weg, maar ik krijg de kans niet, Marlene leunt op mijn arm en zegt dat ze het zonder mij niet had gered, ik blijf er toch wel bij? Ik ben nog steeds stomverbaasd, ik heb immers bijna geen woord gezegd, ik sta er maar een beetje bij, ze leeft vast in haar eigen werkelijkheid.

Ik knik.

De politie biedt aan haar snel naar de hoofdplaats te brengen om de moeder op de hoogte te stellen en de dominee is bereid mee te gaan.

Maar Marlene wil niet, nog niet, het gaat te snel, ze moet nog even blijven, hier is het immers gebeurd, het is nog maar net gebeurd en het dringt nog niet tot haar door, het gaat te snel!

De dominee en de politieman kijken elkaar aan. Achter hen schommelt de bus met kinderen die er in en uit springen, ze hebben honger en ze zijn van slag. De ambulance rijdt nu weg, evenals een politiewagen. Er is een privé-auto gearriveerd met de eerste ouders, de kinderen hebben huilend gebeld. Het is een kwestie van tijd voordat Sammy's moeder het hoort. Wat moeten ze doen om te voorkomen dat ze er op die manier achter komt?

Een broeder heeft Sammy's rugzak aan Marlene gegeven. Ze staat met de gele deken als een mantel om zich heen en met de zwarte rugzak in haar ene hand, een te zware last. 'Ik ga vanavond naar haar toe, dat beloof ik', mompelt ze. 'Maar alsjeblieft, kan iemand anders haar niet op de hoogte gaan brengen? Ik kan het niet aan.'

De twee trekken onmerkbaar hun wenkbrauwen op. 'We hadden, ik bedoel hebben, niet zo'n nauwe band', legt ze uit. 'Ze is een stuk jonger dan ik, we zijn zo verschillend. Maar ik ben altijd dol geweest op Sammy, ik wilde hem een hart onder de riem steken.'

Het wordt stil. Ik zie dat ze weer probeert zichzelf te overwinnen bij de herinnering, Sammy. Dat haar pogingen om hem een hart onder de riem te steken niets hebben uitgehaald, dat hij weer dood is, weer, want hij sterft continu voor haar en ik begrijp dat ze daarom wil blijven. Ze wil het proces niet onderbreken, niets overhaasten. Begrijpen kost tijd en ze wil niet vluchten. 'Ik zou heel blij zijn als iemand anders haar op de hoogte zou kunnen stellen', dringt ze aan.

Ik vind dat ze sterk is en dat het goed is wat ze doet.

De dominee pakt een telefoon en we horen dat ze meteen de juiste persoon aan de lijn krijgt, kennelijk een andere dominee daarginds. Even later overhandigt ze de telefoon aan de politieman die wat afzijdig gaat staan om de dominee op de hoogte te stellen van wat er is gebeurd.

'Hij gaat er meteen heen', vertelt hij en hij geeft de telefoon terug. 'Ik heb gezegd dat u later komt, dat was toch de bedoeling?'

Marlene knikt. 'Ja, later, als ik weer een beetje tot mezelf gekomen ben.'

De leraren komen eraan, ze willen nu weg als alle verhoren en dergelijke klaar zijn. De politieman knikt, het onderzoek en het proces-verbaal zijn klaar, in het bos ter plaatse en hier in de wagens, nu hoeven er nog maar een paar verhoren te worden afgenomen op het bureau. Linjo Sven vraagt of Marlene in de bus mee terug wil.

Ze schuifelt heen en weer. 'Liever niet', zegt ze. 'Met al die kinderen, dat wordt me te veel.'

'Wij zorgen er wel voor', zegt de politiecommandant en uit een ooghoek voel ik meer dan dat ik het zie hoe opgelucht Linjo Sven is.

Hij stapt naar voren en omhelst Marlene, waarna hij naar de bus loopt, gevolgd door de dominee en de andere leraar, ze stappen in en de bus rijdt weg. De diaken rijdt er in de minibus achteraan.

'Je hebt toch wel een auto?' vraagt Marlene meteen daarna aan mij. 'Ik kan toch wel met jou meerijden? Ik zit liever niet in een politieauto, je hebt toch wel plaats?'

Het is opdringerig, het past niet bij haar houding en het klopt niet met het beeld dat ik van haar heb, maar ze heeft natuurlijk een shock opgelopen en om de een of andere reden heeft ze het idee dat ik een rots ben midden in deze branding, dus wat kan ik anders zeggen dan 'ja'. 'Maar ik ben hier aan het werk', voeg ik eraan toe, 'en ik ben nog niet helemaal klaar, ik maak vakantiehuisjes schoon en ik moet in een ervan de douche en de vloeren nog doen.'

'Ik wacht wel', antwoordt ze. 'als je dat niet erg vindt. Het is alleen maar prettig als het nog even duurt. Het wordt moeilijk om mijn zus onder ogen te komen, ik moet me concentreren.'

Ik wijs naar het huis, gewoon hier de heuvel op.

Maar Marlene hoort me niet. Ze is stokstijf blijven staan in haar gele mantel en met Sammy's rugzak als de zware loden kogel van een geketende gevangene.

Nu komt Bränd Sven recht op haar af.

O, lieve hemel, nu moet je je hart laten spreken, Marlene, mijn god, nu mag je niet. Maar.

Ze houdt haar ogen neergeslagen en wanneer ze opkijkt, blijft hij staan. Op een paar meter afstand. Zijn ogen zijn klein, maar expressief. Hij maakt altijd een sympathieke indruk, hij heeft wel iets weg van een samojeed. Je kunt aan hem zien dat hij er kapot van is. Hij blijft stokstijf staan, de zwaartekracht trekt aan zijn donkere, karakteristieke snor, aan de rimpels in zijn gezicht en aan zijn armen en benen. Zijn huid is onregelmatig en pokdalig, maar hij is keurig geschoren en geknipt onder zijn hoed, die hij godzijdank niet afzet, ook al ziet hij eruit als een boeteling. Hij is lang, maar zijn schouders hangen, toch ziet hij er sterk uit, solide, hij straalt een enorme fysieke kracht uit. Ondanks de gure lucht is hij opvallend dun gekleed, een geruit overhemd met een aantal knoopjes open, een groene broek en een groen, open windjack, stevige laarzen, geen handschoenen. Hij zou het koud moeten hebben, maar het lichaam en de persoonlijkheid houden elkaar niet langer gezelschap. Misschien zweet hij van benauwdheid? Van de wetenschap dat hij het jongetje Sammy heeft doodgeschoten?

Wat een lot. Hoe moet je dan verder met je leven?

Hij wilde haar vast de hand drukken, maar door haar blik blijft hij als aan de grond genageld staan, de vaart is eruit, hij stottert en schraapt zijn keel. Hij is gewend te praten en zijn stem is diep, maar nu zijn de woorden weg, hij stamelt alleen: 'Ik hoop dat je me vergeeft, het was geen opzet, we waren op elanden aan het jagen, ik dacht, niemand had gezegd dat er mensen boven waren.'

Haar ogen schieten waarschijnlijk vuur, want nu draait hij zich om.

Klas Lekare met de paardenstaart stoot met de kolf van zijn geweer tegen een vermolmde boomstronk, zodat de spaanders alle kanten op vliegen.

De agenten staan te wachten, Bränd Sven moet kennelijk mee voor nog een verhoor, hij gaat op de achterbank van een van de auto's zitten en een agent doet het portier van buitenaf dicht.

De andere mannen blijven staan. Ik hoor dat iemand heeft gebeld of ze gehaald kunnen worden, ze hebben hun auto's allemaal aan de andere kant van Syndalskläppen staan. De oude Jelten neemt nog een slok, snel en discreet, en dat lijkt niemand te zien of erg te vinden.

De man met de innemende uitstraling komt naar Marlene toe. Ze laat het toe, of hij weet haar blikken gewoon te trotseren. Hij geeft haar een hand en zegt hoe erg hij het vindt wat er is gebeurd. Ze mompelt iets bij wijze van antwoord.

Hij geeft mij ook een hand, een tikje weifelend. Ik weifel zelf ook, want ik heb niet gehoord hoe hij heette toen hij zijn naam zei, maar ik vind het gênant het te vragen. Ik zeg mijn naam en leg uit dat Marlene straks met mij meerijdt, wanneer ik klaar ben met mijn werk. Hij knikt goedkeurend en kijkt een paar extra seconden naar Marlene, die zijn blik beantwoordt.

'Hebt u gezien hoe het ging?' vraagt ze zachtjes. 'In zekere zin', antwoordt hij. 'Ik liep vlak naast hem, rechts van hem. Hij zei dat hij de eland op de korrel had, maar ik heb hem zelf niet gezien. Toen viel het schot.'

'Er zijn toch drie schoten gehoord?'

'Ja. Dat weet de politie allemaal. Klas Lekare, die links naast Bränd Sven liep, vuurde een salvo af toen de eland wegrende, zijn schootsveld in, hij dacht dat hij aangeschoten was en schoot, zodat hij zou blijven staan. Maar hij bleef niet staan.'

'En het derde schot?'

'Dat heb ik gelost. Toen we bij hem waren. Toen we het doorhadden. Om hulp in te roepen, dat het ernst was, het was stom, gewoon een reflex. Daarna deden we natuurlijk een oproep via de radio.'

Marlene zwijgt en vraagt niet verder. De man zoekt naar woorden, maar als hij die niet kan vinden, buigt hij zijn hoofd en gaat bij de anderen staan.

Ik zie dat de overige jagers niet weten of ze ook moeten gaan condoleren, of wat ze anders moeten doen, ik begrijp hun dilemma heel goed. Voor ons is er geen reden om daar te blijven staan, dus ik trek Marlene mee de Flatfjällsvägen op en daarmee bevrijd ik hen uit hun benarde situatie.

'Wie was die man?' vraag ik. 'Hij leek me aardig, sympathiek, ik heb het idee dat ik hem ergens van ken.'

'Misschien wel', antwoordt ze. 'Bekend van radio en tv.'

Maar dan wordt het haar allemaal te machtig, ze kan zich niet meer goed houden en ik heb al mijn kracht en concentratie nodig om haar te troosten en te steunen.

'Nou eerst maar eens een kopje koffie', keuvel ik en ik neem haar mee het huis in. 'Dan kun je even een tijdschrift inkijken terwijl ik mijn werk afmaak.'

'Dat is goed,' antwoordt ze, 'wat een geluk dat ik je tegen ben gekomen, anders had ik het niet gered.'

Vast wel, denk ik, misschien zelfs nog wel beter. Dat machtsvertoon tegenover Bränd Sven was onnodig, kleinzielig zelfs. Waarom mocht hij niet dichter bij haar komen? Ze had het hem toch kunnen vergeven? Hij was nuchter en hij kon er niets aan doen. Gedane zaken nemen geen keer. Ze had over haar eigen gevoelens heen kunnen stappen. Al was het maar om te voorkomen dat hij straks thuis in een kast de dubbele loop in zijn mond stopt en de trekker overhaalt. Dat hebben mannen in deze contreien vaker gedaan, dat had ze moeten bedenken, hij kon er niets aan doen.

Toch voel ik met haar mee, ze is gewoon uit haar evenwicht. Zodra we binnen zijn en ik haar met een kop koffie uit de thermoskan bij een salontafel heb neergezet, begint ze te praten over haar jongere zus Peggy, dat ze haar zou moeten bellen, maar de dominee is er vast nog niet geweest om de eerste klap op te vangen. Ze wil met hem praten, met de dominee, voor hij ernaartoe gaat.

Ik zeg dat ze de vaste telefoon wel mag gebruiken, mobieltjes doen het niet altijd even goed en het is immers maar een lokaal gesprek. Ze zoekt het nummer op in de telefoongids en belt het kerkelijk bureau, waar ze het mobiele nummer van de dominee krijgt. Ik bedenk dat ik het moet melden, dat ik moet zeggen dat ik de telefoon heb gebruikt, een briefje achterlaten en wat geld. Dat is beter dan dat ze later gaan zitten piekeren over de details van een rekening.

Hij is onderweg, ik zou moeten schoonmaken, maar luister gefascineerd naar Marlenes beheerste stem. Ze vraagt de dominee of hij wil zeggen dat zij over een paar uur komt. O, denk ik bij mezelf, dan moet ik opschieten. Daarna beantwoordt ze enkele vragen die haar gesteld worden, nee, ze is er niet bij in de buurt geweest, ze kreeg het pas te horen toen iedereen zich naderhand had verzameld. Ja, ze heeft hem gezien, je zag er bijna niets van, ja, ze vindt dat Peggy hem moet zien, om het te begrijpen. Marlene drukt zich goed uit en haar stem begeeft het maar één keer.

Ze is mooi, ondanks haar leeftijd, ze lijkt geen dag ouder dan vijfenveertig, ook al is ze vast minstens tien jaar ouder. Ze is innemend, ze heeft nooit werk hoeven doen waar je depressieve of lichamelijke klachten van krijgt, en ze heeft nooit voedsel voorgezet gekregen met veel lege calorieën. Ze heeft haar geest niet gecultiveerd in onnozel geroddel om te genieten van het leed en de vernedering van anderen als verzachting van eigen kwellingen. Een keurige dame met een gave huid en een goede smaak en met levendige, expressieve ogen, ondoorgrondelijk als bergmeertjes. Haar hele persoonlijkheid is een toonbeeld van kracht en integriteit en misschien zelfs passie.

Als het telefoongesprek afgelopen is, huilt ze weer stilletjes. Ik ga naast haar zitten en zeg niets. Ten slotte snuit ze haar neus, neemt een slok koffie en vertelt me dat ze onlangs een vriendin heeft verloren, een vrouwtje dat haar hielp met schoonmaken en bijvoorbeeld wanneer er geïnventariseerd moest worden, maar dat niet alleen, ze waren echt goed bevriend geraakt. Ze was van de stenen keldertrap gevallen, ze was uitgegleden toen ze grofvuil naar beneden wilde brengen en had haar nek gebroken, dat is nog maar een paar maanden geleden.

Ik had erover gelezen.

'Wat naar', zeg ik. 'Ik heb erover gelezen.'

Ze zit schijnbaar diep in gedachten verzonken en reageert niet.

Ik trek me terug en laat een emmer vollopen met water. Het voelt verkeerd.

Ik ben inefficiënt en traag wanneer ik de tegels in de grote doucheruimte schoonmaak. Dit voelt helemaal verkeerd.

We botsen bijna tegen elkaar op tussen al het kersen en berken, in de wintertuin, kersentuin. 'Ik denk net,' zeg ik, 'dit is absurd.'

'Ik dacht hetzelfde', zegt ze. 'Ik voel me zo raar, als ik uw auto zou mogen lenen, ik heb behoefte aan zoetigheid.'

'Ik heb appels en koekjes', zeg ik. 'Pak maar wat je wilt.

'Maar ik heb zin in iets anders', zegt ze. 'Als ik de auto mag lenen, rijd ik naar Tandådalen, ik ben zo weer terug.'

'Anders stop ik gewoon', zeg ik. 'Je moet niet hoeven wachten terwijl ik zoiets onbenulligs doe als schoonmaken, zullen we nu weggaan?'

'Nee, nee', antwoordt ze. 'Ga maar verder met schoonmaken, anders moet je later terugkomen en dat is ook jammer, honderdtwintig kilometer extra terwijl het niet nodig is, daar voel ik me alleen maar schuldig over. Maak het maar af. Als je zo vriendelijk wilt zijn om mij de auto te lenen, dan rijd ik een eindje, ik heb behoefte aan zoetigheid, wat ik al zei, en misschien is een kort autoritje goed om de zinnen te verzetten.'

Ik haal mijn autosleutels uit mijn jaszak en vertel haar dat hij wat stroef in de eerste versnelling gaat. Voordat ze weggaat, fatsoeneert ze in de hal haar kapsel en brengt wat lippenstift aan.

Wanneer ze de weg opdraait, voel ik me opgelucht.

Je hebt het altijd geweten van de woede.

De woede was er. De liefde en de woede haakten als klitten aan elkaar en de verveling – ook de verveling.

Een soort vermoeidheid dat er nooit een eind aan komt.

Het vreet aan je.

Het holt je uit.

Het ontneemt je alle kracht, het pompt je leeg.

Je kunt nooit rustig eten of drinken.

Je kunt er nooit van genieten dat je van alles in huis hebt, je kunt niet zoals andere mensen gewoon genieten van het bestaan.

Je hebt dat nooit zo beleefd. Je weet het niet.

Die weigering is zo onrechtvaardig en zo door en door fout.

Zij weigert je iets.

Ze vult haar mond met wijn en komt dichtbij om het uit te spugen. Op jou. Wijn uit haar mond als tranen op je wang en op je kleren. Al dat nat, opgewarmd in haar en misschien lacht ze.

Wat denkt ze wel?

Terwijl jij de diepte hebt gepeild, waar het om gaat. Waar gevoelens. Waar jij hebt gepeild.

Waar geen bodem is. Geen enkele.

Je hebt alles blootgegeven – de waarheid over jezelf, die heeft ze gekregen.

Jouw weerloosheid, huidloosheid, jouw verlatenheid als zij niet.

Zij die jouw koningin is. De hoogste is ze in jouw rijk. En de kracht en de heerlijkheid.

De hoogste is ze en de enige.

Dat weet ze.

Ze ziet het niet. Misschien lacht ze, opeens spuit het eruit.

Terwijl jij afgewezen wordt.

Wat denkt ze wel?

Wanneer jij afgewezen wordt. Terwijl de liefde jou aan de haren omhoog heeft getrokken, jou veel beter heeft gemaakt dan je wist dat je was. Je was er zelf verbaasd over.

Maar zij zag het niet.

Wanneer het licht boven je stroomt en je een glinsterende ster plukt die je haar geeft om voor te zorgen.

Dat sterren bestonden wist je, maar niet dat je ze kon plukken.

Ook niet dat je ze meteen helemaal moest weggeven zonder bijgedachten.

Dat heb je gedaan. Maar het cadeau doofde, het licht verdween en stierf, ze zag het niet.

Ze lachte zo hard dat het eruit spoot, nat werd. Toen ze bij iemand anders was.

Wat denkt ze wel?

Wie geeft haar het recht te weigeren? Het recht om te beslissen over het leven, de dood van iemand anders?

Ze had trots moeten zijn. Ze had waardig moeten zijn. Ze had dankbaar moeten zijn in haar hart ook al ben jij degene die bedelt en die rol graag speelt.

Jouw waardigheid, die zag ze niet. De belofte die je gaf hoorde ze niet. En de uitbarsting zelf, het slingeren van het universum voelde ze waarschijnlijk ook niet.

Er waren grote krachten ontketend. Zelf was ze er de oorzaak van. Maar dat wist ze niet.

Het universum schokte en raakte los van zijn grondvesten, maar die dimensie liet ze links liggen, die was er nooit geweest.

Ze was de bron van een wonder. Zelf was ze gedeformeerd, gekrompen, onwaardig zelfs.

De woede ken je. Ook de afschuw. En het vastzitten.

Wat denkt ze wel?

Hoe kan ze lachen? Wanneer ze het diepste kent.

Je hebt haar je diepste zelf gegeven.

Dat heeft ze gezien. Of niet. Ze lachte.

Een koningin onwaardig.

Je vermoeidheid, afschuw, de krenking.

Er moet een eind aan komen en zij heeft ongelijk. Maar jij hebt gelijk, jij hebt alles goed gedaan en daarna werd je afgewezen, ook al was je zelf wel waardig meer dan klaar met je eer.

Maar je accepteert geen shit van iemand. Pijn, pis, piemel, schijt.

Wat voor taal zit er in al die nattigheid?

Welke taal begrijpt ze die niet weg te lachen valt?

Ik zit op een barkruk naar buiten te kijken. Ik ben allang klaar. Mijn tas staat ingepakt in de hal en het hele huis glimt, maar Marlene is nog niet terug.

Ik probeer tot me door te laten dringen wat er is gebeurd en overweeg iemand te bellen, maar wie zou ik moeten bellen? Degene die mij het naast staat is Åsa, maar die is nog op haar werk en wat zou ik tegen haar moeten zeggen? Ik zou me alleen kunnen beklagen. Maar zij is mijn moeder niet, het omgekeerde is waar. Wat heeft ze eraan als ik haar vertel van het jachtongeluk van vandaag? Ze zou er alleen maar neerslachtig van worden en zich misschien zelfs zorgen maken.

Ik bungel met mijn benen en voel me rusteloos. Ik overweeg

de tv aan te zetten, maar dan zie ik in de duisternis mijn oude wagentje de Mornäsvägen op rijden. Vreemd genoeg vanaf de verkeerde kant, vanaf de grote alpenvilla's aan de Flatfjällsvägen.

Op dat moment gaat de telefoon, de vaste telefoon. Ik breek bijna mijn benen bij een weinig gracieuze sprong van de hoge, met leer beklede kruk, wie belt hiernaartoe terwijl er niemand is, terwijl het huis officieel leeg is?

Zodra ik hoor dat het de dominee is, denk ik: nummerweergave, natuurlijk, zo simpel is het. Hij is nu bij Peggy, hij zit daar al even en vraagt of hij Marlene mag spreken.

Buiten hoor ik dat mijn barrel aan komt rijden en hoestend tot stilstand komt. Ik vraag hem of hij even kan wachten, dan kan hij haar zo spreken.

Het autoritje, de snoep of wat het ook is, heeft werkelijk wonderen verricht. Haar ogen stralen, ze heeft weer kleur op haar gezicht en vlak onder haar beheerste gelaatsuitdrukking zit een glimlach. Als een schoolmeisje schopt ze haar laarzen uit en ze huppelt op sokken naar binnen over de pas gedweilde vloer. Ze is buiten adem en hijgt wanneer ze de telefoon pakt, alsof ze een sprintje heeft getrokken. Ze is natuurlijk uit haar gewone doen, maar ze lijkt haast gelukkig. Een absurde gedachte, het komt natuurlijk van het autoritje en van chocola, natuurlijk, dat heb ik weleens gelezen welk effect chocola op vrouwen heeft en dat weet ik trouwens ook uit eigen ervaring. Je moet een beetje zelfspot hebben, denk ik en ik knijp in een vetrol. Mijn dochter Åsa is zo lief om te zeggen dat het maar losse huid is, maar ik weet wel beter.

Ik hoef niet net te doen alsof ik het niet hoor, als ik dat wil, moet ik in de auto gaan zitten of mijn vingers in mijn oren stoppen. Voor de vorm gebaar ik toch een vraag naar Marlene of ik weg moet gaan, maar ze duwt haar handpalm naar beneden ten teken dat ik rustig moet blijven zitten. Dus doe ik dat.

Ze gaat met de rug naar me toe staan en kijkt uit over de keerzone voor het receptiegebouw van Myrflodammen, waar het steeds donkerder wordt, en waar niet zo lang geleden zo veel tumult was. Ik hoor hoe ze met monotone stem een eerste contact heeft met haar jongere zus. Zonder eerst te zeggen hoe erg ze het vindt, begint ze meteen verslag te doen van de gebeurtenissen. De manier waarop ze met haar zus praat, die toch de moeder van de dode jongen is en waarschijnlijk compleet wanhopig, is merkwaardig ongevoelig.

Het is net of ze tegen een vreemde praat, ze is correct maar niet emotioneel en ook niet erg meelevend. Wanneer ze de jachtploeg beschrijft, hoor ik dat haar vragen gesteld worden, ze zegt het nog eens, en ze noemt de naam van Bränd Sven en Karl-Erik Lindvall en ze kent de namen van de andere twee mannen uit Sälen kennelijk ook. Ze beantwoordt vragen. 'Nee, hij heeft niets bijzonders gezegd. Wat voor indruk hij maakte? Er is me niets bijzonders opgevallen. Nee, hij heeft niets gezegd, wat had hij moeten zeggen? Er viel niet veel te zeggen. Ja, daar heb je wel gelijk in, Peggy, maar je moet hem ook begrijpen.'

Daarna is Peggy kennelijk een hele poos aan het woord, want Marlene humt af en toe en ten slotte zegt ze op zachte toon: 'Hij heeft geen pijn gehad, Peggy. Hij heeft er niets van gevoeld. Het was al voorbij voordat het was begonnen, ik heb de arts gesproken, hij zei dat hij er niets van heeft gevoeld, dat is zeker.'

Daarna belooft ze dat ze over een uurtje langskomt en dan hangt ze op.

Ze heeft hem gezien, vertelt ze. Ze hebben hem naar het Gezondheidscentrum gebracht, in de kelder is een rouwkamer, of hoe dat heet, en daar heeft ze hem gezien. Ze hadden hem een wit overhemd aangetrokken, er lagen bloemen en er stonden kaarsen en er was een vrouwelijke diaken bij. Ze had hem geknuffeld. Hij was koud, maar de pleister had haar in de war gebracht.

Marlene gaat naast mij op de bank zitten en we laten het op ons inwerken. Dat overledenen geen pleisters nodig hebben.

Ze huilt niet, maar kijkt mij met haar glinsterende ogen aan. 'Bedankt dat ik mocht blijven', zegt ze. 'Nu ben ik klaar om haar onder ogen te komen, nu ze het weet.

Nu ik het belangrijkste al heb verteld.'

Het dal ligt in duisternis verzonken, ik rijd zo hard als ik durf. Er is weinig verkeer, maar ongelukken met overstekend wild hebben me geleerd tijdens het rijden mijn fantasie te gebruiken, en automatisch gaat mijn blik van de ene kant naar de andere, ik ben op mijn hoede.

Met een zekere opluchting zie ik het einde naderen van mijn Florence Nightingale-inzet van vandaag. Ik zal blij zijn als ik thuis ben, de haard aan kan steken en weer op mezelf ben. Er staan me van de week lange werkdagen te wachten en daarna kan ik worden gebeld, dat gebeurt heel vaak. Ik zeg nooit 'nee', dat doe je niet als je mijn maandinkomen hebt. Ik zit in de invalpool van de thuiszorg en word als betrouwbaar gezien wanneer het om snel inspringen gaat. Dat collega's die getrouwd zijn of samenwonen daar niet zo happig op zijn, begrijp ik heel goed, dat zou ik ook niet zijn, maar zoals het nu staat, heb ik geen keus.

Naast de weg is het aardedonker, maar ik zie ook geen reflecties van wilde ogen. Nu zucht Marlene luid en duidelijk en ze begint over haar zusje Peggy te praten.

Ze begrijpt zelf niet goed waarom hun contact niet beter is. Ze schelen natuurlijk nogal veel in leeftijd, dat verklaart een heleboel. In theorie zou Peggy haar dochter kunnen zijn, een ongepland nakomertje dat gruwelijk is verwend en verpest door haar al wat oudere ouders. Hoe arm ze ook waren, ze kon alles krijgen, wat ze maar bij elkaar konden schrapen. En ze kréég niet alleen alles, ze móchtook alles. Zelf werd ze kort gehouden, maar voor Peggy golden heel andere regels, ze mocht uitgaan zo veel als ze wilde en ze mocht ook op reis. Ze gaven royaal zakgeld, kleedgeld en geld voor andere pleziertjes. Voor zichzelf waren ze zuinig. Peggy was niet eens dankbaar, ze werd alleen nog maar veeleisender. Zo was Peggy toen ze jong was en toen waren hun ouders opeens vlak na elkaar overleden, net alsof ze er niet meer tegen konden. Marlene was toen allang het huis uit, ze had gestudeerd, ze was getrouwd en gesetteld. Maar daar stond Peggy, modieus maar wel wat sletterig gekleed, als ze mocht zeggen hoe zij erover dacht. Ze hadden altijd over smaak getwist, Marlene vond dat sletterige helemaal niks. Na haar opleiding tot modeontwerpster kon ze dat met enig gezag zeggen, maar Peggy zocht het allemaal zelf wel uit en luisterde natuurlijk niet.

Als ze heel eerlijk is, speelde er natuurlijk ook jaloezie mee. Zelf had ze niets gekregen, ze had zich uit de ijzeren greep van haar ouders moeten losmaken, ze had zelf een lening afgesloten, toelatingsexamen gedaan voor de modeacademie en daarna een designopleiding gevolgd. Ze begrepen niet eens wat voor een prestatie het was wat ze deed. Ze kreeg nooit eens een compliment, terwijl Peggy, die nauwelijks voldoendes haalde op de basisschool, overladen werd met loftuitingen omdat ze het zo goed deed als caissière. Zo was Peggy – geliefd, wat ze ook deed. Dus daarom dacht Marlene dat die warmte ook over de dood heen genoeg zou zijn, dat de overvloed Peggy over de afgrond heen zou tillen en dat het gevoel uitverkoren te zijn haar verder zou laten zeilen op de kracht van hun liefde. Zij had zich nooit hoeven afvragen of ze wel goed genoeg was, zij had nooit gevoeld hoe erg het was om door je eigen familie niet naar waarde te worden geschat.

Maar Peggy zonk als een steen, het ging regelrecht de verkeerde kant op met haar en toen had Marlene natuurlijk voor haar moeten zorgen. Maar het ging gewoon niet. Ze had zelf veel tegenslagen moeten overwinnen en ze vond dat haar zus deze ene keer zelf maar uit het wak moest zien te komen.

Peggy had het niet eens geprobeerd. Ze had de weg van de minste weerstand gekozen. Marlene was woedend geworden. Ze had haar die ondankbaarheid jegens hun ouders niet kunnen vergeven; als ze hadden kunnen zien hoe het hun lievelingsdochter was vergaan, hadden ze zich omgedraaid in hun graf. Maar geen enkel argument kon Peggy overtuigen. De kleine erfenis was binnen een jaar op en daarna mat ze zich een extreme slachtofferrol aan, waarbij alles de schuld van alle anderen en van de omstandigheden was.

De maatschappij gaf haar kansen, cursussen, opleidingen, een uitkering en tijdelijke maatschappelijke hulp. Daarop reageerde ze met vage psychosomatische klachten, nukken en uitvluchten. Op haar twintigste was ze voor de derde keer zwanger en die keer bracht ze het kind ter wereld. Dat was Sammy.

'En de vader?'

'De zaaddonor, bedoel je? Sorry dat ik zo platvloers ben, maar er is nooit een vader geweest, behalve op papier dan.'

'Dus ze werd alleenstaande moeder?'

'Zo alleen was ze niet. Maar over haar keuze van contacten was ik niet erg te spreken, kan ik wel zeggen. Jeetje, wat een toestanden. En het houdt niet op. Nu moet ik nog medelijden met haar hebben ook, het is echt erg voor haar …'

Marlene krijgt last van gewetenswroeging en snikt. 'Je kunt je in ieder geval troosten met de gedachte dat je voor haar zoontje klaarstond', zeg ik. 'Je was misschien als zus niet zo geslaagd, zoals je zelf zegt, maar je was in ieder geval wel een goede tante.'

'Het is zo erg voor haar', fluistert Marlene en ze pakt een nieuw zakdoekje. 'Als het niet zo vreselijk was en als ik niet zo veel om Sammy had gegeven, dan had ik het net goed voor haar gevonden dat ze eens flink door elkaar werd geschud. Je zult het wel vreselijk van me vinden, maar zo voel ik het. Ze moet een keer volwassen worden en de volle verantwoordelijkheid nemen voor haar leven. Altijd was er wel iemand die haar in de watten legde, het lijkt wel of ze mensen aantrekt die het leuk vinden haar te helpen en misschien verzette ik me er daarom tegen om een van dat rijtje te worden. Ze is immers helemaal niet hulpeloos, integendeel, ze is heel bedrijvig, het verbaast me dat niemand dat ziet. Ik ben verschrikkelijk, ik weet het. Ze heeft haar enige kind verloren en ik zit over haar te roddelen en jij krijgt niet de kans om je een ander beeld te vormen, dat is echt ongelooflijk onnadenkend van me. Vergeet deze monoloog, ik ben mezelf niet, neem me niet kwalijk.'

Ik ben het stiekem met haar eens. Haar hatelijke gevoelen zijn echt verbijsterend. Ik moet het maar als een blijk van vertrouwen zien dat ze eerlijk tegen me durft te zijn. Het lijkt haast wel of ze mij als een onpartijdige biechtmoeder beschouwt, misschien zelfs als een therapeute. Of als afvalputje? Nee, zo cynisch is ze niet, ze stelt gewoon zo veel vertrouwen in me dat ze ook haar minder mooie kanten durft te tonen. Ik zou gevleid moeten zijn en dat ben ik ook. Ze huichelt niet. Ze is verbitterd over haar zus en daar verandert deze vreselijke gebeurtenis niets aan. Ze heeft de oorzaken al zo overtuigend weergegeven dat ik haar begrijp; ook al waren ze kinderen van dezelfde ouders, toch leefden ze in gescheiden werelden, zowel in materieel als in geestelijk opzicht, natuurlijk doet dat pijn.

Aan de andere kant is Marlene de oudste. Ik heb altijd gedacht dat de jongste de zwaarste last draagt in een gestoord gezin, aangezien de shit altijd naar beneden valt. Bovendien heeft degene die het laatst bij een groep komt de minste schuld aan hoe het er daar uitziet. Zo dacht ik altijd. Maar nu vertelt Marlene van een gezin dat zich in tweeën heeft gesplitst, eerst een kind dat kort gehouden werd en voor haar vrijheid moest vechten en daarna een jonger kind dat door de ouders totaal anders werd behandeld. Deze zussen waren nooit samen geweest binnen het gezin, want toen de jongste werd geboren was de oudste al uit huis. Een delicate situatie en ik herinner me opeens dat ik nog een restje lasagne in de vriezer heb staan, dat zou me nu heerlijk smaken. 'Verschrikkelijk ben ik, hè?' onderbreekt ze mijn gedachten.

'Nee, niet verschrikkelijk. Eerlijk. En daar heb ik respect voor. Ik hoop dat je nooit meer een dag als deze hoeft mee te maken!'

'Dank je. Dat hoop ik ook. En hij is nog niet om.'

Ik voel het al aankomen, ik wil gewoon naar huis, ik vind dat ik alles heb gedaan wat van me gevraagd kan worden. Tegelijkertijd voel ik me kleinzielig. Als iedereen zo onhartelijk was, waren er geen glimlachjes, was er geen genade of blijdschap. En wat zou er van de genegenheid overblijven? Maar ik ken haar niet en we zijn heel verschillend, wat wil ze van me? 'En hij is nog niet om.' Het is zonneklaar wat ik voor haar moet zijn – een staf en een steun. Maar wat voor recht heb ik om iemand af te schepen die al op haar knieën ligt?

'Je kunt zeker niet met me meegaan?' vraagt ze zacht. 'Je zult het wel druk hebben, gezin, kinderen? En ik ben je trouwens al zo veel dank verschuldigd.'

'Natuurlijk ga ik mee', zeg ik onoprecht. 'Ik ben alleen, het maakt niet uit, als je dat wilt? Ik ken je zus niet, maar als jij denkt dat het helpt, vooruit dan maar.'

Ze slaakt een diepe zucht van verlichting. 'Ik wist het', zegt ze. 'Je bent een vrouw op wie je kunt bouwen, je denkt niet alleen aan jezelf, zoals de meeste mensen tegenwoordig doen, je bent echt aardig.'

Daar reageer ik niet op, ik kijk het donker in waar ik mijn vierkantje lasagne in de magnetron zie staan, ik ruik de geur, dan zie ik het knapperende haardvuur, het kopje zwartebessenthee en een kruiswoordpuzzel die ik half heb opgelost … och, ik ben zo aardig.

‘Het is lastiger dan je denkt’, gaat ze verder. ‘Als het een gewoon ongeluk was geweest, als hij in een afgrond was gevallen, of zelfs was verdronken, dan was het net zo zinloos geweest, maar dan was niet iemand zo duidelijk de oorzaak van alles geweest.’

Daar ben ik het mee eens. Ze zal wel tot andere gedachten gekomen zijn wat Bränd Sven betreft, ze ziet in dat het verkeerd was hem niet de hand te drukken en hem een soort absolutie te geven.

‘Ik moet één ding vertellen’, gaat ze verder. ‘De schutter, Bränd Sven … Je moet dit weten voordat we er zijn. Het is verschrikkelijk voor Peggy. Ze heeft niet alleen haar zoon verloren. Ze heeft ook de enige volwassen man verloren die echt een steun voor haar is geweest sinds het overlijden van onze vader.’

‘Bränd Sven?’

‘Ja. Hij is jarenlang Sammy’s contactpersoon geweest, een soort voogd zou je kunnen zeggen. Ik weet het niet, maar ik denk dat hij Peggy meer dan eens uit de problemen heeft geholpen. Hij is opgegroeid in Mobyarna, net als wij, misschien daarom.’

Het computertje in mijn hoofd draait op volle toeren en dat merkt ze.

‘Daar hoef je niets achter te zoeken’, zegt ze bijna meteen. ‘Echt niet.’ Hij was als een vader voor haar, en als een grootvader voor de jongen.

Hoe ik dat weet?’ vraagt ze vervolgens, zonder dat ik een woord heb gezegd. ‘Zoiets weet je gewoon. Al zo veel jaar. Zoiets weet je, dat voel je. Bränd Sven is daarin door en door eerzaam geweest. Toen mijn ouders waren overleden wilde hij graag iets doen. Hoe de afspraak met de sociale dienst was, weet ik niet, maar ze had natuurlijk hulp nodig. Er was een officiële regeling. Hij was er voor haar, hielp haar met haar belastingaangifte en met het beheren van de financiën, kan ik me voorstellen. Hij hielp haar vast ook bij het vinden van verschillende baantjes, die ze allemaal verprutste. Maar hij was geduldig, hij beschouwde het vast als zijn roeping om haar te helpen. Hij heeft immers zelf geen gezin, in zekere zin was het gemakkelijk voor hem, en hij kent alle ingangen bij de maatschappelijke instanties.'

Ik zeg nog steeds niets, ik ben stomverbaasd. Het is gewoon ongelooflijk, ik kan niet begrijpen dat het waar is wat ze vertelt. De man die het jongetje per ongeluk heeft doodgeschoten is dus ook nog een soort contactpersoon van dat gezin? En geen gewoon gezin, als ik Marlene mag geloven.

Ook al zeg ik niets, toch gaat ze door met het beantwoorden van mijn nog niet geformuleerde vragen. 'Ik weet wat je denkt,' zegt ze, 'dat hij haar eeuwige afhankelijkheid misschien wel beu was en haar een lesje wilde leren? Maar dat zou toch ziek zijn? Dat zou toch een bizarre gedachte zijn? En hij was niet eens op de hoogte van die excursie, net zomin als wij van hun elandjacht wisten … die trouwens wel iets te maken zal hebben met die Duitsers, anders waren ze waarschijnlijk nooit zo vroeg al gaan jagen. Bränd Sven was echt verknocht aan Sammy. Hij heeft vast wel zijn best gedaan om zich professioneel op te stellen, maar het zou mij niet verbazen als de jongen bijvoorbeeld een begunstigde is, of was bedoel ik, in zijn testament. Nee, dat zou me niks verbazen. Er was een band, dat kan ik je verzekeren. Ik weet dat het allemaal gecompliceerd lijkt, maar ik vind dat je dit moet weten voordat we er zijn, dan ben je erop voorbereid. Vandaag heeft Peggy een klap te verduren gekregen die veel anderen nooit te boven zouden komen en ik weet niet of dat voor haar niet ook geldt, ik weet helemaal niet hoe ze gaat reageren. Ik moet er gewoon heen, en het is fijn dat je meegaat, want dan kan ik misschien de rol van grote zus een beetje goed spelen. Sammy zou het goed gevonden hebben dat ik dit nu doe. Maar hij kan het natuurlijk niet meer meemaken.'

Ze zegt niets meer. Ik vermoed dat haar stem haar dan niet meer zou gehoorzamen.

'In ieder geval ben je vandaag met hem meegegaan', herhaal ik schaapachtig.

Ze slikt hoorbaar. 'Ik had om vier uur de winkel willen opendoen', zegt ze dan nuchter. 'Maar nu doe ik die helemaal niet meer open. Dat is nog nooit eerder voorgekomen. Hoewel de mensen het al wel zullen weten, daar heb je geen internet voor nodig.'

Het klinkt bitter. Aan goedbedoelde roddels is nog nooit iemand doodgegaan, maar Marlene zal er de andere kant wel van gezien hebben, de wet van het maaiveld, toen ze zich losmaakte, naar Stockholm ging om vooruit te komen en daarna dat huwelijk boven haar stand. Ze heeft er vast een prijs voor moeten betalen dat ze zich niet aan de meute heeft aangepast ... ze is eenzaam.

Dat inzicht slaat in als een meteoor. Dat ze alleen is, weduwe, kinderloos, alleen deze zus en een exclusieve zaak! Ja, ze is vast heel eenzaam, haar man had geen familie meer. Zou ze alleen die overleden vriendin nog hebben gehad?

Ze staat er alleen voor. Ze wil mij, begrijp ik nu, als haar nieuwe vriendin. Als ik erover nadenk, zit dat er dik in.

Maar we zijn heel verschillend. Zij is fascinerend, maar ik zou mijn hart niet bij haar uitstorten. Ze houdt afstand, ik kan er de vinger niet op leggen wat het precies is, maar er is iets.

Ik zal de opdracht afmaken die ik op me genomen heb, en meegaan naar haar zus Peggy. In alle drukte kan ik me dan discreet terugtrekken. Ik ben een soort begeleider en we zijn er bijna. Als dit voorbij is en ik achter het stuur zit op weg naar huis, zal ik mezelf toestaan te voelen hoe moe ik ben.

Om de een of andere reden had ik een lelijke vrouw verwacht, maar ook al heeft ze een slechte huid met kleine putjes waar puistjes hebben gezeten en kapotgepermanent haar en ogen die bijna helemaal dichtzitten van het huilen, ik zie dat Peggy een mooi gezicht heeft en een fraai lijf, ook al is het goed voor zeker tien kilo overgewicht of meer. Toch ziet ze er goed uit, ze is elegant en heeft uitstraling; dat ze mensen naar zich toe trekt is helemaal niet verbazingwekkend.

Haar appartement is het enige aan deze galerij dat bewoond is. De woonwijk Storbygärdet staat op een enorm veld dat vroeger het grootste gecultiveerde oppervlak was te midden van de magere zandgrond van deze gemeente; alle mensen uit Storbyn, het misschien wel oudste, misschien wel rijkste dorp van Malung uit die tijd, verbouwden er wel iets. Maar de tijd zwol op, barstte en spuwde een industrie uit waar steeds meer mensen van konden leven, die trok werknemers aan uit Noord-Värmland, Finland en Noorwegen en op Storbygärdet kwamen wegen en gerieflijke flats. Moderne speelplaatsen bedekten de vroegere klavervelden, erwtenakkers en weilanden; van het leer konden ze allemaal leven.

Een paar jaar later zakte alles in. Het spoor naar Sälen werd opgebroken, de rails en bielzen werden weggegooid, de fabrieken en leerlooierijen sloten de poorten, de gordijnen van de ateliers gingen dicht en de mensen zochten weer werk in het bos, maar daar waren geen mensen meer nodig. Dus wat had je voor keus, je ging elders werken, je verhuisde en de kinderen wilden niet blijven, wat moest je anders? En nu is de werkelijkheid het hele rondje om geweest, en is alles omgekeerd, de wereld op zijn kop. De mooie flats staan leeg, ook al hoef je geen huur te betalen en krijg je subsidie, ze blijven onverbiddelijk leeg. Nu droomt Storbygärdet ervan weer zijn oorspronkelijke gestalte van alleen weilanden en geen flats aan te nemen. Het gebeurt, ja, het gaat gebeuren, een voor een worden ze afgebroken en de woningcorporatie wordt telkens rijker – en tegelijkertijd armer. Deze lege flats met maar hier en daar een bewoond appartement om vandalisme tegen te gaan, hebben iets spookachtigs. Ergens in het donker knarst een schommel, de parkeerplaats is vrijwel leeg, alles is zo stil.

In het appartement zitten twee vriendinnen en de dominee en een leraar zijn er ook. Het lijkt wel of de dominee blij is dat wij er zijn, alsof we zuurstof bij ons hebben. Maar onze kelen worden natuurlijk dichtgeknepen als de zussen elkaar zwijgend omhelzen en huilen, lang en berustend met hun armen om elkaar heen, was deze dag nu maar om! De jongere zus is bijna twee keer zo dik als haar veel oudere zus; ze is ook langer en ze draagt een grote, wijde witte trui met een ajourpatroon, waarin Marlene bijna verdwijnt. Haar zus maakt een dynamische indruk ondanks alle pijn die in deze omhelzing wordt losgelaten.

Het is benauwd in het appartement. Het is er schemerig, maar behalve mij schijnt het niemand te storen dat het er wel een nachtclub of een bordeel lijkt. Zelfs in de hal is geen normale verlichting. De zussen houden hun armen nog om elkaar heen geslagen en ze beginnen zachtjes heen en weer te wiegen in het schijnsel van twee rode lampjes en nu hoor ik ergens zachte dansmuziek, van Black Jack of van het Flamingokwintet. Woorden met hevige emoties, een lang afscheid en misschien zien we elkaar nooit meer.

Ik ruik koffie. De vriendinnen zitten met holle ogen aan de keukentafel, maar de leraar komt de hal in en stelt zich voor. Hij is zo blij dat Peggy hem kon ontvangen. De school wil morgen een herdenkingsbijeenkomst houden, 's ochtends vroeg in de aula, vertelt hij ons gestrest. Daarom is hij hier, want ook al kan Peggy het niet aan om erbij te zijn, hij en de school willen toch dat ze erbij betrokken is. Het is belangrijk dat het op de juiste manier gebeurt en hij heeft natuurlijk ook een verantwoordelijkheid jegens Sammy's klasgenoten, dat ze zich niet schuldig hoeven voelen en dat ze zich op het verdriet zelf kunnen concentreren en het onbegrijpelijke feit op zich kunnen laten inwerken dat Sammy niet meer bij hen is.

Het wordt een bedrukte minuut. Daarna gebaart een van de vriendinnen uit de keuken dat we koffie moeten komen halen. De twee stellen zich niet voor, maar ik begrijp dat ze bij Peggy's naaste steuntroep horen, ze bewegen zich door de keuken alsof ze er thuis zijn, ze zetten kopjes en schoteltjes neer en extra stoelen. De keukenlamp en de verlichting boven het aanrecht en het fornuis helpen me overzicht te krijgen; door een opening zie ik de woonkamer, die in een sombere schemering gehuld is, en door een andere deur zie ik het voeteneinde van een bed in het donker en een poster op de deur ... het is een jongenskamer. Zijn spullen. Arme Peggy!

Aan de keukenmuur hangen twee cowboyhoeden, een zwarte en een witte met daaronder een groot portret van Johnny Cash – met een handtekening?

Ik wijs vragend en Marlene is blij met de opening die ze zo krijgt. 'Die foto heb je van pap en mam geërfd, toch?' Peggy knikt.

'Onze ouders waren echte countryliefhebbers, zie je. Een reis naar de Verenigde Staten was hun liefste wens.'

Peggy knikt een paar keer achter elkaar en steekt een sigaret op. Nu zie ik een overvolle asbak op de keukentafel staan, Peggy is vijfendertig jaar, maar moderne gezondheidstrends zijn kennelijk aan haar niet besteed.

Er worden vanillekronen geserveerd. Ik verslind er een en giet een kopje apparaatlauwe koffie naar binnen en voor mijn laatste hap ben ik al misselijk. Peggy rookt verwoed, ik zie dat haar hand trilt. Marlene vertelt dat ik haar de hele dag heb geholpen en dat zij me hier mee naartoe heeft gesleept omdat ik zo'n aardig mens ben. Peggy knikt als een schommelpaard en lijkt het godzijdank niet te horen. De dominee kucht en vraagt hoe het nu gaat. Marlene knippert met haar ogen en ik begrijp dat ze geïrriteerd is, maar Peggy leunt naar één kant alsof ze bijna van haar stoel valt. Ze heeft alle steun nodig, dat is duidelijk. De dominee, die geen dag ouder is dan dertig – waar zijn alle oude getrouwe zonderlingen gebleven? – legt een hand op Peggy's bovenarm en troost haar zonder woorden. 'Vertel het nog eens', vraagt Peggy. 'Vertel me waarom jij daar was.'

'Gewoon omdat ik nodig was. Dat weet je zelf ook, ouders moeten hun steentje bijdragen ...'

'Maar jij bent toch geen ouder?'

'Nee, Peggy, en ik heb toch ook niet gedaan alsof ik dat was? Ik wilde alleen maar helpen ...'

'Dat had ik kunnen doen.'

'Maar ...'

'... maar dat deed ik niet!'

'Ik dacht dat je het druk zou hebben, ik had gehoord dat je een baan zou krijgen als conductrice.'

'Dat is alleen voor het weekend.'

'O? Ja, dan had het inderdaad gekund ... maar dat maakt niet uit, toch? Ik heb 's ochtends nooit veel klanten, dus ik dacht dat ik net zo goed mee kon gaan, vandaar, als je het wilt weten.'

'Je had toch iets kunnen zeggen?'

'Ik heb het tegen Sammy gezegd. En ik wist niet eens dat je thuis was. Ik had een extra lunchpakket meegenomen voor het geval hij ...'

'Wat lief. Dacht je dat hij dat zelf niet kon klaarmaken?'

'Volgens mij was hij blij dat ik meeging. Dat idee had ik in ieder geval.'

'O ja?'

'Ik weet dat hij er blij om was. Hij glimlachte naar me.'

'Hij glimlachte? Een laatste glimlach voor hij stierf. Wat poetisch.'

Opeens krijg ik het idee dat Peggy niet nuchter is. Ik wil weg, het hele bezoek is verstikkend, ongezond, misselijkmakend – een vanillekroon als je behoefte hebt aan een maaltijd.

Ik schuif heen en weer. Marlene pakt meteen mijn pols vast en knijpt erin. Jij blijft hier, zegt haar kleine, sterke hand.

Gehoorzaam ontspan ik me en ik verroer geen vin meer. 'Ik moet naar de wc', zegt Marlene.

De vriendinnen zitten uit solidariteit mee te snikken op de keukenbank. De dominee is zijn tong verloren en de leraar kronkelt als een worm op zijn stoel, die neemt straks snel de benen. Maar ik moet blijven. Anders is Marlene verstoord of wordt ze zelfs kwaad.

Ik verzet me niet, als ik de werkelijkheid niet kan veranderen beweeg ik mee tot zich een natuurlijke uitweg aandient en met mij hoeft feitelijk niemand medelijden te hebben. Ik ben een doorgewinterde huichelaar die alleen maar naar huis wil.

'Begrijp jij waarom ze mee was?'

Peggy's gezicht is dicht bij het mijne. Ze herhaalt haar vraag. 'Heeft ze jou dat uitgelegd? Het komt bepaald niet dagelijks voor dat ze zo, wat zal ik zeggen, behulpzaam is.'

Ik vind het een vreemde vraag. Voor het eerst moet ik mijn mond opendoen in dit gezelschap. Ik merk dat iedereen zit te wachten, wat moet ik antwoorden, welke kant moet ik op praten?

'Ik heb alleen maar gehoord dat ze de jongen een hart onder de riem wilde steken.'

'Een hart onder de riem?'

'Ja. Als hij ... ik weet het niet. Dat moet je haar zelf maar vragen.'

'Ik vind het alleen raar. Dit is nog nooit eerder voorgekomen. En dan gaat het zo!'

Ik reageer niet. Ze is in shock, uit haar evenwicht en misschien onder invloed van iets, pillen of bier en wijn. Ze is vulgair. Het zij haar vergeven dat ze niet dankbaar is, maar verbitterd omdat haar zus en niet zijzelf de jongen het laatst levend heeft gezien, en zelfs omdat hij vrolijk was. Die insinuerende opmerking over dat toeval zij haar vergeven, dat het zo'n merkwaardige samenloop van omstandigheden was. Daar ben ik erg verontwaardigd over. Maar ik verlaag me niet tot zelfs maar een poging om uit te leggen hoe absurd en onwaarschijnlijk zoiets is. Toch hoor ik mezelf na een ellenlange pauze zeggen dat ze niet bij elkaar waren toen het gebeurde, Marlene liep helemaal achteraan te praten met een paar andere volwassenen en hij was doorgelopen, hij wilde kennelijk eerder dan zijn klasgenoten bij een schuurtje halverwege zijn.

'Dat beweert ze, ja.'

'Ja, en dat is toch ook gemakkelijk te controleren? Alsjeblieft, zeg!'

Op dat moment komt Marlene uit de wc. De dominee staat op en de leraar vliegt van zijn stoel, maar niet uit ridderlijke overwegingen.

'Je moet aanvaarden dat het niemand z'n schuld was, Peggy', zegt de dominee en hij gaat weer zitten. 'Het is gewoon gebeurd. Het was een ongeluk.

Ik ben een keer bij mensen geweest die een zoontje van drie hadden verloren. De vader was achteruit de garage uit gereden en had hem overreden.'

Peggy knikt peinzend. 'Ik begrijp het', zegt ze.

'Die vader kon het zichzelf niet vergeven', gaat de dominee verder.

Ik vraag me af waar hij heen wil, ik vind hem aanmatigend.

'Ik begrijp het', herhaalt Peggy.

'Het was net een gif,' gaat de dominee verder, 'de vader wilde er niet aan dat het zomaar zonder bedoeling was gebeurd, dat het gewoon een ongeluk was. Hij bleef het herkauwen, hij had gedacht dat het kind een middagslaapje deed, hij had geen moment aan hem gedacht, maar was gewoon achteruit de garage uit gereden. Dat gebrek aan fantasie van hem, of hoe je dat moet noemen, was hem noodlottig geworden.'

'En de moeder?'

'De moeder was kapot van verdriet.'

'Hoe is het afgelopen?'

'Niet zo goed. Maar niet zoals je misschien denkt. De moeder ging dood, ze nam tabletten in. Ze had hem de dood van hun zoontje nooit verweten.'

'Waarom deed ze dat dan?'

'Ze had alles verloren, haar hele gezin, ook haar man. Hij wilde geen gezinshoofd of echtgenoot meer zijn. Ze hield niemand meer over.'

'Waarom vertel je dit? Wil je dat ik zelfmoord pleeg?'

'Peggy, alsjeblieft, natuurlijk niet. Ik weet niet hoe het met Bränd Sven gesteld is, ik hoop dat er nu iemand bij hem is. Maar zelfverwijten kunnen in hybris veranderen.'

'Praat maar gewoon Zweeds of dialect. Geen Swahili.'

'Hoogmoed, je kunt zo bezig zijn met jezelf weg te vagen dat je alle anderen vergeet, ook je naasten. Je verschanst je in je eigen zelfvernedering en komt er niet meer uit.'

'Ik weet niet of ik je begrijp. Heeft God hier ook nog iets mee te maken? Je bent toch dominee? Zo te horen zou je beter met Bränd Sven kunnen gaan praten.'

'Misschien denk ik ook wel aan hem.'

'Geen probleem. Ik zal hem wel vergeven. Later. Geef me alleen wat tijd. Wat heeft hij gezegd, Marlene?'

'Hij vond het heel erg. Wat kon hij zeggen? Ik heb niet zo lang met hem gepraat.'

'Hij is waarschijnlijk banger voor jouw reactie dan voor de mijne.'

'Daar heeft hij geen reden voor.'

'Als hij niet zo oud was, zou ik nog denken dat hij …'

'Raad eens wie er naast hem in de drijflinie liep.'

'Wie dan?'

'Ik dacht dat je dat misschien wel zou willen weten. Lekare, Klas Lekare, als die naam je wat zegt.'

Peggy kijkt Marlene met halfopen mond aan, het lijkt wel alsof ze wil glimlachen. Daarna vertrekt ze haar gezicht en haar tranen zijn niet meer te stuiten.

De twee vriendinnen komen ieder aan een kant van haar staan, ze helpen haar omhoog en leiden haar de duisternis en de zachte muziek binnen.

We verlangen en we wachten, we strekken uit en voelen, knijpen, de lucht zelf brandt wanneer wij willen bekennen. Wij zijn de vrije mensen, we zijn blank en hevig mannelijk, vrouwen kunnen nooit even snel rennen als wij.

Alleen die spulletjes, die spulletjes die daar in hun platte doosjes liggen. De zachte spullen die daar schijnbaar zonder bedoeling nonchalant verspreid liggen. De verleidelijke dingen die hun geur als stuifmeel verspreiden bij de geringste aanraking, geen parfum, maar een echt vrouwelijke geur, de echte oervrouwelijkheid, zo intensief en zo discreet, lui, wellustig en kuis, zo in volledige vrijheid superieur zonder de mannen of de blikken van de mannen. De onbewustheid in een door en door vrouwelijk stelsel waar alleen vrouwelijke zinnelijkheid mag bestaan evenals de grootte van de borsten en de lijn van de heup, het been. De lijn van het mooie vrouwenbeen in de zeer bijzondere glanzende en bijna lichtgevende exclusieve, uit Lyon geïmporteerde kous. Evenals het hemdje van kasjmier uit Londen en de jarretellegordel uit Duitsland, zo sober en scherp in tegenstelling tot het primitieve. Alleen dat koperen stierenkopje in de fraai uitgesneden gleuf tussen de welvingen van de borsten, als een concessie aan ons, die buiten staan te wachten.

Wij zijn de vrije mannen wervelend naar de hemelen, wij steunen en vernietigen elkaar groepsgewijs en in de leider zitten wij allemaal, leiders, dat zijn wij allemaal evenals leden van de groep, groepen komen en verdwijnen, en in alle leiders zitten wij, we maken ons ondergeschikt, we leiden en worden geleid. In dit gevecht is geen rust, toch zijn we vrij. We steken een hand uit en voelen, knijpen, drinken een geur in om dronken van te worden. Het oog rust en verdrinkt in het zachte ronde. De handen ze voelen en tegen de trommelvliezen beuken alleen de hartslagen en het rumoer van de strijd verdwijnt, alles wordt rust en stilte, we verleggen onze aandacht even en de vrijheid dwarrelt naar binnen wanneer we ons overgeven.

Wij zijn de vrije mannen. Niemand rent zo snel als wij.

Marlenes portiek ligt vol met bouwstof, snoeren, slangen, gereedschapskisten en een ventilator. Een naakt peertje zwaait heen en weer aan zijn eigen snoer, schaduwen dansen. 'Kijk goed uit waar je loopt', waarschuwt ze me. 'Ik ben de laatste van de hele flat, ik heb alleen last van die steigers en van deze rommel, maar er is nog niemand op geklommen en ik doe alles goed op slot, het is hier godzijdank rustig, uitgestorven zelfs. De huisbaas vindt het prettig dat de flat niet helemaal leegstaat, ik betaal maar de helft van de huur zo lang de renovatie duurt. Wanneer mijn appartement aan de beurt is, zal ik wel weg moeten, maar wie dan leeft, wie dan zorgt, misschien kan ik tijdelijk naar een al gerenoveerd appartement, het lijkt me niks om met mijn hele hebben en houden naar het dorp te moeten verhuizen.'

Ik zie geen touw, maar ik voel me gevangen, gebonden en aan de ring in mijn neus de trappen op getrokken naar een woning die niet de mijne is. We zijn uren verder en ik zit nog in die onwerkelijke sfeer van wat er vandaag in de bergen is gebeurd. Een ongeluk, een ramp, een gebeurtenis in dit dorp, maar ik heb er geen deel aan en ik snap niet hoe ik hier verzeild geraakt ben, in een van de vele trappenhuizen van het Lisellse huis, het oude, roemruchte houten kasteel. Hier woont ze. Ze heeft me gevraagd. Ik kon er niet onderuit, ik ben hier geheel vrijwillig naartoe gereden en meegegaan, nu ben ik hier.

Ik draaf verder achter haar aan de brede trappen op naar de derde verdieping. Ondanks de rommel is het een mooi trappenhuis met muurschilderingen, stucwerk en geslepen matglazen ruiten in de muur naar de binnenplaats.

Onze aftocht verliep chaotisch, de leraar ging ook weg toen wij uit Peggy's appartement in Storbygärdet verdwenen, hij nam zwijgend afscheid en fietste weg in de richting van de smalle hangbrug. De twee vriendinnen zouden blijven overnachten en de dominee was er nog, dus wij waren niet nodig, vatte Marlene samen. Ik zou het met alles eens geweest zijn. Buiten komen in de frisse lucht was net een half orgasme, zoals mijn collega Veronica het plastisch uitgedrukt zou hebben, en net toen ik in de geurige, herfstige frisheid de eerste lieflijke teugen opzoog, stelde Marlene vast dat we iets moesten eten, ze had waarschijnlijk nog wel iets geschikts staan dat ze had gekookt, dat was het minste, niet de moeite waard, dat deed ze graag.

Meestal kan ik wel nee zeggen. Ik begrijp dit niet.

'Een huis is net een mens', zegt ze en ze doet de deur van het slot. 'Het moet gebruikt worden en er moet leven in zitten, anders zakt het in en sterft.'

Ze loopt gehaast rond en doet overal lampen aan, ze zegt dat ik mezelf maar even moet vermaken terwijl zij een hapje opwarmt dat ze toevallig in de vriezer heeft staan, dat duurt maar heel even en ik hoef niet te helpen, er liggen wel tijdschriften of als ik gewoon om me heen wil kijken, misschien staan er beneden bij de Nisskiosk nog mensen naar wie ik kan kijken, hoewel het niet meer zo is als vroeger toen iedereen 's avonds een wandeling maakte.

Het contrast met het appartement van Peggy is bijna schokkend. De flat is een cultuurmonument en de royale woning met uitzicht op het plein, met grote, mooie tegelkachels is liefdevol ingericht, doordacht, smaakvol en gezellig, maar niet overvol. Het is gewoon een knus appartement, heel uitnodigend, het heet me welkom.

Eten moet ik toch. Een uurtje extra, wat maakt het uit?

Ze heeft schilderijen waarvan je kunt zien wat ze voorstellen, olieverfschilderijen en aquarellen en boven de piano hangt een groot textiel kunstwerk dat vrouwen in een rivier voorstelt. Verdrinken ze of zwemmen ze gewoon in de blauwe, geweven golven? Het is wel mooi, suggestief. Op een mahoniehouten tafeltje staan foto's. Ze stellen oude mensen voor, waarschijnlijk overleden familieleden en misschien haar ouders, er staat ook een kleurenfototootje van Sammy en een grote zwart-witfoto van degene die duidelijk haar man was. Dat maak ik op uit de trouwfoto erboven aan de muur. Maar daar is hij veel jonger, ze zijn lang getrouwd geweest. Marlene was een schoonheid, dat is ze nog steeds. Haar trouwjurk was crèmekleurig, ze had geen bruidsboeket en niets in haar haar, dat ze toen langer droeg. Het viel op een natuurlijke manier over haar schouders, ook al was het omgekeerde toen mode, suikerspinkapsels met veel hairspray, maar Marlene had stijl, ze had toen al smaak. Onder haar ene schouder zitten bloemen vastgespeld in net even een andere tint dan die van de jurk; ton sur ton, daar heb ik alleen over gelezen in verhalen in damesbladen. Zouden het echte bloemen zijn? In het knoopsgat van haar man zit een klein knopje uit dit bloemenarrangement. Hij draagt een bruin kostuum, het ziet er lang niet gek uit. Hij had toen nog haar, op het portret op tafel is het daarmee slechter gesteld. Ze is twee jaar geleden weduwe geworden, dat heeft ze terloops gezegd, hij zag er goed uit, maar hij moet veel ouder zijn geweest dan zij.

Marlene heeft het moeilijk gehad. Al die foto's, al die doden. Er hangt een oude koperen klok aan de muur, het uurwerk kraakt, de tijd gaat maar door en het gebouw zelf kraakt ook als een deel van de geschiedenis. Nu is het weer tijd voor renovatie. Indertijd was het Lisellse huis het grootste houten gebouw van Scandinavië, ontworpen door een internationaal bekende architect. Als deze muren konden praten, zou ik aandachtig luisteren. De geschiedenis van het pompeuze gebouw valt samen met de ontwikkeling van Grönland van een boerendorp van mesthopen met een stinkende afvalplas in het midden tot een goed georganiseerde gemeenschap met elektriciteit, een treinverbinding, winkels met etalages, een tandarts, benzinepompen, een telegraafkantoor en banken. Sommige mensen beweren dat de ontwikkeling slechts tijdelijk tot stilstand is gekomen, dat het straks weer doorgaat en dan nog veel heviger. Maar ik ben een zwartkijker, mij doet dit roemruchte gebouw vooral denken aan de statige takelinstallaties in mijndorpen die in een doornroosjeslaap verzonken zijn, hoog en statig inderdaad, maar het ritmische gerinkel dat dag en nacht doorging en verkondigde dat de mijn nog steeds in bedrijf was, zwijgt nu voorgoed.

Ik hoor het belletje van de magnetron. 'Aan tafel', roept Marlene. 'Waar zit je?'

Een linnen tafelkleed op tafel, een krokante quiche met zalm en een knapperige salade erbij en thee, die zijn geur door de hele keuken verspreidt.

'Misschien hadden we in de eetkamer moeten gaan zitten?'

Ik zeg dat ik het prima vind om in de keuken te zitten in plaats van in de eetkamer. Wat moet ik zeggen als ze ooit bij mij op bezoek komt?

Dan eten we als wolven, ik heb mijn bord in een oogwenk leeg en schep nog eens op. Beschaamd besef ik dat ik geen woord heb gezegd, maar zij ook niet, ze had evenveel trek als ik. Ze schenkt me thee in, we glimlachen naar elkaar en zijn het erover eens dat dat er wel in ging. Ik heb spijt van mijn tegenstribbelen van eerder, ook al heeft ze daar misschien niet eens iets van gemerkt. Ik zeg dat de quiche lekker was, geen fabrieksproduct, maar het echte werk. 'Ik maak altijd een paar extra om in te vriezen, niks bijzonders', zegt ze bescheiden.

Mijn gedachten gaan terug naar eerder die avond. Toen Peggy instortte, had ik natuurlijk meteen door dat ze iets met die Klas Lekare had gehad, het kwam door die naam dat ze zo reageerde, maar aangezien Marlene er geen commentaar op heeft gegeven, begin ik er niet over. Ik vind het opzienbarend, dat wel, vooral omdat Bränd Sven ook een bepaalde betrekking met Peggy heeft, maar het zijn mijn zaken niet. Ik ben straks overal vanaf, dan maakt het mij niet uit hoe het zit, ik ben blij dat ik erbuiten sta.

Ik krijg slaap van het eten, ik smoor een geeuw. 'Je hebt natuurlijk wel begrepen dat Klas Lekare een van Peggy's vrijers is', vat Marlene samen.

Ik knik, met tranen in mijn ogen, ik moet zo naar huis om te slapen.

'Hij was enorm lastig, ze valt altijd op dat soort types. Ik heb me afzijdig gehouden, dus ik weet er eigenlijk niet zo veel van, maar kennelijk was Bränd Sven degene die het allemaal heeft opgelost.'

'Zijn ze niet meer bij elkaar?'

'Het was een paar jaar geleden al uit, geloof ik. En kennelijk heeft Bränd Sven die jongen in het gareel weten te krijgen, aangezien ze samen jagen.'

'Maar als het uit was, waarom zou Bränd Sven zich dan met die jongen bezighouden?'

'Sven is aardig. Hij heeft echt een hart van goud en hij heeft al een heleboel mensen in stilte geholpen. Hij kon het waarschijnlijk niet aanzien dat Lekare het voor zichzelf bleef verpesten.'

'Je was afwijzend tegen Bränd Sven, vond ik.'

'O ja? Misschien wel, onder de heersende omstandigheden. Tegen Lekare misschien ook wel.'

'Hoezo was hij lastig?'

'Criminaliteit en alcohol, misschien ook andere drugs. Onder andere mishandeling en een soort fraude. In volle vaart zijn ondergang tegemoet, maar daar wist Bränd Sven kennelijk een stokje voor te steken, anders zou Klas Lekare vandaag niet met een eigen wapen hebben mogen rondlopen.'

'Maar het was uit met Peggy?'

'Voorzover ik weet wel, maar naar haar reactie te oordelen misschien toch niet helemaal.'

'Daar hoeft het niet aan gelegen te hebben, dat ze weer instortte. Haar zoon is immers dood.'

'Ja. Sammy is dood. Dat is waar. Het dringt nog maar gedeeltelijk tot me door. Het is net of ik droom.'

Het lijkt wel alsof het eten nieuwe energie heeft toegevoerd aan het rouwproces en de tranen beginnen te stromen, ze begint ongecontroleerd te snikken. Ze verontschuldigt zich en grijpt naar haar servet.

Misschien moet ik blijven? Ze heeft het zwaar, ik kan haar toch niet alleen laten in haar wanhoop? 'Morgen is het zaterdag. Doe je dan de winkel open?' vraag ik manipulatief.

Ze haalt een papieren zakdoek uit haar broekzak en snuit haar neus. 'Ja, dat zal wel moeten. Ik ben op zaterdag altijd open.'

'Kun je me een tip geven hoe ik er wat minder hobbezakkerig uit kan zien?'

'Ben je aan het vissen?' Ze lacht door haar tranen heen en kijkt naar mij en mijn lichaam.

'Nee maar serieus, hoe pak je dat aan?'

'Je ... stuurt. Dat is niet zo moeilijk. Als je vindt dat iets niet gezien mag worden, dan moet je proberen de aandacht daarvan af te leiden. Grijp de macht over de blik van degene die naar je kijkt. Als hij verrukt is van je slanke taille, vergeet hij om naar je misschien niet zo welgevormde benen te kijken, die je stomtoevallig in een lange broek of onder een lange rok hebt verstopt. Of andersom – mooie benen, dan worden het korte rokken en die problematische taille verstop je dan onder een wirwar van stof.'

'Bij mij wordt het dan een combinatie van beide. Maar ik heb wel mooie voeten.'

'Aha, de voeten! Dan krijg jij in de zomer je kans, Siv, in de Week van het Dansorkest!'

'Een Indische look misschien, een sari tot op de grond, ringen aan mijn tenen en een kettinkje om mijn enkel?'

We glimlachen. 'Ik zou er wel iets van kunnen maken', zegt ze. 'Hopeloze gevallen bestaan niet en jij hebt kleur.'

'O ja? Kleur? Als ik nou toch iets niet heb!'

'In ieder geval ben je niet doorzichtig.'

'Nee, dat niet, nee.'

We lachen. Ik zou er wel oren naar hebben om me door Marlene te laten kleden, maar dan moet ik eerst de lotto winnen. En daarvoor moet ik eerst aan de lotto meedoen. 'Kom maar eens kijken', zegt ze. 'Kijken kost niets. Misschien kunnen we iets verzinnen, je bent niet zo onmogelijk als je denkt en ik heb een heleboel losse kledingstukken die heel betaalbaar zijn.'

Ik denk aan die bh die ik bij haar heb gekocht, hoe onverslijtbaar die is. Het was een dure, maar dat geld heb ik er wel uit gehaald, omdat hij zo lang meegaat.

'Kom morgen maar langs', zegt ze. 'Of maandag.'

'Maandag dan', antwoord ik. 'Uit mijn werk. Nu moet ik weg.'

Ze protesteert niet. We staan allebei op. 'Ik zie mezelf in jou', zegt ze. 'Maar jij slaat je erdoorheen. Dat was mij niet gelukt, ik had het niet gered, ik was ten onder gegaan, ik was in het gesticht beland en weggekwijnd.'

Wat een vreselijke opmerking, wat bedoelt ze? Ik heb toch geen slecht leven? Trouwens, wat weet ze nou van mij? Ik reageer niet, maar schuif de stoel onder de tafel en loop naar de hal.

'Er is geen genade,' gaat ze verder, 'geen barmhartigheid. Na de lagere school zat er niets anders op dan de fabrieken af te gaan, vijftig dagen lang binnennaden te naaien, daarna een maandlang handschoenen te stansen, daarna thuis knopen en mouwen aan te zetten, zodat je vingertoppen ervan bloedden, daarna een half jaar lang zakkleppen en je moest het overeengekomen aantal halen en in je vrije tijd kon je naar het Park, op de achterbank van een auto, je kent dat allemaal wel, wat maar op één manier kon aflopen. Als kegels vielen ze om me heen om, het leven was een kwestie van tijd en er was geen kaart, geen aanduiding hoe je ergens anders kon komen. Ik was doof en blind en wist niets van mijn innerlijke reizen, wist alleen dat ik niet wilde worden zoals zij. Ik zat vast, aan handen en voeten gebonden en ook aan mijn zintuigen en mijn hersenen, de zieligheid zelf sloot mij in haar harde armen, ik zat zo vast als in een bankschroef.

Toen ik eindelijk zo ver was gekomen dat ik had besloten te verhuizen kreeg ik de wind van voren. Dat doe je niet en waar haalde ik het recht vandaan, vooral nu mijn moeder in verwachting was, nu was ik thuis nodig als een plichtsgetrouwe dochter.

Dus liep ik weg. Ik liet jarenlang niets van me horen en zij zwegen ook. De stilte was hatelijk, er had mij wel van alles kunnen overkomen, maar dat zou hun een zorg zijn. Toen ik terugkwam, getrouwd met Alvar en met mijn vakdiploma op zak, voelde ik duidelijk dat er iets dood was, ik trakteerde op koffie en ze feliciteerden me, maar toch was het net alsof ik de familie te schande maakte.

Met Peggy was het een heel ander verhaal, ze was vrolijk en

lachte en wat hielden ze van dat kind! Daar was een fantastische overvloed en ik was feitelijk niet jaloers, maar blij dat ze in staat waren zo veel te geven. Want ik weet dat dat het hoogste geluk is, wanneer je geeft uit liefde, wanneer je iemand anders boven jezelf stelt. Godzijdank heb ik zelf dat geluk ook mogen smaken. We hebben geen kinderen gekregen. Maar samen hadden we een knus nestje. Mijn modezaak was een liefdesgeschenk. Alvar wist heel goed dat het niet uit zou kunnen, maar hij begreep mijn grote passie voor mode en design, de combinaties van lijnen, kleuren en vormen puur sculpturaal gezien, en dat ik daarin mezelf en mijn persoonlijkheid tot uitdrukking bracht. Hij hield van me en hielp me. Ik was hem trouw, ik wachtte geduldig als hij laat thuiskwam of op zakenreis was, ik was er voor hem en we waren gelukkig. 's Zomers en 's winters gingen we op reis, ik heb elk werelddeel gezien. Ik mis hem heel erg. Maar het leven gaat door, ik heb besloten dat ik het niet domweg uit wil zitten, maar het wil leven, ik ben zo dankbaar. Nu heb je mijn levensverhaal te horen gekregen, neem me niet kwalijk. Bedankt voor het luisteren, bedankt dat je de hele dag hebt geluisterd. Ik zeg het nog eens: ik had dit zonder jou niet gered.'

We zijn in de hal blijven staan en ik heb mijn jas en mijn schoenen aangetrokken.

Ze omhelst me. Ik vraag of er iemand is die vannacht bij haar kan blijven, maar dat wuift ze weg, geen probleem. Het verdriet moet eruit. Vannacht zal ze een kaars aansteken voor Sammy en het allemaal laten komen. Het is niet erg. Het moet gebeuren en ze moet erdoorheen, ik kan rustig weggaan, maar ik moet voorzichtig zijn in het trappenhuis met al die snoeren.

Ik sta er helemaal buiten. Toch geldt voor mij ook dat ik het moet verwerken. 's Nachts droom ik van Sammy en ik weet dat ik droom, maar toch kan ik het verloop niet stopzetten. Zijn mond zit dichtgeplakt en in mijn bewustzijn denk ik dat dat is omdat ik zijn stem nog nooit heb gehoord. Maar zijn ogen zijn open, hoewel ik die bij zijn leven ook nog nooit heb gezien. Ze zijn donker en glinsterend en hij is bang. Wat kun je anders verwachten als je doodgaat? Hij rent, de takken zwiepen in zijn gezicht en in mijn bewustzijn vervloek ik alle tv-series waar ik half doorheen ben geslapen, met al die kunstmatige angst en hoe zal het aflopen. De oude Duitser met zijn witte knevel staat te lachen en zijn zoon, die magere, zegt tegen hem dat hij moet bukken, want nu schieten ze, hij praat Engels, *they're shooting now*, en Sammy rent zigzag om de kogels te ontwijken, en ik wil dat hij op de grond gaat liggen, maar niemand hoort mij ook al ben ik daar, niemand ziet mij, ik kan de gebeurtenissen niet beïnvloeden ook al ben ik daar midden in het bos. Bränd Sven blijft vlak voor me staan, hij is bezweet en heeft zijn hoed naar achten geschoven en ik vraag me af waar hij zijn geweer gelaten heeft. Nu komt die man naar voren, die sympathieke, ik weet nog niet hoe hij heet. Hij glimlacht, maar hij ziet mij ook niet. Zijn blonde haar is achterovergekamd, hij slaat zijn ene arm om de schouders van Bränd Sven en stopt hem een geweer in de hand.

Ik zoek overal, maar Sammy is verdwenen, ik zie hem niet, toch hoor ik strijkers, onheilspellend, er gebeurt iets gevaarlijks of misschien is het al gebeurd, ik heb een hekel aan die filmmuziek.

Opeens zie ik hem achter een paar bomen staan, een kleine, doodsbange jongen, dit klopt niet, hij wist toch niet dat iemand hem dood zou schieten? Bovendien was het immers per ongeluk, waar is Bränd Sven? Staat hij whisky te drinken met de oude Duitser? Maar hij was toch nuchter? Waar is die andere man gebleven wiens naam ik niet weet? Nu zie ik Lekare, de jongeman, het lange haar dat hij in een paardenstaart droeg, hangt nu los en het wappert op zijn rug en over zijn schouders.

Hij heeft zulk mooi haar, net Jezus, en nu zie ik dat hij een bloemenkrans om zijn hals heeft en glimlacht. Hoe kan ik weten hoe hij glimlacht als ik hem alleen maar ernstig heb gezien en dat haar, die bloemen, wat betekent dat? En waar is Sammy?

Nu lacht Lekare, hij houdt de bloemen boven zijn hoofd en geeft ze aan iemand die ik niet zie, maar ik begrijp dat het Peggy moet zijn, ik heb mijn conclusie getrokken en wensdroom nu over hun liefde. De strijkers zijn stil. Nu ik dit heb geconcludeerd mag ik toch wel zien hoe Peggy ze in ontvangst neemt, die bloemen, en dat ze er blij mee is? Maar het blijft stil en Lekares glimlach is stijf, dat zie ik nu. Hij heeft vet haar, net als die boeven in *Escape from New York* en hij heeft zelfs een tatoeage en een leren riem om zijn bovenarm en patronen, rijen patronen, over zijn schouders.

Nu tilt hij zijn wapen op, het ziet er net zo uit als dat van de anderen, maar dan met een geluiddemper, en er is zeker iets mis met het geluid want hij drukt af en je hoort niets.

En je ziet niets. Of toch wel, je ziet de afwezigheid van iets, een bekende truc, een tak die iemand die daarnet nog stond heeft laten zwiepen. Ik kom dichterbij, steeds dichterbij, een mooie berkenstam, wit ... en rood van bloedspatten, en beneden in het zachte mos ligt Sammy zoals ik me hem herinner, bleek, met een kapotgesneden jack en met een pleister boven zijn linkeroog zodat de aanblik je bespaard blijft.

II

HEY WAIT FOR THE MOLLY MAGUIRES! They're drinkers, they're liars but they're men! Hey wait for the Molly Maguires! You'll never see the likes of them again!

Ik wil muziek horen die me oppept en Radio Dalarna komt tegemoet aan mijn wens, ik weet niet wie dit zijn, maar het klinkt Iers en vrolijk, ook al is het een langdradig couplet, kennelijk een hele geschiedenis, maar in het refrein gaan ze helemaal los. Ik geef plankgas en het grind spat op wanneer ik de grote weg op rijd.

Het is maandag en ik ben het kwijt, ik ben erdoorheen.

De boerderijen die uit losse gebouwtjes bestaan, snuffelen aan elkaars gevels en de paarden staan met het hoofd boven elkaars schoft in de herfstgele weilanden. Ik rijd over de Sälenvägen in zuidelijke richting en sla af bij de Shellpomp. Er valt een zacht motregentje op mijn ruit en het wordt nu iets drukker, mensen die op weg zijn naar hun werk, auto's, voetgangers en fietsers en in de school van Lillmon branden alle lampen, de leraren en de conciërge zijn er al. Ik parkeer mijn auto en loop de trap op naar de lokalen van de thuiszorg.

Zoals gewoonlijk ben ik bijna de eerste op Babs en Anki, de teamleidster, na. Ze knikken even en gaan daarna door met hun gesprek. Ik hang mijn jas op, ik heb nog maar tien minuten, ik kijk in het zwarte schrift van de nachtploeg. Geen sombere berichten, helemaal geen ongewone dingen, een extra slaaptablet in Tällbyn, een verdachte diarree in Forsbyn, vier schone luiers in de koninklijke hoofdstad Grönland en een loos alarm uit Backbyn en om twee uur was Britt Herman Olsson onrustig. Er is vast voor hem gezorgd en naar hem omgekeken, misschien heeft hij melk met honing gekregen – het is een kalme nacht geweest.

Babs vraagt hoe het met het schoonmaken van de huisjes

gaat. Ik vind het onnodig dat ze daarover begint terwijl Anki meeluistert. Anki zou op het idee kunnen komen dat mijn bijbaantje een nadelig effect kan krijgen op mijn werk en dat gaat niet gebeuren. Ik doe net of ik verstrooid ben en mompel dat het best goed gaat.

Babs hoort bij de inventaris en is opmerkelijk fris na al die jaren. Ze leidt een rustig leven met volwassen kinderen en ook kleinkinderen en een volgens haarzelf verwende man die ze verzorgt als een dierbaar huisdier.

'Heb je Siv verteld van je reisdrama?' vraagt Anki. 'Stil nou,' zegt Babs, 'ik wil het er niet over hebben, verschrikkelijk.'

Maar Anki giechelt en zegt dat iemand uit Babs' naaste omgeving aan een verre reis is begonnen en dat niemand weet hoe het zal aflopen. Babs snuift.

Ik vermoed dat een kleinkind van haar de backpackersleeftijd heeft bereikt en naar Nieuw-Zeeland is gevlogen. 'Moet je kijken hoeveel wij reizen', zeg ik om Babs' leed te verzachten. 'We maken nogal wat kilometers op een dag, alle reizen naar Vallerås, Holsbyn, Bölsbyn, Idbäck, Jägra, Gärdås, Västra en Östra Utsjö, Åsbyn, Myckelbyn, Grimsmyrheden, Romarheden, Holarna, Albacken, Orrmyrheden, Grimsåker en Torsjonasriset, om het over heel Finnmarken met Barktorp, Östra en Västra Näsberget, Andersviksberg en Tyngsjö nog niet eens te hebben, heel Milsjöheden – die uitgestrekte blauwe vlakten met hun oeroude bevolking, en allemaal zijn ze van ons afhankelijk.'

'Hè, Siv,' reageert Babs, 'je overdrijft altijd zo. In Finnmarken zijn ze taai, anders hadden ze het nooit al die jaren gered. Maar hier, in de centrale dorpen zijn ze ziekelijker. En dat worden wij ook.'

Dat is waar. We zwijgen. Met de jonge aanwas is het droevig gesteld en ik vraag me af of dat aan de betaling ligt. We zitten niet heel ver boven het bestaansminimum, zodat de collega's die verbitterd en overwerkt zijn, zich vaak afvragen waar we het eigenlijk voor doen.

Maar we zijn wel populair. De mensen zien ons elke dag weer graag komen, we krijgen erkenning, ze houden zelfs van ons. Welke directeur of topmanager kan dat zeggen? Wij hebben geen Zwitserse bankrekening nodig als bevestiging dat we waardevol zijn en belangrijk werk doen. Dat zien we en dat horen we steeds. Misschien dat we daarom zo weinig geld krijgen? Het loon wordt in natura uitbetaald, in bevestiging ter plekke. Misschien zouden we ervoor moeten betalen dat we zo enorm gewaardeerd worden. Ja, we mogen blij zijn dat we geen geld toe hoeven te geven aan het eind van de maand omdat we ons zo bijzonder mogen voelen, en de poepluiers vergeten we gemakshalve. Zo tactvol zijn we wel en op een dag liggen we er zelf zo bij, dan zijn we vast blij als er iemand komt.

Toen we leerden om het werk niet meer te zien, kwam dat eerst hard aan. Nu draaien er nieuwe walsen, net als in de autowasstraat, en rondwalsen, dat doen we, het gaat snel, we winden de klok niet eens op, we koken niet, we maken niet schoon, we voeren de vogels niet en brengen geen oud papier weg, we doen geen boodschappen en gaan niet naar de kelder, maar we halen wel hout als er geen verwarming is en we brengen het afval weg, want er is veel afval als het eten uit plastic verpakkingen komt. We zien niet en horen niet, en zeggen niet wat we vinden. Dat het vroeger beter was toen de cliënt besliste, hachee wilde eten en de geur wilde ruiken, niet door een vieze ruit wilde kijken en ons beddengoed en kleden liet kloppen, alles moest vroeger geklopt worden, dan rook het fris.

Maar nu zijn het andere tijden, dus we zien niet en horen niet en ons reukorgaan laten we thuis als we gaan werken. Maar we zijn dichterbij gekomen, nu doen we veel aan persoonlijke verzorging, voorzover die niet medisch is. De cliënten zijn ouder geworden, zieker en in elk opzicht ellendiger. Veel van hen liggen de hele dag in bed en sommigen zijn verward en raken de weg kwijt in hun eigen huis. We verschonen hen, we smeren hen in, we geven hun eten en we praten ook, we douchen, wassen haren en scheren kinnen, kleden hen aan en uit, trekken hun steunkousen aan en poetsen tanden in een wastafel of in een mond.

Nu komen Veronica en nog drie, vier anderen binnen. Veronica is fors en vrolijk en neemt een frisse wind mee, ze heeft zich gehaast, wat wil je met vier kinderen en geen man, maar ze heeft als gewoonlijk wel tijd gezien om haar sieraden om te doen.

Ze straalt. Ze heeft in het weekend zeker een nieuwe man opgedaan? Ja, inderdaad, ze knipoogt naar me en fluistert dat ze nu echt een lekker ding aan de haak heeft geslagen, het klinkt alsof ze op zijn minst iets met Tom Cruise heeft. Dan onthult ze dat hij Leif-Hugo heet, bij het elektriciteitsbedrijf werkt en uit Venjan komt.

Dat laatste horen Gunilla en Ruth ook en ze kreunen gezamenlijk. 'Venjan!' Ik trek een lelijk gezicht bij hun openlijke racisme, het feit dat mensen uit Venjan bij voorbaat veroordeeld zijn. Geef die man een kans!

'Hij is de snelste tot nu toe', luidt de reactie van Veronica. 'Als ik zo alert was geweest om de tijd tot aan de finish op te nemen, had ik hem vast op acht seconden geklokt. Maar dat was alleen omdat ik zo onweerstaanbaar was, dat begrijp je wel, en één minpuntje is geen minpuntje, ik wachtte op de herhaling. Maar wat doet die man? Hij draait zich om en valt als een blok in slaap.'

Daar moeten we zo om lachen dat de tranen over onze wangen stromen, vooral omdat ze zo'n fantastische mimiek heeft. Ze zwaait met haar handen, haar mond hangt open en ze heeft een verbaasde blik waarmee ze 'je laatste oortje versnoept hebben en van een koude kermis thuiskomen' heel goed uitbeeldt.

Veronica heeft een groot hart en veroordeelt nooit iemand, daarom mag iedereen haar, ook al windt ze nergens doekjes om.

'Aan de slag', roept Anki en we gaan gehoorzaam zitten, de ochtendbespreking is begonnen. De verschillende diensten worden verdeeld, elke keer anders zodat we het makkelijker kunnen volhouden. We hebben een zware en oude cliëntenkring en het intieme lichamelijke contact is niet alleen een belasting voor je rug en je schouders, maar ook voor je geest, daarom circuleren we. Daardoor zien de mensen die de zorg van de maatschappij nodig hebben telkens andere medewerkers, maar wij zijn niet van teflon, dingen raken ons, daarom wisselen we elkaar af, ook al kunnen de oude mensen zich daardoor gekwetst voelen. Wij komen om de beurt bij hen en dan komen er nog mensen van Samhall, sommige komen één keer per week met kant-en-klaarmaaltijden uit Sala, die zeggen alleen maar goedendag en zetten hun stapel in de koelkast naast de magnetron. Er komen ook schoonmakers van Samhall. Iedereen klaagt over de moderne manier van schoonmaken die wordt toegepast, en als je geen familie hebt moet je stof en mijt maar voor lief nemen en zelf een glazenwasser laten komen. Dan komt ook de verpleging nog met medicijnen, injecties, verband en een therapeutisch gesprekje. Daarna komt er misschien nog iemand helpen met rekeningen en verzekeringen en andere financiële zaken. En als ze echt geluk hebben, komt er ook nog iemand liefdewerk bedrijven namens de kerk of de dorpsvereniging. Het is alleen maar aardig van hen dat ze komen en dan zwijgt de cliënt dankbaar en vraagt niet waarom de vogels geen zwoerd krijgen zoals andere jaren. De mensen rennen af en aan, maar het is rationeel en economisch. Nu valt er niets meer te rationaliseren, de volgende stap is razendsnelle sondevoeding en aan de andere kant spuit het er met Microlax even snel weer uit; dat moment komt nog wel, wanneer de bel gaat voor de volgende bezuinigingsronde.

Gullmari komt zoals altijd te laat binnen. Wat nu weer? Een verkeersopstopping in het bos? Te korte startkabels of een lege koffiebus? We hebben al duizend smoezen gehoord en nu komt de duizend en eerste: ze kon geen schone sokken vinden. 'Aha,' zegt Anki met engelengeduld, 'dus je moest eerst nog een wasje doen?'

'Nee, ga weg zeg, ik heb de vieze weer aangetrokken. Maar dat kostte tijd, want die kon ik niet vinden. Sorry dat ik zo laat ben. Je houdt het toch niet in op mijn salaris, Anki?'

Anki schudt vermoeid haar hoofd. Verder beweegt niemand, want dan zouden we met dingen gaan gooien. Gullmari is een tijddief, ze komt te laat en gaat te vroeg weg, het gebeurt regelmatig, en als ze wist hoeveel punten ze spaarde, zou ze het er benauwd van krijgen, ze is aan het sparen voor een gigantische bom. Anki weet dat, op een goede dag ontploft die, en als Anki er niet op tijd iets aan doet, kan het verkeerd aflopen met deze boosheid. Anki zou hard op moeten treden, elke dag wordt de schroef iets steviger aangedraaid en binnenkort zijn we het zat, ze steelt onze tijd.

Ter verdediging van Gullmari kan gezegd worden dat ze een zekere charme bezit. Eigenlijk denk ik niet dat ze zich bewust is van wat ze aan het doen is. Het is gewoon een gemakkelijke gewoonte geworden en als niemand er iets van zegt. Aanvankelijk waren we zo aardig om het door de vingers te zien, maar die tolerantie is nu in het tegendeel omgeslagen zonder dat we weten hoe dat in zijn werk is gegaan. Als niemand er iets van zegt, is het toch goed? Zo denkt ze misschien en als er nog een half uur over is van de werkdag vraagt ze: 'Siv, kun jij nog even langs het Orrbos gaan en Hulda deze tas met boodschappen brengen? Misschien moet ze nog naar de wc, maar dat gaat altijd snel, toch?'

Die vraag wordt terloops gesteld en ik moet toch die kant op, dat weet Gullmari, daarom vraagt ze het. Daarna duurt het een paar weken voor ze het weer vraagt, intussen werkt ze de andere collega's een voor een af. We willen niet onvriendelijk zijn. En zij is een tijddief. Ik hoop dat ze er ooit voor gestraft wordt, dat hopen we allemaal.

Plotseling heb ik dienst vijf toebedeeld gekregen. Best, ik knik. Automatisch denk ik aan de voordelen, de aardige, heldere mensen, die mij energie teruggeven, vijf is prima, niet beter of slechter dan een van de andere diensten, de dag begint goed.

Ik kijk wie er onder de douche moeten. We doen er elke dag een, op die manier hebben we een hobbel over de hele week uitgesmeerd. Niemand klaagt, niemand eist een hogere frequentie of juist een lagere, nee, ze zijn alleen maar dankbaar. We zitten in de industrie en het autowassen en doen ze een voor een. Ik zie dat Backhans Maj-Lis aan de beurt is om te douchen. Ze heeft het gewicht van een postzegel, vandaag heb ik geluk.

We trekken onze jassen aan en pakken onze spullen, sommigen hebben was bij zich voor de cliënten en op het laatste moment worden er nog kleine taken verdeeld, iemand moet met de auto naar de tandarts gebracht worden, iemand anders moet door twee mensen getild worden en er moet een extra stapel glijlakens mee voor iemand die meer dan normaal doorlekt. We staan al wanneer Gullmari onverwacht zegt: 'Vreselijk, hè, wat er afgelopen vrijdag is gebeurd, dat Peggy's zoon op een excursie is doodgeschoten?'

'Hm', mompelen we allemaal. Iedereen verzet zich, niemand wil iets dergelijks tot zich laten doordringen. Je eigen kind – nee, je moet er niet aan denken. Dan zegt dat mens doodleuk: 'Ik hoorde dat jij erbij was, Siv. Dat moet verschrikkelijk geweest zijn!'

Alles staat stil en dan komen de vragen los, een voor een, maar wel dringend.

Gewoon weggaan kan ik wel vergeten. Ik krijg Gullmari nog wel. Ze kan niet beweren dat ze het niet doorhad. Als ik erover had willen praten, dan was ik er zelf wel over begonnen. Dat weet ze best, die trut, maar nu wil ze ons vertrek uitstellen en nog wat vermaakt worden in plaats van te werken. Ze krijgt een dodelijke blik om mee te beginnen en daar zal het niet bij blijven, daar zorg ik wel voor.

Ik moet het hele verloop van de gebeurtenissen vertellen, inclusief dat ik zelf naar de verzamelplaats ben gegaan toen ik zag dat er iets mis was. Ik vertel ook dat ik Marlene naar huis heb gebracht. Het is twee seconden stil. Iedereen staat nu op met zijn jas aan en met tassen en bakken met wasgoed in de hand. Anki is vergeten dat ze de baas is en staart me aan, net als de anderen. Ze zijn ervan onder de indruk dat ik alles gezien heb, dat ik er zo dichtbij was, en nu de geest uit de fles is willen ze meer weten.

Ik vertel van de schoolkinderen, de leraren en de ouders, over Marlene en de hele chaos, de bus, de ambulance en de politie. 'Wat aardig van Marlene om mee te gaan met de excursie', mompelt Babs.

'Arme Peggy', zegt Gullmari meewarig, die zelf alleenstaande moeder is van een zoon van elf, die ze vaak als smoes gebruikt voor haar late komst of vroege vertrek. Ik weet nog die keer, helemaal niet zo lang geleden, toen Gullmari hard op een scheiding afkoerste onder het motto liever een kapotte auto – haar ex was automonteur – dan een kapot huwelijk. Ze wilde dat ik het met haar eens was, maar ik vroeg retorisch of een scheiding wel voor iedereen inclusief de kinderen het beste kon zijn. 'Moet jij zeggen', antwoordde ze toen en ik zei niets meer. Ik was immers geen haar beter geweest en hoewel Åsa formeel gezien volwassen was toen ik bij Jan wegging, is er ook in onze relatie iets stukgegaan en die wond is er nog steeds, een nieuwe afstandelijkheid, iets waar we het nooit over hebben. Mijn dochter belt me nooit en ze vraagt me ook nooit meer om advies. Ik moet haar altijd bellen.

Veronica is het met haar eens, het is erg voor Peggy. Ben ik mee geweest naar haar toe? Hoe was ze eronder? Ik antwoord niet: 'Wat denk je?' maar ik zeg dat ze natuurlijk buiten zichzelf was, wanhopig, maar dat er een paar vriendinnen bij haar waren en de dominee. 'Arme Peggy', herhaalt Veronica. 'Ze heeft het niet gemakkelijk gehad. Ze heeft ook nog met die gek samengewoond die haar bijna dood heeft geslagen, hoe heette die ook weer?'

'Klas Lekare', vult Gullmari gedienstig aan. 'Ja, precies,' gaat Veronica verder, 'Klas Lekare. Die man had een kwade dronk. Hij hield haar onder de knoet en ze stond doodsangsten uit als hij dronk. Ze vertelde me alles in de Konsum, hoe het begon, hij had haar door elkaar geschud en bedreigd, dus wilde ze niet dat hij nog meer zou drinken. Ze stond een fles leeg te gieten die ze in een laars had gevonden toen hij volkomen onverwacht thuiskwam. Hij ging helemaal door het lint, hij sloeg haar een tand uit en toen was het net of hij niet kon stoppen, daarna heeft ze een hele maand lang kleren met lange mouwen gedragen, vertelde ze me. Zodra hij drank ophad, sloeg hij haar, steeds erger. En daar zat die jongen dus middenin. Toen ze uiteindelijk aangifte deed, werd het nog eens tien keer erger. Dus trok ze haar aangifte in. De politie had het wel door, maar ze hield voet bij stuk. Want ze was doodsbang, wie weet waar hij haar mee bedreigde. Maar opeens was het afgelopen. Op een dag verhuisde hij gewoon en voorzover ik weet heeft hij haar sindsdien met rust gelaten.'

Ik wil nu weg. Anders moet ik wel onthullen dat die ex van Peggy zich afgelopen vrijdag in de bergen bevond toen het allemaal gebeurde, dat hij een van de drijvers was.

'Aardig van je om Marlene thuis te brengen', zegt Babs. 'Zij heeft het ook niet makkelijk, die jongen was waarschijnlijk als een zoon voor haar, ze heeft zelf immers geen kinderen. En haar man is nog maar een paar jaar geleden overleden. De winkel eist natuurlijk veel aandacht op, en dat is misschien maar goed ook.'

'Ze had een vriendin', zegt Gunilla, 'die is toch ook overleden? Ze waren heel verschillend, ze was een soort noodhulp in de winkel eigenlijk, een grijs, kleurloos mens ook al was ze discreet en vriendelijk als ze een keertje achter de toonbank stond.'

'Nou ja, kleurloos', zegt Ruth. 'Ik zou eerder het omgekeerde beweren, juist heel kleurrijk, met glinsterende oogschaduw en een flinke dosis rouge. Ik heb hen weleens zien zitten als de winkel dicht was, dan zaten ze daar als twee echte deftige dames.'

'Ik vond haar kleurloos', stelt Gunilla. 'Geen make-up, geen sieraden en haar haar niet geverfd.'

'Ik heb haar ook gezien', zegt Babs. 'Toen was ze wel opgemaakt, en ze droeg kleding waarover was nagedacht. Het was op een avond in maart in de Lisagatan, ze stapte op hoge hakken door de sneeuw, dat maak je hier in Grönland midden in de winter toch nooit mee?'

Ik vind hen net gieren zoals ze om hun prooi heen cirkelen. Dat is niet eerlijk van me, want als het erop aankomt ben ik zelf geen haar beter. Het lekkerste bewaren ze inderdaad voor het laatst: 'Heb jij de dader gezien?' Dat vraagt Veronica, namens iedereen.

Ik geef het toe. 'Ja, ik heb hem gezien.' Maar wat ik niet zeg is dat ik de overledene ook heb gezien. Dat beeld wil ik niet prijsgeven, ik wil niet dat dat slordig gekopieerd en uitvergroot in alle richtingen wordt verspreid. Ik noem de naam van Bränd Sven en houd tegelijkertijd mijn eigen beeld vast, het belangrijkste, dat van de dode jongen. Ook al kende ik hem niet, dat is heilig. Dat is een kwestie van vertrouwen, een herinnering en een band tussen Marlene en mij, zij hing aan mijn arm.

Iedereen weet wie Bränd Sven is en Veronica, die kennelijk

evenals Gullmari een oppervlakkige kennis van Peggy is, herinnert zich dat hij een soort peetvader voor Peggy was of misschien voor haar zoon, maar die opmerking veroorzaakt weinig opschudding. De aandacht richt zich vooral op hoe wreed het is als je je kind moet verliezen en op Marlene, die meer van onze leeftijd is, en die zich in het middelpunt van de gebeurtenissen bevond. Haar winkel en de inhoud ervan wekken een duidelijk voelbare zweem van jaloezie. We hebben allemaal weleens buiten in de kou naar die heerlijkheden van zijde, fluweel, kant en duchesse staan kijken en allemaal zijn we er ook weleens binnen geweest en hebben we gemerkt dat het boven onze begroting ging. Er is vast ook weleens iemand in haar woede regelrecht naar de schappen van de Konsum gestiefeld, waar een pakje van drie slips negenennegentig kronen kost en met een klantenkaart zijn ze nog goedkoper.

'Arme Peggy', zegt iemand nog eens. Maar nu is Anki wakker geworden. 'Ja, het is vreselijk,' vat ze samen, 'maar nu zijn er een heleboel oudjes die honger hebben en trek in koffie en die nat zijn, straks slaan ze alarm als jullie niet komen.'

Onze nieuwe rode bedrijfswagens met vierwielaandrijving en het logo van de gemeente op de zijkant staan op een rij onder de lange carport als onstuimige paarden in een oude western en hier komt de harde kern aanstormen om uit te rijden en de wereld te redden. Veronica en Gunilla blijven staan om een sigaretje te roken in de vochtige herfstochtend. Ik houd hen meestal gezelschap, maar nu niet, ze zouden alleen nog maar meer vragen stellen. Ik ben er immers doorheen en wil er niet meer over nadenken.

Sven-Erik Magnusson van de band Sven Ingvars roept me vrolijk toe wanneer ik de sleutel omdraai in het contact en wat zingt hij? 'Spring in mijn auto! Dan rijden we een stukje!' Ja, dat gaan we doen, Sven-Erik, en jij gaat mee, jij zorgt voor die uitgelaten stemming die het werk zo veel gemakkelijker maakt. Sven Ingvars, Thorleif, Matz Bladh en het Flamingokwintet vrolijken de dag op met klank en het ritme van de bugg. Als ik de wagen in zijn één zet en de Limollevägen op rijd, dans ik met mijn bovenlichaam en bedenk dat dit ons eigen Hill Street Blues is, zo cool als wij zijn, Anki's opdrachten 's ochtends en zelfs af en toe de woorden: 'Pas goed op jezelf!' Ja, Anki, als we dat nou eens deden. Aan de andere kant is onze dramatiek veel subtieler, wij hoeven niet met messen te duelleren, we maken geen drugstransacties of geweldsdelicten in parkeergarages mee, want die hebben we niet. Hier gebeurt niets. We hebben het druk, van 's ochtends vroeg tot 's avonds laat en we moeten het hele scala van onze vaardigheden benutten. Misschien schieten we niet al te best, en van de ene flat naar de andere springen is ook niet ons sterkste punt, maar verder bestrijken we een breed terrein.

'We gaan op pad en laten de stad achter ons. Vanavond ben je weer thuis!' Ja, dank je wel, Sven Ingvars, ik weet het, we hoeven het leven niet zo zwaar op te nemen. Moeilijke momenten worden makkelijker met een lied, wie kan het zich veroorloven om zijn tranen de vrije loop te laten als hij tot taak heeft de levensvlam in stand te houden van bedlegerige mensen?

Met het nummer 'Djupa vatten' probeert Wizex mij het donker in te trekken. 'Pas op voor diepe wateren, hier in het donker van de nacht zie ik je toch!' Maar het is maar een spel, ik blijf de bugg dansen met mijn bovenlichaam terwijl ik vaart maak over de oude dorpsstraten die nu redelijk geasfalteerd zijn en waar de huisnummers op de hoeken van de schuren staan, op de onderkant van een ligger.

Maj-Lis is wakker en zit rechtop in bed met haar witte haar als een stralenkrans om haar vierennegentigjarige hoofd. 'Ben jij het, wat gezellig!' barst ze uit. 'Dat vind ik ook', antwoord ik en dan gaan we aan de slag. De kat trippelt op haar tenen om me heen zodat ik bijna over haar struikel en steekt haar gestreepte staart als een uitdagend uitroepteken omhoog, de hele kat is zo gestreept als een makreel, maar ik moet toch echt eerst voor het vrouwtje zorgen.

'Hèhè, dat lucht op', verzucht Maj-Lis wanneer het eindelijk in de toiletpot klatert. 'Ik was bijna zelf op pad gegaan, maar ik wist wel dat er iemand zou komen.'

Ondanks haar rollator is ze al een paar keer gevallen. Ze wordt gewoon draaierig, legt ze uit, daarna blijft ze soms uren liggen totdat er weer eens iemand op komt dagen. Gelukkig heeft ze nog nooit iets gebroken. Het is alleen zo irritant, zegt ze, om daar voor joker te liggen wachten. Eén keer had ze zo'n dorst dat ze er bijna van moest huilen en een andere keer had ze in haar broek geplast.

Ik zet de rollator binnen handbereik, want misschien komt er ook nog iets anders, ze wil alleen zijn. Ik loop naar de keuken samen met de kat, die tussen mijn voeten door draait, en pak een blikje kattenvoer. Ze spint dat het kraakt, duwt tegen mijn kuiten en gaat hoog op de tenen staan. Uiteindelijk miauwt ze en dan reageer ik. Ik word beleefd aangesproken, natuurlijk reageer ik en dan eindelijk is de portie opgeschept, ik zet haar op de grond. Het geknetter gaat nog even door, maar daarna wordt het stil en concentreert ze zich op het eten. Katten zijn de bolletjesrandjes van de liefde. Doelloos en onberekenbaar houden ze Maj-Lis en vele anderen in leven. Vanuit een ander bestaan, een andere dimensie, kijken ze uit hun reptielenogen, waarmee ze in het donker kunnen zien, met hun sluiters wijdopen naar het onbekende. Een kat is feest voor alle zintuigen en in een oergeheugen bestaat nog het beeld van een oervrouw die ooit een band had aangeknoopt met een oerkat; ze waren gezworen kameraden geworden en die praktische liefde is nu gesublimeerd. Nog maar enkele generaties geleden, toen Maj-Lis zelf jong was en met haar koeien en geiten naar de zomerweide ging, waar ze kaas en boter moest maken, was het ongedierte een catastrofe. Toen gaf ze de kat geen eten. Maar hij kreeg warmte en onderdak en ze hadden een gelijkwaardige relatie. Ze maakten allebei lange werkdagen en daarna zaten ze 's avonds gezellig bij het vuur. Maar daar is niets meer van over en nu is de kat een kind geworden, een lief kind met een tijdloze moeder. Maar nog zie je die oerkat die zich klaarmaakt voor de sprong, waarbij elke spier bij elke haar in de zachte vacht trilt, beweegt en met zijn snorharen kan hij verder kijken dan tijd en ruimte.

Ze is klaar en heeft zelf haar billen afgeveegd. Ik vraag of ze nu wil douchen of eerst ontbijten. Ze antwoordt dat ze iets in haar maag moet hebben, dat is echt nodig na een bijna slapeloze nacht. Ik help haar van het toilet, ze wast haar handen en dan lopen we gearmd naar de keuken, waar ik het ochtendblad op tafel heb gelegd. Ze gaat op het speciale kussen zitten, ze heeft geen achterste meer, ze is zo mager dat ze dood zou moeten zijn. Maar daar schijnt ze niet mee te zitten, haar levensvlam brandt helder, ze houdt alles bij en is echt geïnteresseerd in haar omgeving, in grote en kleine dingen, ze is niet zo op zichzelf gericht. Ik heb weleens tegen haar gezegd: 'Op jouw leeftijd heb je het jouwe wel gedaan, het wordt tijd om egoïstisch te zijn, laat de anderen zichzelf maar redden, dat moest jij toch ook?' Dat is ze met me eens, maar ze kan niet anders en daarna ben ik gaan inzien dat ze door haar eigen kwalen te vergeten en zichzelf niet al te serieus te nemen zo ver gekomen is, en daardoor misschien de honderd wel haalt.

Nu zet ze haar bril op en leest de koppen op de voorpagina. 'Ja, het staat erin', zegt ze zuchtend. 'Het heeft de hele nacht door mijn hoofd gespeeld, arme jongen, dat hem zoiets vreselijks moest overkomen.'

Ik sta met mijn rug naar haar toe haar ontbijt klaar te maken. Inwendig stoot ik een serie vloeken uit, want ik zie de bui al hangen. Ze blijft praten en het duurt even voor ik doorheb dat ze Bränd Sven bedoelt. Hij is de jongen waar het zo erg voor is, die iets ellendigs is overkomen, niet Sammy, wat ik eerst dacht. Kennelijk ging ze vroeger met de ouders van Bränd Sven om. Ze praat tegen zichzelf, het is een monoloog; als er toevallig iemand in de buurt is, denkt ze hardop. Ze roept dingen van vroeger voor haar geestesoog op.

'Hij was een lief kind, dat was hij. Een flinke jongen, al zagen we dat toen natuurlijk niet, Bränd Pär en Josefina hadden zo veel kinderen, je kon het niet allemaal bijhouden. Ze waren met zijn zevenen, Sven was de jongste. Hij was een aardige jongen en dat was een geluk, want Pär was niet aardig en Josefina was overwerkt. "De jongste had mijn dood kunnen zijn", zei ze altijd. Zou hij dat gehoord hebben? Het was een zware bevalling geweest, ze had niet de kracht hem eruit te persen, het werd een vacuümverlossing. Daarna ging het allemaal moeilijk, met de moedermelk en god mag weten wat allemaal. Hij heeft waarschijnlijk niet gekregen wat hij moest hebben, zij was te moe om blij te zijn. Maar het is toch een flinke kerel geworden, een hele flinke. Dat hadden we toen niet kunnen denken dat er zo'n deftige meneer uit dat kleine ventje zou groeien. Was hij geen bedrijfsleider of directeur?' Ze weet niet meer welke titel hij uiteindelijk had. 'Misschien is hij intussen al met pensioen. Het gaat immers onbegrijpelijk snel, misschien heeft hij die leeftijd al. Die arme jongen toch, die per ongeluk een kind heeft neergeschoten. Hoe zou je je dan voelen? Waarschijnlijk voel je je dan heel klein, welke titel je ook hebt.'

'Hoe weet je dat het Bränd Sven was, staat dat in de krant?'

'Nee, dat denk ik niet. Nee, dat heb ik van een oude kennis gehoord die gisteravond belde en daarna kon ik niet slapen.'

'Directeur-generaal.'

'Wat?'

'Hij is directeur-generaal geworden.'

'Ja, misschien was dat het wel. Het was iets heel deftigs, terwijl hij uit een heel gewoon gezin kwam en meteen na zijn examen bij Jofa was begonnen. Dat hij mocht doorleren was op zich al geweldig. Ik wou dat ik hem nu kon troosten. Maar ik ben een oud mens, hij kent me vast niet meer. En die kinderen scharrelden gewoon om je heen; als wij daar waren, had ik niet speciaal aandacht voor hem. We legden weleens een kaartje op zaterdagavond, dat is alles wat ik nog weet, en dat er overal kleren hingen. Misschien werden ze een beetje met de nek aangekeken, maar ik vond haar aardig, Josefina, en als je daar was geweest, was het onbeschrijflijk fijn om thuis te komen bij onze twee kinderen, die al groot waren. Al had die drukte bij hen ook wel weer iets prettigs; Pär was meestal chagrijnig en nors, maar de kinderen waren vrolijk, ook al zag je wel hoe uitgeput hun moeder was.'

In deze omgeving kent iedereen elkaar. Het is een ingewikkeld stelsel van familieleden, buren en vrienden dat generaties ver teruggaat in de tijd, van huwelijken ook over de grens met Värmland en Noorwegen heen. De mensen die hier hun hele leven al wonen, kunnen het precies uittekenen, ze kennen de onzichtbare banden tussen honderden mensen en groepen mensen, ze kennen hun boerderijnamen, hun bijnamen en de boerderijen zelf; oude mensen weten ook van de vaak al gestorven paarden hoe ze heetten en waar ze familie van waren, paardengeslachten met vertakkingen in Jämtland en Noorwegen. In het hoofd van Backhans Maj-Lis zit een computer verborgen vol genealogische, geschiedkundige en volkenkundige informatie en wanneer zij overlijdt, gaat die reddeloos verloren. Ik luister altijd geboeid naar wat ze vertelt, vaak zijn het pareltjes, kostbare kennis en inzichten, maar nu wil ik het niet verder over Bränd Sven en zijn droevige lot hebben. Want als we erover doorgaan en ik verzwijg dat ik daar was, dan is het net of ik lieg en dat wil ik niet.

Zoals veel van onze cliënten eet ze 's ochtends graag pap. De magnetron, waar we collectief een hekel aan hadden, is juist voor het opwarmen van pap ideaal gebleken, eenvoudig en praktisch, het gaat snel en je hebt geen plakkerige pannen. Dat zeggen we niet, maar de pap wordt perfect, en bovendien scheelt het tijd en afwas, en nu maakt de magnetron ook een eind aan het gesprek over Bränd Sven.

Een uur later ben ik op weg naar de volgende, terwijl Maj-Lis fris gedoucht en gekapt uitrust met de deken over haar benen.

Nygårds Sigvard rijdt in zijn rolstoel rond zodat de oude vloer ervan dreunt. Ondanks de complimenten die ik en de hele dienst van hem krijgen, moet ik snel weer weg.

Maar bij Jerskersti Oskar Stigsson is de toon daarentegen laconieker, om niet te zeggen balorig. Bij hem ruikt het zoals bij oude mannen in het algemeen. Hij bewoont alleen de keuken en de woonkamer van het huis van zijn ouders.

Wanneer ik daar sneller dan snel klaar ben en terug mag naar de auto, overweeg ik om te beginnen met roken, als het maar niet zo duur was. De helft van mijn collega's rookt. Als je net bij iemand bent geweest die in zijn bed heeft gepoept of bij figuren zoals Jerskersti Oskar voel je de behoefte om even een plekje op te zoeken waar je kunt staan uitkijken over de weilanden en de rivier, je hebt een goede reden nodig om je even te vertreden voordat je weer in het zadel klimt voor de volgende westernrit. Je hebt gewoon behoefte aan een peuk.

Op Radio Dalarna zijn ze met een soort vlooienmarkt bezig, dus zet ik de radio uit als ik afsla naar het bos. De weg is smal en modderig, in de winter zullen we veel genot hebben van de vierwielaandrijving, dat is duidelijk. Als zij er dan nog is. Als het niet te koud wordt.

Er zijn nog meer katten, ze rennen overal buiten rond. Katten zijn het slachtafval van de liefde, ze zijn zo mager en het zijn er te veel en ik houd ze bij me weg. Ze zijn niet schuw, maar ik aai ze niet. Ik wil niet op ze gesteld raken, ik wil niks van ze vinden.

In de stacaravan ruikt het naar ammoniak, maar Anna Katarina Bengts glimlacht hartelijk naar me. Ze heeft op me gewacht. Er staat een brandende petroleumlamp op tafel, de gaskachel ruist en het is niet koud.

Ze is allergisch voor elektriciteit. Van de straling, zoals zij het noemt, wordt ze ziek, krijgt ze last van haar gewrichten, kiespijn en hoofdpijn. Ook haar huid reageert erop, zichtbaar, die wordt dik en rood. Zelfs een mobieltje dat uitstaat verdraagt ze niet meer. Ze beweert dat de hoogspanningsleiding die langs haar huis liep de oorzaak was, naast al het amalgaam dat ze in haar kiezen heeft. Ze heeft geen geld om het amalgaam weg te laten halen en daar krijgt ze ook geen financiële tegemoetkoming voor. Dat is niet zo erg, zegt ze, want ook van het saneren zelf word je heel ziek, daar heeft ze voorbeelden van gezien. Wanneer de tandarts de oude vullingen wegboort, komen er giftige gassen vrij die volgens Anna Katarina levensbedreigend kunnen zijn.

Ze voert een continue strijd. Op de kleine tafel liggen stapels brieven met officiële briefhoofden. Ze heeft geen geld, geen baan en ook geen echte woning meer behalve deze. Ze staat alleen tegenover de rest van de wereld, zegt ze altijd, maar gelukkig rekent ze ons daar niet toe. Volgens mij betaalt de sociale dienst onze bezoeken hier. Ze zijn waarschijnlijk bang dat ze zichzelf iets aandoet of gewoon doodgaat, en dat er dan misschien grote koppen in de kranten komen. Of ze zijn echt bezorgd om haar.

Officieel ben ik hier om haar in te smeren vanwege de huiduitslag op haar bovenlichaam. We doen ook één keer per week boodschappen voor haar en soms, wanneer ze zich iets beter voelt, mogen we haar meenemen in de auto voor een snelle douche in het gezondheidscentrum.

Niemand zegt het, maar wij weten best dat wat wij doen en zeggen belangrijk is voor Anna Katarina Bengts' welzijn. Maar we zijn natuurlijk geen psychologen, dus officieel smeren we haar in en doen we boodschappen, dat is alles. Hoewel we zelden korter dan een half uur bij haar zijn. Over sommige dingen hoef je het gewoon niet te hebben.

Ik heb haar verteld dat ik nu in de herfst huisjes schoonmaak in Sälen, daar zou ik nu over door moeten gaan; misschien kan ik daarmee de benauwdheid in dit zuurstofarme hok verdrijven.

Dan vraagt ze zelf: 'Hoe gaat het in de bergen?' En tot mijn opluchting merk ik dat ze helemaal niets van het dodelijke schot en alles weet.

Dus ik vertel haar van al die sjieke villa's, van alle gemakken voorzien, vooral van elektrische apparaten en elektronische snufjes. 'Er staan toch nog wel een paar oude huisjes op de zomerweiden?' vraagt ze en ik antwoord dat ze allemaal elektriciteit hebben, zeker weten, ik kan me niet voorstellen dat er ook maar één oud huisje over is dat nog een petroleumlamp als verlichting heeft en waar alleen hout gestookt wordt. Op de berghutten na, dan, maar daar woont niemand.

Ze wil alleen maar over haar grote probleem praten en over de instanties waar ze zo van afhankelijk is, maar die tegelijkertijd haar dood worden. Je kunt het nergens anders over hebben, dan schakelt ze uit. Al haar energie gaat op aan haar allergie. Ze is continu ongelukkig, ze wordt continu verkeerd begrepen, ze is continu teleurgesteld in alle aspecten van het leven, ze is gefrustreerd, verward, af en toe in paniek en haar leven heeft doel noch structuur. Ze kan niet aarden in de moderne maatschappij, ze had honderd jaar geleden moeten leven. De moderne maatschappij staat ook ambivalent tegenover haar 'stroomstoring', zoals ik haar aandoening gekscherend noem.

Onder haar shirts en een versleten bh zit een klein vrouwenlijfje verstopt. Met wonden.

Ze zijn aan het helen, maar het rood eromheen is chronisch. Ze heeft die wonden gekregen toen ze zo graag naar een filmvertoning wilde, ze draaiden oude films uit de jaren vijftig en ze kende een aantal mensen die erin meededen. De films waren het probleem niet, maar alle tl-buizen die brandden voor de voorstelling en de mobiele telefoons die in alle tassen en jassen zaten. Tijdens de voorstelling stonden ze uit, maar zodra het licht aanging, zetten de meeste mensen ze aan en dat voelde als een schok. Die geluiden, die piepjes, het was net het gebrul van een roofdier vlak voordat je wordt gedood door een ijsbeer of een leeuw, legde Anna Katarina uit.

Ze bleef in bed met koorts en met blaasjes op haar borst en bovenarmen. De blaasjes sprongen te snel, het rode vlees scheen erdoorheen. Maar nu zijn er alleen nog korstjes van over. 'Het heelt mooi', zeg ik en ik smeer haar voorzichtig in met de verzachtende zalf. Anna Katarina knikt.

Ze is niet oud. Objectief gezien zou ze dit waarschijnlijk zelf kunnen doen. Het is niet waar dat de maatschappij harteloos is. Ik smeer haar in en streel, de maatschappij weet dat strelen, huid over huid, een oeroud geneesmiddel is, strelingen helen, troosten en verzoenen.

Anna Katarina ontspant, de oorlog tegen de nieuwe tijd wordt onderbroken, even is ze een heel gewoon mens. En ze is niet alleen. Ik ben er. En wij hebben geen oorlog.

Ten slotte moet ik toch verder. Ze weet het en ze klaagt niet. Ik geef haar een knuffel en zie dat er iets aan haar haar gedaan moet worden, het moet geknipt. Maar aan haar hoofd mankeert niets. Ze praat druk over de vogels die ze voert en ze is niet bang in het donker, godzijdank.

Hoe het eigenlijk met die stroomstoring zit weet ik niet. Er zijn woorden gevallen als 'hypochonder', 'betweter' en 'uitvreter'. Maar waarom zou iemand zich bewust en vrijwillig zo laten kwellen als Anna Katarina? Of klopt het wat iemand eens zo cru heeft gezegd dat als het leven geen inhoud heeft, je die er gewoon zelf bij verzint? Een bestaan met alleen maar uitroeptekens, alleen maar aansporingen en eisen, maar geen antwoorden, lokt destructieve handelingen uit, van nagelbijten tot gulzigheid en doodslag. Wanneer je geen antwoord hebt. Omdat je de vraag niet eens hebt geformuleerd. Dan loeit de motor en dan doe je wat dan ook, je hongert jezelf uit, je krabt je en je straft jezelf om een begrijpelijke context te creëren.

Patrik is een vrolijke vent met gevoel voor humor. Hij is slim en hij zal voor zijn veertigste overlijden.

Daarom kunnen zijn persoonlijke assistenten het niet bolwerken. En daarom ziet mijn middag er nu zo uit. Ik vind het niet erg. Hij zal me niet aan het hoofd zeuren. Tijdens mijn late lunch werd ik om de haverklap bestookt met verkapte vragen naar de details van het schietincident. Ik ben daar wel klaar mee en wil niet meer herinnerd worden aan de jongen die ik maar één keer heb gezien – toen hij al dood was.

Dat is het probleem, dat er zo weinig gebeurt. In een stad zou dat incident hooguit een gefronste wenkbrauw verwijderd zijn van onverschilligheid. Maar hier is dat niet zo.

Hij woont in een flat van twee verdiepingen dicht bij het centrum, in een onlangs gerenoveerd, licht appartement. Bij Patrik is het gezellig. Op dat ene na. Hoeveel tijd heeft hij nog? Een jaar misschien? Een half jaar, twee? De ziekte is grillig en kan zich op zulke verschillende manieren manifesteren. Mijn favoriete uitdrukking is tegenwoordig 'je weet het niet', maar zelf draait hij er niet omheen en dat is een deel van het probleem, dat hij er zo nuchter tegenaan kijkt, hij klaagt niet en doet niet zielig, hij neemt de dag zoals die komt, zoals hij altijd zegt. 'Iemand moest het hebben, en dan ik maar', was zijn commentaar toen ik voor het eerst met hem en zijn ziekte kennismaakte. Eerder wist ik niet dat die bestond, duchenne, een spierziekte, spierdystrofie, daar heeft hij een variant van.

'Ik heb geen geld geërfd, maar dat wordt ruimschoots gecompenseerd door de genen die ik heb meegekregen', luidt zijn commentaar, want de ziekte is erfelijk.

Hij heeft al gegeten, dan is dat vast klaar, dan hoef ik niet in angst te zitten dat hij zich tijdens het voeren verslikt. Hij zit in de keuken in zijn rolstoel en hij laat als gewoonlijk zijn hoofd hangen, maar zijn gezicht is open en hij glimlacht naar me, ik word er blij van.

'Hoe is het, Patrik?' vraag ik. 'Zullen we wat oefenen, een beetje gymmen?'

'Ja, potverdorie,' antwoordt hij, 'we gaan er keihard tegenaan.'

Ik kijk op het trainingsschema aan de muur en dan pak ik zijn handen vast.

'Jakkes, je hebt ijskoude handen', stribbelt hij tegen.

'Die worden zo warm', antwoord ik. 'Ik warm me aan jou.'

Zou ik van een man kunnen houden die aan handen en voeten gebonden is? Wat zou een psychoanalyticus daarvan zeggen en wat zou dat over mij zeggen? Hij is ongetwijfeld een man om van te houden, maar veel te jong voor mij, natuurlijk. Hij heeft duidelijk een mannelijke uitstraling, maar het is vooral medelijden van mijn kant, helaas. Hij is zo dapper, hij lacht, hij maakt grapjes en hij doet alsof het niet erg is. Vermoedelijk komt het daardoor, weet hij op die manier langs mijn professionele pantser te glippen en mij te overrompelen, ik kan er niets aan doen. Ik zou hem willen vasthouden en hem ertoe brengen zich te laten gaan, hem laten huilen en brullen. Ik zou dagenlang bij hem willen blijven totdat hij door dit vreselijke stadium heen is, dit inzicht, totdat hij de bodem raakt en daarna weer omhoog kan gaan.

Maar dat zal niet gebeuren. Hij zal dapper blijven en ik blijf weekhartig, maar dat laat ik niet merken. We spelen onze rollen en we zijn te zwak om de sprong te wagen, we durven ons niet mee te laten slepen. Hij zal volledig verlamd raken, ook zijn ademhalingsorganen, die ook spieren bevatten, zullen aangetast worden en dan moet hij aan de beademing. Ik wil er niet aan denken.

Het is in etappes gebeurd. Eerst wilde hij nooit een rolstoel, maar uiteindelijk moest hij accepteren dat hij niet meer kon lopen. Daarna duurde het niet lang voor hij net als nu met een indianenband om zijn neksteun zat om 'zijn kop erbij te houden'. Daar hebben we de nodige grapjes over gemaakt. Nu kan hij zijn handen niet goed meer bewegen, zijn hersenen kraken ervan, zo hard denkt hij: beweeg, maar er gebeurt niets. Het systeem werkt niet naar behoren. Maar hij wordt niet incontinent. En zijn hersenen blijven tot op het laatst functioneren, zeggen ze. Er is nog iets van waardigheid bij al deze verschrikkingen. Hij hoeft zich niet te bevuilen en hij begrijpt tot op het laatst wat er allemaal gebeurt.

De computer is gearriveerd. Hij moet er binnenkort mee gaan oefenen, dat weet hij ook wel. Dat weet hij heel goed. Ik ga er niet over zeuren en ik hoop dat verder ook niemand dat doet. Hij heeft een broer, laat die broer er maar over zeuren, dat is niet onze taak.

Ik heb wel het idee dat ik een reactie krijg wanneer ik hem vraag mijn hand weg te duwen. Ik voel de trilling, de elektrische impuls wint het, de spier gehoorzaamt hoewel er bijna niets meer van over is. Ik prijs hem en geef hem complimenten en ik ben blij met dit teken. We werken alle spieren af die ook maar enigszins willen meespelen. Hij is gladgeschoren en netjes, degene die hier vanochtend is geweest heeft goed zijn best gedaan, zijn haar is gekamd en hij ruikt lekker, ik weet hoeveel werk het is om hem onder de douche te zetten, ondanks alle denkbare hulpmiddelen in de badkamer.

Even later wil hij plassen, dat is een makkie, die spieren doen het nog. Hij plast in een plastic fles, ik help hem, het stelt niets voor en net wanneer ik zijn rits omhoog heb getrokken, de knoop heb vastgemaakt en met de fles onderweg ben naar het toilet, zegt hij: 'Ik vind het zo erg wat er gebeurd is, jij was er zelf ook nog bij. Ik ken Bränd Sven, hij komt af en toe langs. Hij vindt het leuk me van alles te vragen over het werk in Västerås, hij is geïnteresseerd in techniek.'

'Jezus, Patrik!'

'Wat klinkt het toch lelijk als je vloekt, Siv! Hoort dat bij je werk, zulk taalgebruik?'

'Hoe weet je dat ik erbij was?'

'Hoezo? Dat weet toch iedereen? Wat heb je? Het houdt me nogal bezig. Dat juist Bränd Sven de schutter was, dat was waarschijnlijk geen toeval.'

'O nee?'

'Nee, dat denk ik niet. Het is erg voor hem, zie je, hij is niet echt gezond. Ik vind het afschuwelijk. Hij zal wel voor de rechter moeten verschijnen.'

Ik verdwijn naar de badkamer, giet de inhoud van de fles in de wc-pot, spoel hem om en trek door. Niet gezond! Moet je horen wie het zegt! We hebben geen internet nodig, Marlene heeft gelijk. Nu gaat het natuurlijk alleen nog over het drama in de bergen, hij kent Bränd Sven! Maar ik niet! En ik ken ook niemand anders die erbij was.

'Lekare ken ik niet', zegt hij wanneer ik terugkom. 'Klas Lekare is net zo oud als ik, maar die ken ik niet. Ik heb natuurlijk wel over hem gehoord, een tijdlang ging het plaatselijke nieuws in de krant alleen maar over hem. Een echte schurk. Voor de rest bestond die jachtploeg uit mannen uit Sälen en mensen van buiten die betalen om mee te mogen jagen. Daarom zijn ze waarschijnlijk te vroeg begonnen, een lang jachtweekend, volledig verzorgd, in het Högfjällshotel vóór de eigenlijke elandjacht. Het zal wettelijk wel toegestaan zijn. Niets is meer verboden nu alle regels zo versoepeld zijn.'

In stilte bedank ik hem voor dit zijspoor, ik haak erop in en even krijg ik hem mee in die trein. We zijn het erover eens dat de maatschappij paradoxaal genoeg een grijze en moedeloze indruk begint te maken, een beetje zoals in de oude Sovjet-Unie, nu alles zo vrij, zo liberaal, hip en modern moet zijn. Zeggen dat het vroeger beter was is vloeken in de kerk; de spoorwegen, de post, de elektriciteitsbedrijven, wie heeft om deze vrijheid gevraagd, wij niet. Het is niet beter of goedkoper geworden, alleen onbetrouwbaarder, we herkennen ons er niet meer in.

We moeten continu keuzes maken en als we niet of verkeerd kiezen, staan we voor gek, dan moeten we ons schamen. We moeten de hele dag door keuzes maken, waardoor er geen tijd of energie overblijft voor het leven zelf. Ze lachen zich een kriek, terwijl wij op het net gaan surfen in een poging de lekken te dichten waar ons geld doorheen vloeit. Ook als we niet druk in de weer zijn met piekeren over dilemma's, denken we onwillekeurig gespannen na over wat er gebeurt in de echte wereld daar op het scherm en automatisch krijgen we midden in het programma de boodschap mee dat ieder zinnig mens zich met dit of dat middel insmeert en merk x koopt.

We mopperen en we schelden als bootwerkers en ik zie dat Patrik krom begint te zitten, het is leuk, maar hij kan er niet tegen. 'We zijn te lief', zeg ik. 'Helemaal niet', antwoordt Patrik. 'Mensen zijn niet lief, mensen zeuren en ze zijn gemeen. Aardig zijn is makkelijk als je volledige financiële en sociale zekerheid hebt. Maar aardig zijn als je niet mee kunt komen is verdomme een prestatie. Er komt dan ook veel tuig van de onderkant, de motorbendes en mensen die tussen wal en schip zijn gevallen en onderaan zijn beland en terugvechten op hun eigen voorwaarden.'

'Motorbendes? Kom op, Patrik, wakker worden, nu hebben we het over mannen. Het zijn altijd mannen, ben je blind geworden? Of er nu miljoenen het land uit gesmokkeld worden of dat er frisdrankautomaten vernield worden, het zijn altijd mannen, dus laat mij er alsjeblieft buiten.'

Nu zijn we het echt oneens, dat is geweldig. Patriks wangen beginnen te gloeien en we zwaaien met vage motieven en argumenten. Ik zit er niet zo in, maar ik eis vrolijk mijn recht op om te vinden wat ik vind en dat doet Patrik ook, hij wil gerechtigheid, maar is dus blind voor de patronen die alle rangen en klassen doorsnijden, als je dat eenmaal hebt gezien, is het moeilijk je ogen ervoor te sluiten.

'Ja, ik ben ook zo'n onderdrukker', zegt hij. 'Mag ik een beetje water, lauw alsjeblieft, daar hoef ik niet zo van te hoesten. Ik begrijp dat je het je nogal hebt aangetrokken en dat je er niet over wilt praten. Toch, Siv?'

'Waarover?'

'Over wat er is gebeurd. Dat ongelukkige schot. Dat jij daar toevallig bij was. Trek je je dat aan, omdat het zo'n jong kind was?'

'Waarschijnlijk wel. Waar wil je naartoe?'

'Ik wil je alleen maar vertellen dat ik denk dat er een verklaring voor is. Dat zei ik toch al, dat het erg is voor die man, hij is ziek.'

'Wat heeft hij dan?'

'Hij heeft een MRI-scan gehad en er is een vroege diagnose gesteld; hij heeft alzheimer. Dat heeft hij mij verteld toen hij hier laatst was. Dat mag je niet verder vertellen. Hij heeft dat vast gezegd vanuit het idee dat ik daar op een rare manier troost uit zou putten, maar ik vond het natuurlijk alleen maar verdrietig voor hem. Ik vind het fout dat hij voor de rechter moet komen, zo'n ziekte, daar kun je immers niets aan doen.'

'Alzheimer? Maar hij is toch nog maar een jaar of zestig?'

'Het is een ziekte, geen gewoon ouderdomsverschijnsel. Het is een soort plaque op de zenuwdraden van de hersenen, die houdt de signalen tegen. Het lijkt wel wat op de ellende die ik heb, ook al zijn het bij mij de spieren die ermee kappen. Het eerste teken is een depressie, dat heeft hij nu. Maar misschien is er nog iets anders losgeschoten in een synaps, toen hij wilde schieten, en ging het daardoor mis.'

'Wat maakt het uit? Voor die jongen verandert er niets door. Hij leeft niet meer en is maar vijftien jaar oud geworden.'

'Heb je hem gezien?'

Ik knik. Patrik denkt dat ik door mijn innerlijke beelden in beslag word genomen.

Maar het zijn de alzheimer en dat schot.

Ik denk zo hard dat mijn hersenen ervan kraken.

Eén enkel schot dat alles veranderde voor Peggy, de moeder van de jongen, want haar leven ligt nu in gruzelementen.

Niemand is er beter van geworden.

Niemand?

Eén iemand misschien. Als hij het niet had opgegeven.

Als hij zo'n soort kerel is, die geen nee wil horen.

In een gestreste situatie, in het nauw gedreven, als Bränd Sven onder druk werd gezet en niet meer doorhad wat er gebeurde, dan was er iemand die Bränd Sven heel goed kende.

Dat hij daar was, was vast geen toeval.

En wat er gebeurde evenmin.

III

IK ZIE DE MENSEN IN DE RIJ STAAN in de supermarkt en ik zie wat hun lichamen hebben meegemaakt. Hier is gewerkt, maar op de verkeerde manier en met de verkeerde instelling, met nul zelfrespect, met verachting voor dit enige instrument dat we hebben. Ook onze hersenen maken deel uit van het lichaam, het lichaam is een hefboom voor de gedachten en de dromen, en de ziel is de persoonlijkheid zelf. Ik zou goed voor mijn lichaam moeten zorgen, maar ik ben er zo verschrikkelijk flauw van – van het lichaam als gespreksonderwerp, als onderwerp van een artikel, als iets om over in te zitten. Ik wil me met belangrijke dingen bezighouden, ik wil dat het lichaam zijn kop houdt en mij niet meer lastigvalt met zijn behoeften en eisen, trouweloosheden en zwaktes.

Als ik de parkeerplaats op kom lopen, kom ik een oude bekende tegen die aan het nordic walken is en ik vraag: 'Doe je dat voor je gezondheid?'

'Ik vraag het me af', antwoordt ze. 'Mijn oude schouders, gewrichten en zelfs mijn hart, het is heel eng en onplezierig, maar ik heb geen keus.'

Ze geeft duidelijk aan dat je haar niet kunt gelijkstellen aan haar lichaam. Toch zie je van iemand anders alleen het lichaam, en je denkt dat dat die persoon is. Later blijkt dat de schoonheid een duivel was en die griezel een engel. De hele dag door wordt er een gigantisch gekostumeerd bal gehouden, het bedrog gaat continu door. Je weet niets van de mensen.

Wanneer ik in de auto zit met de boodschappen naast me op de passagiersstoel, weet ik nog steeds niet wat ik moet doen.

Ze heeft niet gebeld. Ik ook niet, het hele weekend niet, en in mijn hart weet ik dat ik iets van me had moeten laten horen, zo attent had ik wel mogen zijn, want ik ken haar nu een beetje en ze heeft een zwaar verlies geleden.

Maar als zij het belangrijk vond, had ze zelf wel gebeld, toch?

Maandagavond, heb ik gezegd; ik heb gezegd dat ik dan zou komen. Is dat belangrijk?

Als je het heel druk hebt? En de winkels gaan zo dicht, ze gaat zo sluiten. Misschien haal ik het niet meer?

Ik kom wel op tijd, ik kan nog ruim op tijd komen. Ik houd me altijd aan mijn beloften, het is te laat om daar nu nog slordig in te worden.

'Eindelijk!' roept ze uit als ik binnenkom. 'Kijk eens wat ik voor je apart heb gehangen!'

Ze komt met een elegant zwart colbertje aanzetten, met daaronder aan hetzelfde hangertje een gemêleerd topje in heldere kleuren.

Het ziet er goed uit. Ik trek gehoorzaam mijn jas uit, ook al weet ik dat er geen koop gesloten gaat worden. Ik glip het pashokje in en trek snel de nieuwe kleren aan om discussies en vragen te voorkomen. Ik ga toch niets kopen, dat weet ik, maar nu zij zich zo heeft ingespannen om iets voor me uit te zoeken, moet ik toch ook mijn goede wil tonen.

Ja, ik moet het toegeven. Dit kan ze. Ik knik goedkeurend.

'Je krijgt het voor de helft van de prijs', zegt ze, 'en je hoeft nu niet te betalen, je betaalt wanneer het jou uitkomt.'

'Maar ...' probeer ik.

'Niks te maren', besluit ze. 'De helft van de prijs, dat is mijn laatste bod.' Ze lacht met toegeknepen ogen.

Ik kijk naar de prijskaartjes. De helft van de prijs is nog steeds veel geld. Aan de andere kant, wanneer heb ik voor het laatst geld aan mezelf uitgegeven?

Ze ziet dat ik bezwijk. 'Deze rok moet je erbij nemen', zegt ze en ze houdt hem omhoog, de rok, waar zo duidelijk mijn naam op staat, helemaal mijn smaak, ik wil hem hebben, al voor ik hem heb aangepast. 'Die is overgebleven van een zending', zegt ze. 'Die is echt over, die mag je zo hebben, hij kost niets. Echt, ik heb er zelf niets voor betaald.'

'Wanneer moet ik dit aan?' protesteer ik in een laatste poging de koop tegen te houden.

Ze glimlacht. Geeft geen antwoord. Ze ziet in de grote spiegel hoe blij ik ermee ben, dat ik in een paar seconden een bijna magische metamorfose heb ondergaan. Ze weet dat ik in de val zit.

Het is straks zo weer Kerst, denk ik en ik kijk haar in de ogen. Weifelend ga ik terug naar het pashokje en trek de rok aan. Die zit als gegoten. Met tegenzin trek ik alle nieuwe kleren uit.

Ik geef ze aan haar. Weet ik het echt zeker, zal ik het echt doen?

Ja, bij de gedachte alleen al om ervan af te zien, nu ik heb gezien hoe goed ze me staan, word ik somber. Ik wil ze hebben. Ik kan het wel betalen. En ik heb het verdiend – denk aan alle huisjes in Sälen! Al weet ik feitelijk niet wanneer ik ze zal dragen.

Ze begint de mooie kleren op de grote toonbank op te vouwen. Ik word weer vrolijk. Het is al fantastisch om deze winkel uit te lopen met zo'n platte kartonnen doos met handvat! Marlene doet niet aan plastic tassen, haar collectie is zo exclusief dat plastic tassen niet goed genoeg zijn. Ze heeft stijve papieren tassen voor de kleine spullen en dozen met handvatten, net kleine koffertjes, voor grotere kledingstukken.

Ze maakt vast geen winst op deze transactie, eerder het tegenovergestelde. Ze is aardig voor me, ze heeft het beste met me voor en waarom? Alleen omdat ik gewoon fatsoenlijk ben geweest.

Eigenlijk wil ik nu weggaan, maar dat kan niet. Dat zou ondankbaar zijn. En ik ben immers dankbaar, blij en opgetogen vanwege de kleren. Ze vouwt ze zorgvuldig op, legt er vloeipapier tussen, dat is deftig, alles is deftig in deze op dit moment lege winkel. En het is hier stil, zo vredig stil, de ziel van de winkel komt in elk detail naar voren en voorzover hier een geur hangt, ruikt het schoon en misschien ook een beetje naar poeder. Een vrouwelijke, maar heel vage poedergeur, misschien ook bloemen, droogbloemen, en nog vager de ultravrouwelijke geur waar je de vinger niet op kunt leggen, die er gewoon is.

Ze heeft de oude, solide inrichting van hout en glas behouden, zou het jaren vijftig zijn? Vroeger zat hier een hoedenzaak en als een speels eerbetoon aan dat tijdperk heeft ze een rek met hoeden laten staan. Ze vernieuwt het aanbod, zodat er steeds iets bij zit wat draagbaar is, als de mensen niet zo bang waren om op te vallen.

Nu liggen er een paar magnifieke, grote bontmutsen op het rek, poolvos misschien en een soort Midden-Europese wolf? Er zitten ook een paar zachte grijze vilten hoeden bij, met een geknikte rand, die een gezicht vast smaakvol zullen omlijsten. Ik krijg zin er een op te zetten, maar bedwing die impuls om geen nieuwe discussies uit te lokken, zodat ik hier straks nog met hoed en al de deur uit ga. Dat zou me wat moois zijn. Wat zouden de mensen zeggen? Ze zouden me vast uitlachen ... een hoed bij mijn versleten gewatteerde jack, dat zou komisch zijn. Maar stiekem vinden de meeste mensen een hoed waarschijnlijk wel charmant staan, we willen er allemaal een. Toch loopt iedereen met een lelijke muts of een ongemakkelijke sjaal. Of met koude oren, als het echt deftig moet.

De hele winkel is een mengeling van vervlogen tijden en tegelijkertijd in sommige opzichten zo modern, dat ik zo ver nog niet ben. Onder het gepolijste glas van de toonbank zitten houten uitschuifladen met een sobere inhoud. Het assortiment is exclusief en gevarieerd, maar het accent ligt op lingerie van superieure kwaliteit.

'Verkoopt dat een beetje?' vraag ik en ik wijs naar een bh in een van de laden. Die ligt onder het glas met een bijbehorende slip, in zwart en goud en zonder prijskaartje, dat is altijd een slecht teken. Maar in een andere la zie ik iets soortgelijks, maar dan in het rood, en met meer kant, daar zie ik een piepklein prijskaartje met handgeschreven cijfers – dat setje kost iets wat eindigt op achthonderd kronen.

'Beter dan je denkt', antwoordt ze met een glimlach en haar blik is een tikje dubbelzinnig wanneer ze opkijkt van mijn colbertje.

In andere laden liggen hemdjes van de ouderwetse soort die je een aantal decennia geleden onder je kleren droeg en ik zie ook onderjurken, van zijde, in zeegroen en wit en helemaal onderaan liggen ook poederkleurige. En handschoenen. Geen gewone leren handschoenen tegen de kou, maar zachte dunne, sommige met een opengewerkt patroon, stiksels en een knoopsluiting met gestoffeerde knopen aan de binnenkant van de pols, of een heel rijtje knoopjes op de bovenkant, en sommige zijn zo dun dat ik besef dat ze meer voor de zomer bedoeld zijn.

Er hangt nog meer lingerie aan hangertjes, bedjasjes en nachthemden, allemaal met een plastic hoesje over de schouderpartij. Ik zie een paar witte katoenen handschoenen op een krukje liggen en ik begrijp dat Marlene die draagt als ze met haar assortiment bezig is.

Ze heeft jurken, bloezen, rokken, pakjes en een enkel dameskostuum overzichtelijk en met genoeg tussenruimte opgehangen, en ze van de juiste accessoires en bijpassende topjes of shirtjes voorzien. Het zijn gewoon artistieke installaties, ik durf bijna niet te kijken, bang dat ik het allemaal mee wil nemen.

Het lingerieassortiment omvat ook jarretellegordels, korsetten en vooral zogenaamde corseletten, als ik me goed herinner heetten die zo, evenals een variant ervan, de bustier, die tot aan de taille doorloopt, met van voren een lange rij ogen die je tot tussen je borsten vast kunt haken, of op de rug, wie moet al die haakjes open- en dichtmaken?

Het is bijna zes uur. Dan gaat de winkelbel en een man in

een overjas en met een stropdas kijkt nog één keer achterom naar de straat, voordat hij binnenstapt; hij is van onze leeftijd, ik weet niet wie het is. Marlene geeft me een teken dat ik achter de toonbank moet komen en naar de ruimte achter de winkel moet gaan.

Zodra ik achter het gordijn sta, heb ik daar spijt van, ik had natuurlijk moeten blijven staan en de nieuwe klant moeten laten wachten tot ik klaar was. Dan hadden we de koop op een natuurlijke manier afgesloten, tot ziens en bedankt, veel plezier ermee en een fijne avond, prachtige kleren, nogmaals bedankt.

In plaats daarvan ben ik nu in een kantoor annex magazijn terechtgekomen. Een bureau met stapels vrachtbrieven en andere documenten, een computer, lege blikjes mineraalwater, een elektrische naaimachine en een welvoorzien speldenkussen op een statief. Op de vloer een verstelbare paspop met een meetlint om de nek en op losse standaards diverse kledingstukken, vooral bh's, corseletten, dunne negligés met bijbehorende nachthemden en ook een paar jurken, korte en lange. Zoals ze aan de kledingstokjes hangen, lijken het net muurbloempjes na de laatste dans, wanneer na al te veel cocktails de vullingen uit de bh gesprongen zijn. Het hele lokaal lijkt ervan te willen getuigen dat hier feest is gevierd, bossen pluimen in een vaas, een grote kandelaar met half opgebrande kaarsen, een verenboa rond een staande spiegel op wieltjes en brede mahoniehouten jaloezieën voor het raam dat uitkijkt op de binnenplaats, en een paar grote, groene planten, ik kan niet zien of ze echt zijn of namaak. Er is ook een keukentje, keurig, er staat alleen een leeg bakje van de Chinees op het glimmende aanrecht. Een grote prullenbak zit daarentegen vol met verfrommelde blaadjes, bosjes garen en repen stof. Er staan twee deuren half open naar respectievelijk het magazijn en het toilet, het is niet zo'n grote ruimte. De keldertrap waar die vriendin is overleden moet ergens aan de buitenkant zitten, waarschijnlijk moet je eerst de achterdeur uit om bij het vuilnishok te komen. Waarom moet ik daar nu aan denken?

Ik ga op de bureaustoel zitten en hoor nu opeens duidelijk beraadslagen in de winkel.

De man is op doorreis, op weg naar huis, naar zijn vrouw in Karlstad. Hij is hier eerder geweest, ze hebben het erover hoe tevreden hij was met wat hij de vorige keer heeft gekocht. 'En wat vond uw vrouw ervan?' vraagt Marlene vriendelijk, zonder een greintje ironie. Hij antwoordt dat zijn vrouw ook tevreden was, en niet zo'n klein beetje verbaasd, maar het prijskaartje heeft ze niet mogen zien. Hij lacht en hij wil meer hebben.

Ik hoor hoe Marlene kledingstukken tevoorschijn haalt en iets vertelt over wat ze laat zien. Hij zegt 'hm' en 'ja, ja' en ik begrijp dat hij in gedachten is. Hij zegt niet veel, Marlene voert het woord. Rustig en vriendelijk vertelt ze over handige, extra brede, verstevigde bh-bandjes, verborgen onder de kant, die het gewicht van een zware boezem helpen opvangen. Hij zegt weer 'hm', het is bijna grommen. 'Voorzichtig', zegt ze. Kennelijk raakt hij de spullen aan. 'Mooi', zegt hij. 'Ja, hè?' zegt zij. 'En van de beste kwaliteit, dat zeg ik er nog eens bij. Als er iets vermaakt of aangepast moet worden, zijn we u natuurlijk graag van dienst.'

Hij koopt wat zij heeft aanbevolen en aan zijn stem is te horen dat hij er een goed humeur van krijgt. Het vloeipapier ritselt, hij betaalt met een pasje, dat gaat snel en het bedrag wordt gemompeld, zodat ik dat niet hoef te horen.

Wanneer de winkelbel weer is gegaan hoor ik haar voetstappen, ze loopt naar de deur, doet die achter hem op slot en komt dan naar mij toe.

Het is zes uur. Ik sta op. 'Nee, alsjeblieft, blijf zitten', zegt ze. 'Je hebt toch geen haast?'

'Nja,' zeg ik, 'het is een lange dag geweest.'

'Kom je rechtstreeks van je werk?'

Ik knik. Ze begint geen overredingscampagne. 'Ja, het is een lange dag geweest', zegt ze alleen en ik voel opeens een steek van medelijden. Hoe is ze het weekend doorgekomen en hoe redt ze het de hele dag in de winkel? Ik zie het gezicht van de dode jongen voor me en voel de pijn, het is allemaal zo vers.

'Een mannelijke klant, dat komt zeker niet zo vaak voor?' gooi ik een balletje op.

'Vaker dan je denkt', antwoordt ze. 'Hier durven ze wel naar binnen. Ik verkoop dan wel geen tennissokken voor vijftig kronen per dozijn en de winkel ligt niet heel gunstig hier aan de promenade als je haast hebt, maar er wordt mond-tot-mondreclame voor me gemaakt. Hier krijgen ze de tijd om te kijken, en een attente, persoonlijke service. Ik weet precies wat ze willen hebben, ik zie het, en ik gids hen ze door het assortiment, laat ze een beetje spelen met de extreme kledingstukken, en breng ze dan naar datgene wat net sexy genoeg is, wat hun vrouwen daadwerkelijk aan zouden willen trekken. Of ...'

'Of wat?'

Ze lacht. 'Of ...' Ze strijkt veelbetekenend over de jarretelle van een corselet dat aan een rek hangt.

Misschien zijn de vrouwen veel minder geïnteresseerd in deze geraffineerde kledingstukken dan hun mannen. Misschien is deze winkel slechts een voorwendsel voor de mannen om zelf aan zachte bh-cups, het kanten randje van een slip of de delicaat gesneden achterkant te friemelen en te voelen.

'Of ...' gaat ze verder. 'Of ze trekken ze zelf aan! Daarom ben ik zo flexibel wat maten betreft.'

Ik verslik me bijna. Heremetijd. Waarom zouden volwassen mannen in vredesnaam zoiets doen? Oké, als ik erover nadenk heb ik er weleens iets over gelezen. Maar hier? Misschien zelfs die man die net in de winkel was?

Ze lacht geamuseerd. 'Siv, je moet beloven dat je het aan niemand vertelt. Misschien dat sommigen het toch wel doorhebben, met al die mannen. Nou ja, zo veel zijn het er niet, maar toch wel een aantal. Mijn mond zit normaal gesproken op slot, maar met jou is het wat anders. Ik sta met jou al op zo vertrouwelijke voet dat ik voel dat je dit tegen niemand gaat zeggen.'

Haar logica is niet glashelder, ze weet immers niets van mij. Toch knik ik. 'Maar waarom doen ze dat?'

'Ach, dat is toch niet zo moeilijk te begrijpen. De meeste mannen, ook die man van daarnet, lopen er altijd hetzelfde bij, geen variatie. Een man kleden is misschien niet saai, maar het is een ander soort uitdaging dan wanneer het een vrouw betreft. De meesten maken zich er niet druk om, dat is waar, maar sommigen lijden in hun pinguïnkleding. Een overhemd, stropdas, jasje, broek en schoenen ... de hele kudde hetzelfde. Kijk maar eens naar een topontmoeting op tv – pinguïns! Ze hadden net zo goed achter een bordkartonnen scherm kunnen zitten, zo verhullend werken die kleren. Net als in een pretpark, allemaal met hun hoofd door een gat om naar de camera te grijnzen. Hun persoonlijkheid blijft daarachter ergens liggen.'

'Maar dat kunnen ze toch niet publiekelijk dragen?'

'Natuurlijk niet, Siv, ze laten het aan niemand zien. Maar een van die mannen heeft het me allemaal uitgelegd. Dat hij zich veel vrijer voelt, gewoon omdat hij weet dat hij die kledingstukken eronder draagt. Die pinguïnkleren zijn hun gevangenis, ze zitten erin opgesloten, aan handen en voeten gebonden; ze zitten vastgeketend aan het roer, zoals iemand het me heeft uitgelegd. Als ze mijn lingerie op hun huid dragen, raken ze die kramp kwijt, het lichaam ademt, het krijgt zuurstof en wordt gelukkiger, er ontstaat een beveiligde zone, er ontstaat bewegingsruimte bij alle plichten, ze worden in elk opzicht vrijer.'

Ik knik en doe net of ik het begrijp. 'Ze doen er niemand kwaad mee,' zeg ik, 'van mij mogen ze. Maar ik vind het wel een beetje triest dat er zo'n kloof bestaat tussen de seksen. Het zijn dus travestieten?'

Ze laat haar hoofd zijdelings heen en weer wippen, travestieten, dat is maar net hoe je het bekijkt. Er zijn zo veel varianten en die hebben allemaal hun eigen naam, maar eigenlijk is het niet zo belangrijk hoe ze genoemd worden. Op deze eenvoudige manier vinden ze genot en het is een hele opluchting voor ze, zo is het gewoon.

'Maar het zijn geen homo's?'

'Nee, bijna geen van allen. En ze komen ook niet uit die artistieke kringen, die opschepperige high society uit Stockholm. Nee, mijn klanten zijn heel wat beschaafder. Ik ken een heleboel deftige mensen, ik bedoel deftig van binnen, met beschaving en een sobere smaak, die zich met andere dingen in het leven bezighouden dan alleen de buitenkant. Maar ze moeten wel kunnen ademhalen, en hier vinden ze een vrijplaats, hier mogen ze een beetje spelen en dat doet hun goed.'

'Maar het is hier zo afgelegen. Onze kleine gemeente, ik bedoel, die is wel uitgestrekt, maar we hebben toch niet meer dan tienduizend inwoners, hier zullen er toch niet zo veel zitten?'

'Het zijn er weinig, toegegeven, en vooral hier – die jagers hier, die mannen met hun sneeuwscooters en een pluk tabak onder de bovenlip, zijn niet het gemakkelijkste publiek om een zijdeachtige jarretellegordel met kant aan te slijten, dat mag je gerust weten. Maar er zijn natuurlijk anderen, die af en toe langskomen op weg naar Sälen. En ik heb een nogal uitgebreide postorderverkoop. De maat is natuurlijk vaak een achilleshiel, maar ik hou van vermaken en veranderen en ik ga net zo lang door tot het allemaal perfect zit. Ik pas het aan naar de wensen van de klant en die klant kan overal wonen. De prijs maakt voor hen helemaal niet uit.'

'Komen ze hier passen?'

'Ja, één of twee keer. Dan heb ik hun maten en dan bellen ze gewoon, we maken de afspraken telefonisch of via de mail, ik heb een website met een heleboel foto's waar de juiste mensen het wachtwoord van kunnen krijgen. Nu weet je een heleboel, Siv. En nu is het misschien geen raadsel meer hoe het kan dat er een zaak als deze in een achterafstraatje in een klein gat ver van de grote wegen zit?'

Ik knik en glimlach als dank voor haar vertrouwen. Haar verhaal is pittoresk en niet meer zo raar. Discretie is immers de kern van de zaak en wat dat betreft is de locatie ideaal, in dit oude plaatsje zou je niet gauw zo'n zaak verwachten. Ik knik geïmponeerd, ze heeft haar niche gevonden, die Marlene, wat een zakenvrouw, ze loopt voorop en ze kan zich beheersen. Ze schreeuwt het niet van de daken en wordt niet vulgair. Ze adverteert vast nooit, ze valt niet op en dan komen ze. Als reeën in de schemering, voorzichtig en klaar om te vluchten bij het minste gevaar.

Opeens staat ze vlak bij me. Tranen? Ja, ze is in tranen uitgebarsten. Ik sta op van mijn stoel en ze begint zo te huilen, ik moet haar wel opvangen. 'O, Siv, het doet zo'n pijn, het is zo vreselijk, zo afschuwelijk, ik kan het bijna niet aan.'

Eerst denk ik dat er iets gebeurd is, dat er iets specifieks is waarop ze juist nu zo heftig reageert, maar dan maak ik uit haar hakkelende zinnen op dat het nog de dood zelf is, het sterfgeval, waardoor ze wordt geplaagd. Dat ze Sammy nooit meer zal zien. Ze huilt op mijn schouder omdat ik daar toen bij haar was. Het dringt weer tot me door dat ze een verlosser in me ziet, ze legt haar pijn aan mijn voeten en daar moet ik iets mee, die moet ik bevestigen, dan voelt ze zich beter.

Hoe moet je iemand troosten? Het is natuurlijk laf om over een ander onderwerp te beginnen.

En ik heb een vraag, een vraag die ze niet kan beantwoorden, maar waar ik wel mee zit. Het zijn mijn zaken niet, maar het zit me dwars.

'Klas Lekare heeft Peggy mishandeld', zeg ik tegen Marlenes haar.

Ze laat mijn schouders los en kijkt me met haar roodbehuilde ogen aan. Dan trekt ze een laatje van het bureau open en haalt er een papieren zakdoekje uit, waar ze haar neus in snuit. 'Ga zitten', zegt ze en ze trekt een krukje voor zichzelf bij. 'Hoe weet je dat?'

Ik laat me op de bureaustoel zakken en haal diep adem. 'Kennelijk weet iedereen dat, Marlene. Hij heeft haar geslagen en bedreigd, waarmee weet ik niet, en nu is haar zoon dood en Lekare liep mee in de drijverslinie toen het gebeurde.'

Het was niet mijn bedoeling geweest zo gedetailleerd te zijn, ik flapte het er gewoon uit. Marlene staart me aan. 'Maar Siv, lieverd, hoor je wel wat je zegt? Dat is toch vreselijk?'

Ik schaam me en word een beetje bang. Wat ik heb gezegd is niet veel minder dan een beschuldiging en wat heb ik voor bewijs?

'Bränd Sven is de man die heeft geschoten, dat weet je toch?' gaat ze verder. 'Waarom zeg je dat dan?'

Verdomme! Ik heb Patrik nog wel beloofd dat ik niets zou doorvertellen van wat Bränd Sven hem in vertrouwen heeft verteld over zijn alzheimer. Moet ik zijn vertrouwen beschamen, net zoals hij dat van Bränd Sven heeft geschonden? Nee, dat kan ik niet. Dat zou dubbel fout zijn.

'Hoe kunnen we er zeker van zijn dat Bränd Sven de schutter was?' ga ik tot de aanval over. 'Dat zegt hij zelf, ja, maar kan het niet net zo goed Lekare geweest zijn?'

'Waarom zou Bränd Sven liegen?'

'Dat weet ik niet. Misschien weet hij het niet meer.'

'"Misschien weet hij het niet meer"? Waarom zou hij het niet meer weten. Natuurlijk weet hij het nog. Hallo?'

'Of hij wil iemand beschermen.'

'En die iemand is Klas Lekare? Waarom?'

'Waarom niet? Jij vertelde toch hoe hij zich voor die jongen heeft ingezet, dat hij hem uit het moeras van de drugs en de criminaliteit getrokken heeft? Als Lekare er daar in de bergen een zootje van heeft gemaakt is het niet helemaal onlogisch dat Bränd Sven de volle verantwoordelijkheid op zich neemt, hij weet immers dat zijn kansen om gezuiverd te worden veel groter zijn dan die van zijn jonge beschermeling, die alleen al de schijn tegen heeft vanwege zijn duistere verleden.'

'Waarom zou Bränd Sven zo stom zijn?'

'Omdat hij niet wil toegeven dat zijn reclasseringswerk niets heeft uitgehaald, om Klas Lekare nog een kans te geven en om credit te blijven oogsten voor zijn geslaagde poging hem er weer bovenop te helpen.'

'Een prestigezaak dus? Dan ken je Bränd Sven niet. Het slaat nergens op wat je zegt. Bovendien insinueer je dat er sprake is geweest van ... moord?'

'Ja, precies.'

'Siv!'

'Misschien weet je niet hoe erg hij haar heeft mishandeld. En dat het erger werd, het werd steeds erger tot het op een bepaald moment opeens ophield. Waarom stopten de mishandeling en de pesterijen opeens?'

'Omdat Bränd Sven had ingegrepen. Hij heeft haar steeds geholpen en hij heeft zich over die idioot ontfermd. Daarom hield het op. Maar Sammy had er al erg onder geleden. Ik probeerde Sammy een hart onder de riem te steken. Peggy hoefde ik niet te zien, en al haar vriendjes ook niet.'

'Vriendjes zoals Lekare? Over dat soort types heb je toch wel gelezen? De gekrenkte eer en het gekwetste ego van de trotse man die zichzelf overschat? Dat zijn de types die een contactverbod opgelegd krijgen. In dit geval zat Bränd Sven daar zelf achter. Misschien was het gewoon een impuls daarboven bij Myrflodammen, toen Lekare de jongen zag, dat dit zijn kans was om Peggy te treffen, om haar onderuit te halen en wraak te nemen – wraak, daar is dat soort lui toch op uit – al die moorden?'

Nu heb ik veel meer gezegd dan mijn bedoeling was. Ik heb iets onder woorden gebracht wat ik in mijn wildste dromen nog niet eens had bedacht. Het floepte er gewoon uit en het is verschrikkelijk. Maar heel logisch, het is zelfs waarschijnlijk. Ik weet het immers van die alzheimer, dat Bränd Sven echt de kluts kwijtgeraakt kan zijn tijdens het schieten en de chaos.

Zij weet dat niet, maar ze staart me met grote ogen aan. Daarna zie ik een soort floers over haar heldere ogen komen en ze ontspant zich. 'De politie weet alles van Klas Lekare en Peggy, ze hebben vast al een en ander gecombineerd en onderzocht hoe het daarmee zat', merkt ze op. 'Die geweren bijvoorbeeld, die hebben ze vast gecontroleerd. We zijn angstig, er is hier sprake van een heleboel toevalligheden, maar ik vertrouw op de politie. Neem me niet kwalijk, Siv, ik bewonder je denkwerk, maar wat voor bewijzen heb je? En ik wil niet dat het zo is. Hij mag gewoon niet vermoord zijn.'

Ze staat op, begint te ijsberen en gaat verder: 'Dat zou onwaardig, vreselijk, beledigend en krenkend zijn; als ik wist dat hij zo'n dood gestorven was, ging ik eraan kapot. Na het leven dat hij heeft gehad, met Peggy als zogenaamde moeder. Het is zo al erg genoeg.

Sorry, Siv. En ben je tevreden met je kleren? Mooi zo. Fijn. Niets wat te strak zat of schuurde? Fijn dat het allemaal past. Nou, dan is het nu eindelijk avond.'

Die je alsnog niet krijgt, die krijg je niet. De prijs is te hoog, daar kom je niet aan. Je wilde dat je dood was, je mag niet.

De pijn wanneer je die ander niet meer ziet, wanneer je eeuwigheden, mensenlevens en miljoenen lichtjaren wacht na een vereniging.

Pijnlijk, onbegrijpelijk, wanneer je volkomen vergeefs hebt gewacht. Wanneer je niet meer meetelt. Wanneer je liefde je ego verteert totdat je overgeeft van angst totdat je daar hangt als het hart in een gevangenis waar je niet uit komt.

Voorbij de woorden is liefde. Voorbij de woorden zitten zulke hevige emoties dat de lelijkste woorden en de mooiste daarbij in het niet vallen. Achter de woorden daar woon ik.

Achter de woorden wacht ik en verlang ik. Achter de woorden bestaat datgene wat ik ben en mijn ware ik wil jou hebben, moet jou hebben, jou helemaal en niet alleen de taal die jij bent. Ik wacht hier en brand me, ik vreet me op, ik verteer mezelf aan de vuren in mijn eigen binnenste. Ze zijn als de zon deze vuren, verzengend als de zon. Ik durf niet meer te voelen, ik durf niet na te gaan waar mijn ware ik nu woont. Ik moet niet tegen de zon in kijken, ik brand me, ik raak verblind door de herinneringen die in me schreeuwen met hun wilde bezetenheid.

Wat je met me hebt gedaan is onvergetelijk. Je hebt me geboren laten worden, je trok me uit de aarde en ik zeilde, het ging me voor de wind, dankzij jou. Je hebt me geboren laten worden, je hebt me uitgekleed en mij de woorden gegeven. Alles was je. Ik was je slaaf, maar dat mocht je niet weten. Je dacht dat ik sterk was, ik was je slaaf.

Achter de woorden woon ik in een stad waar alle huizen leegstaan, dit maanlandschap in de blauwe tinten van de dood. Ik leef alleen en zoek. De pijn bijt mij in stukken, je moest eens weten.

Die je alsnog niet krijgt, die krijg je niet. Wat niet kan, dat kan niet. Maar als gevoelens niet liegen? Wat doe je dan in de maanbeschenen stegen van de dood?

Ik zou je dragen en je alles geven ik zou voor jou gaan stelen, bedriegen en moorden, je bent mijn leven. Jij leeft nog. Wij leven nog.

Je wordt mijn dood. Je bent mijn leven en ik word nooit vrij.

Gekrenkte en wraakzuchtige gekken van mannen – mijn hele alarmsysteem reageert met knipperende lampjes en piepsignalen, *here we go again!* Het ligt zo voor de hand, *we've seen it be-*

fore! Ik ben boos en verontwaardigd. Ik ben boos omdat het weer zover is, ik ben verontwaardigd over de duidelijkheid, het komt ze allemaal weer zo bekend voor, en ik ben gefrustreerd omdat het allemaal weer op mijn schouders neerkomt. Ik heb hier niet om gevraagd. Ik heb eerder kritiek te verduren gekregen en weet welke prijs je betaalt als je je ergens voor inzet. Eigenlijk wil ik mijn kop in het zand steken en net doen of ik dit hoogstwaarschijnlijke scenario niet heb gezien, ik wil op Marlenes woorden kunnen vertrouwen dat het de politie vast al is opgevallen dat het wel erg toevallig was dat Peggy's zoon en Lekare allebei in de bergen waren, en dat ze dat in verband hebben gebracht met zijn eerdere wrede behandeling van haar, die steeds erger werd. Te vaak heeft er iets in de krant gestaan over wraakzucht die pas genezen is als de vrouw dood is, of erger nog haar kind, zodat ze het goed voelt, en blijft leven, terwijl hij zijn natje en zijn droogje heeft in de gevangenis en op een dag vrijkomt, en dan begint het circus opnieuw en neemt hij definitief wraak.

Wraak waarvoor? Omdat ze niet genoeg van hem hield? Omdat ze niet als zijn bezit en als een willoos voorwerp behandeld wilde worden? Omdat ze niet blij was als ze geslagen werd?

Zijn vrouwen ook zo wreed en wraakzuchtig, komt dat even vaak voor? Dat zou wel moeten als we zo gelijk zijn.

Maar dat zijn we niet. Ik sta in mijn tot garage omgetoverde schuur naar de ellende te kijken – de rampen in miniformaat; ik ga op de winterbanden zitten die op een stapel liggen en ik zit in het beklaagdenbankje.

Het eerste punt van de tenlastelegging is dat ik de bouten niet los heb kunnen krijgen en nog steeds met zomerbanden rijd, ook al kan het elk moment glad worden. In de hoek staat de oude grasmaaier me uit te lachen. Punt twee van de tenlastelegging luidt dat ik die de hele zomer maar één keer zelf heb weten aan te zetten – de andere keren heb ik gewacht tot er een man in de buurt was, een postbode of een vuilnisman, die hem bij de eerste poging aan de praat kreeg, en lachte. En ik kon nog net een 'dank je wel' over mijn lippen krijgen. Naast mij liggen dakpannen, punt drie van de aanklacht. Ik durf niet op het dak te klimmen om kapotte pannen te vervangen, het dak lekt, het huis rot weg en dat is allemaal mijn schuld. Dan de auto, de auto zelf. Punt vier van de aanklacht luidt dat ik niet weet hoe een motor werkt, dat die bijvoorbeeld lucht nodig heeft, dat voor verbranding zuurstof nodig is, wat ben ik voor een sukkel? Over elektriciteit zullen we het maar niet eens hebben. Punt vijf van de tenlastelegging luidt dat mijn huisje nog eens zal afbranden vanwege oude aansluitingen en leidingen en ik weet niet eens wat er mis is en hoe gevaarlijk dat eigenlijk is, ik vloek alleen wanneer de stoppen doorslaan terwijl ik naar *Landet runt* zit te kijken, stoppen vervangen kan ik goed. Dat is een geluk, want er is iets mis met de elektriciteit, wat weet ik niet.

Nee, we zijn niet gelijk. Ik zou graag een compleet voetbalelftal van handige mannen willen hebben, een elektricien, een automonteur, een timmerman en een loodgieter, alle kranen lekken hier. Een tuinman zou bovendien echt sexy zijn als hij goed is in stronken, en een boekhouder natuurlijk, die zou aanvoerder worden, zonder hem geen wedstrijd. Een psychotherapeut zou ten slotte ook niet verkeerd zijn, iemand die zich met mijn gevoelens en verborgen drijfveren zou bezighouden en die me kon uitleggen waarom ik altijd in een hoop narigheid terechtkom waar ik niet om heb gevraagd.

Ik zou op allemaal dol zijn, ik zou ze vertroetelen en elke avond lekker eten koken voor mijn lieve mannen. En als de boekhouder ook gul was voor mij, zou ik mijn beste beentje voorzetten en me van top tot teen opdoffen, echt geraffineerd, met slips van crêpe de Chine en mijn borsten als in een half opengemaakte bonbondoos.

Maar mijn mannelijke contacten hebben me een pavlov-schrikreactie bezorgd, ik had er geen kijk op en ik heb de verkeerde mannen gekozen. En ik kan toch ook niet iets met iemand beginnen alleen omdat hij dan mijn grasmaaier voor me aan kan zetten en mijn banden kan vervangen? Je moet toch op iets meer mogen hopen in een relatie met een man? Al ben ik deze droeve toestand die uit mijn praktische onkunde voortkomt zo beu dat ik straks met iedereen genoegen neem, als hij maar een kruissleutel kan gebruiken of naar de nok van mijn oude huis durft te klimmen.

Wij leefden in gescheiden werelden, Jan en ik, maar dat besefte ik pas toen de scheiding een feit was.

Als er ooit een gebruiksaanwijzing voor mannen komt, dan kun je er donder op zeggen dat die in het Japans is.

Ik leefde in een schijnwereld, waarin ik dacht dat we hetzelfde dachten, dat we alle beelden deelden, maar dat was niet zo. Zijn gedachteleven was niet het mijne en mijn gedachteleven vergat hij zodra ik hem er deelgenoot van had gemaakt. Wij droomden verschillende dromen, onze herinneringen waren ook heel verschillend gekleurd, ook al hadden we die gemeenschappelijk. Ik wist niets van die man, dat begreep ik pas toen het voorbij was. Maar hij wist alles van mij. Hij kon het weten, als het hem iets kon schelen.

Was het maar gemakkelijk en was het maar voorbij. Via Åsa hoor ik af en toe iets, maar weten doe ik niets, hoe gaat het met zijn baan als parlementariër, met zijn nieuwe leven? Luistert er iemand naar hem? Of is hij net een gijzelaar? Een voormalige sappelaar, heeft hij iets in te brengen, heeft hij het naar zijn zin, gaat het goed met hem, heeft hij een leven, een eigen leven, zoals ik dat ondanks alles wel heb weten te krijgen?

Ik denk aan hem wanneer ik problemen heb met de kruissleutel, de grasmaaier en de elektriciteit; met mijn kleine hersenen vind ik dat hij hier zou moeten zijn om mij te helpen, ook al weet ik dat dat nergens op slaat. Ook als ik 's avonds in bed lig, zou ik willen dat hij naast me lag en mompelend antwoord gaf en dat ik in zijn armen mocht kruipen en dat hij die woorden zei die hij ook nog echt heeft gezegd, misschien nog maar een maand voordat het allemaal barstte.

Ik wil dat hij gelukkig is. Het zou me niets moeten uitmaken. Het is voorbij en ik kan nooit meer dezelfde worden. Hij wilde iets anders, iets nieuws en dat heeft hij gekregen. Hij wilde invloed uitoefenen en verbeteringen doorvoeren en dat heeft hij ook echt grondig gedaan, wat ons betreft. Maar hoe hem dat in het groot afgaat, weet ik niet. Hij werd naar het licht toe getrokken, waar je geëerd wordt of verguisd, en waar hij beweerde meer te kunnen bereiken dan als eenzaam vakbondsvertegenwoordiger van de bouwbond in Göteborg.

Nee, in het beklaagdenbankje worden geen banden verwisseld, en ik sta op. Ik heb het koud en ik doe waar ik voor gekomen was, ik maak de kofferbak van de auto open, rol de winterbanden er een voor een heen en til ze erin. Het gaat niet om grote bedragen, natuurlijk breng ik mijn auto naar een vakman, die verwisselt de banden in een handomdraai. Als je geld hebt, is overal wel een oplossing voor te vinden.

Af en toe medelijden hebben met jezelf is goed voor je gezondheid. Nu fluit en zing ik. Het duurt even voor ik doorheb dat het een psalm is, gehersenspoeld sinds mijn jeugd zing ik altijd psalmen als ik even niet oplet. 'O welk een liefde, zo wonderlijk waar! Nooit was er een liefde zoals die van Hem. Verlost ben ik door Hem, gelukkig en vrij, wil ik voor eeuwig bij Hem zijn.' Joepie.

Mevrouw Eva Dickensson noemt mij haar dienstbode. Ze is seniel en deelt een heleboel bevelen uit die ze even snel weer vergeet. Door het hele huis hangen kristallen kroonluchters en overal staan dure vazen, allemaal leeg, en er liggen echte tapijten die heel erg stoffig zijn geworden, maar dat ziet ze niet meer, dat is toch wel triest. Er staan ook veel kaarsen, kaarsen die nooit hebben gebrand, in hoge zilveren kandelaars of aan de zijkant van uitklapbare spiegels of ze flankeren een belangrijke foto in een lijst. Sommige van die kaarsen zijn handgemaakt en gedraaid, maar hier heeft nooit een kaarsvlammetje gebrand en er is nooit een geurig takje met de dauw er nog op in een van al deze authentieke vazen of kruiken gestoken. Ze heeft een dure inrichting, op materieel gebied is alles er, maar het leven zelf ontbreekt. Ik warm het eten op in de magnetron en ik zet het op een dienblad precies zoals zij het wil. Haar volwassen zonen komen 's avonds om de beurt op bezoek. Ze zijn beiden ongetrouwd en wachten geduldig op een teken van hun moeder dat nooit komt. Zij is hun verloofde en ze koketteert met hen, van hun behoeften heeft ze zich nog nooit iets aangetrokken. Ze zullen nooit toestemming krijgen om zelf het geluk te gaan zoeken. Dat is natuurlijk allemaal niet uitgesproken, aan de buitenkant ziet het er perfect uit. Ze is overdreven beleefd, daarmee geeft ze aan met wat voor pummel ze praat, of het nu haar zonen zijn of dat ik het toevallig ben.

Dat hoort bij mijn werk. Ik antwoord bijna even beleefd: 'Natuurlijk, dat is geen moeite, moet ik misschien de jaloezieën zo draaien dat het licht niet in uw ogen schijnt? Wilt u ijs in het water? Een schijfje citroen, misschien?'

Ik speel dienstbode, dat gaat uitstekend. We vinden het beiden prima en straks weet ze niet eens meer dat ik er ben. Ik sluip voorzichtig naar de badkamer en vind haar onderbroek, die ze deze keer onder de badkuip heeft geschopt. Ik spoel hem uit onder de handdouche en hang hem over de rand van de wasmand bij de andere, in afwachting van de volgende was.

Wanneer ik in de frisse buitenlucht kom, rook ik een fictief sigaartje en kijk uit over het verzadigde landschap, waar de nevels tussen de statige oude bomen van de boerderijen door zweven. Daarna stap ik in mijn rode bedrijfswagen en rijd snel verder. Radio Dalarna waarschuwt voor temperatuurdalingen en gladheid en ik laat me een 'yes' ontglippen, omdat ik mijn wagentje vandaag net heb weggebracht.

In tegenstelling tot de paardenfluisteraar praat ik met alles, en alles praat bovendien tegen mij, of ik dat wil of niet. Het is zwaar om continu te worden aangesproken, aldoor moet ik iets, net alsof ik de gebeurtenissen zou kunnen beïnvloeden. Ik kan geen problemen oplossen, niet eens de heel simpele, niet eens mijn eigen problemen, maar voortdurend sturen mensen en ook dieren, de natuur en de dingen hun mededelingen en ik word vriendelijk verzocht die te interpreteren en er iets mee te doen. Nu ga ik de ICA binnen om zeven tassen met boodschappen op te halen en dan begint een baby zich te beklagen – zijn vader houdt hem verkeerd vast, rechtop, het kind is zo klein en heeft nu al pijn in zijn ruggetje, maar dat heeft zijn vader niet door, hij schommelt met hem en sjort veel te hard aan hem, en het kind voelt zich steeds machtelozer, maar huilt toch niet hard en ik, die met paarden kan praten, kan er niets aan doen. Hoewel de paarden tegenwoordig tevreden zijn, die hoeven zich niet kapot te werken. Ze zijn ook anders, onschuldiger en minder sterk. Niet zoals de paarden uit mijn kindertijd, die aangrijpende verhalen vertelden over het harde werken en het fysieke letsel na jaren hout slepen in het bos. Met die paarden kon je praten. Het was toen niet beter, maar het had meer inhoud. Je had iets om je tanden in te zetten en je mocht dankbaar zijn voor elke dag dat je je neus boven de pisgoot wist te houden en je halstertouw boven de rand van het wak wanneer je voor de zoveelste keer door het ijs was gezakt en het een kwestie van leven of dood was.

Daarna moet ik voor de verandering rondjes rijden voordat ik een geschikte parkeerplaats vind om snel een stierenloop uit te voeren naar een eenkamerflat, waar een verwarde voormalige leernaaister problemen heeft met het vinden van haar toilet. Als ze dat boven verwachting vindt – en niet in de kast terechtkomt – is ze de kluts kwijt, ze durft niet, want het huisje is toch buiten? Dus je moet een oogje op haar houden.

Ik heb geluk. Met zachte drang duw ik haar op de bril en ik praat aldoor zo rustig en vriendelijk als ik kan. Ter inspiratie laat ik de kraan flink stromen. Dat werkt.

Ik complimenteer haar, daar fleurt ze van op, en ik geef haar een wc-papiertje waarmee ze zichzelf afveegt. Ik loop even de keuken in, ze heeft de halve portie opgegeten die mijn collega eerder voor haar heeft opgewarmd en ze heeft haar medicijnen ingenomen.

Haar mooiste bezit is een foto – een luchtfoto van haar huis en de schuren, die naderhand is ingekleurd. Verder heeft ze een vrij eenvoudige inrichting, maar het is er schoon en netjes dankzij een nichtje van haar.

Wat gaat ze nu doen? Ik wou dat ik het wist. Ze krijgt een knuffel en ik zet haar voor de tv. 'Prettige dag verder, er komt gauw weer iemand, ik moet nu weg.'

'Moet je weg?'

'Kijk eens, Berta, een film uit de jaren vijftig, met Sickan Carlsson, is dat niet leuk?'

'Ja. Sickan Carlsson.'

'Dag, Berta. Straks komt er weer iemand. Ga maar tv-kijken, dan is de tijd zo om, kijk maar naar Sickan.'

'Ga je nu al weg?'

Wanneer ik het appartement uit loop, gluurt een klein vrouwtje om de hoek van haar voordeur. Dat doet ze altijd, ze heet Siv net als ik, en daar heeft ze altijd een hoop lol om. 'Ha, die Siv. Hoe is het met Berta?' vraagt ze. Ze weet vast heel goed hoe het met Berta gaat, maar ze wil een praatje maken, ze zal wel weinig vertier hebben.

'Ik heb mijn beroepsgeheim, dat weet je', zeg ik net als altijd.

'Officieel ben ik hier eigenlijk niet eens. Maar je weet toch wel hoe het gaat?'

We blijven even staan praten. Ik weet dat ze op Berta let, voor het geval die het in haar hoofd zou halen om naar buiten te gaan. Ze is weleens midden in de winter in haar schort en op dunne pantoffels de deur uitgegaan, en dan belde Siv altijd. Zij hoort bij de oude roddeltantes en kletsmeiers, een met uitsterven bedreigde soort waar ik een zwak voor heb. Het is geweldig om zo veel te weten van andere mensen en niet zelden doen ze goed werk, zoals in het geval van Siv. In een tijd waarin iedereen alleen aan zichzelf denkt, vind ik het te waarderen als mensen alle geboorten en sterfgevallen bijhouden, en wie er allemaal zijn gaan samenwonen of zijn gescheiden. Er bestaat een soort roddelen dat werkt als cement, dat in woorden vat wat er is gebeurd, en als het niet gemeen of kwaad bedoeld is, geeft het kleur aan het bestaan als een soort reality-romankunst; iets is pas echt gebeurd als iemand er een verhaal van maakt met een bepaalde sfeer en een intrige.

De boosaardige roddel is echter interactiever dan enig digitaal medium; die beïnvloedt en verpest, schildert mensen negatief af, maakt hen kapot en schaadt betrekkingen, maar die kletsverhalen zijn er en het is amusement, beter dan een soap, je kent de betrokkenen immers, je ziet hen dagelijks, je kunt hen aanraken. Het probleem met dat soort roddel is dat de getroffenen zelf nooit een kans krijgen het verhaal te beïnvloeden. Het snelt voor hen uit en vaak weten ze daar niets van. Ze groeten onschuldig en glimlachen vriendelijk en iedereen glimlacht terug, terwijl ik weet dat ze even tevoren degene tegen wie ze glimlachen hebben beschuldigd van overtredingen van de goede zeden en zelfs af en toe van de wet. Wat is een overtreding? Ben je niet vrij om te doen en te laten wat je wilt zolang je niemand anders kwaad doet?

Ik zie hen in de gokwinkel staan. In uniform, met wapenstok en alles erop en eraan, Harskari Olof en Mor Lennart, mijn oude vrienden, die mij een keer gered hebben en die ik misschien ook wel heb gered! Ik die met paarden kan praten!

Hoe laat is het?

Ik heb helemaal niet zo veel haast als ik dacht. De politieauto staat voor de Konsum, ze zijn honderd meter van het bureau gereden.

Ze schrikken zich een ongeluk als ik overeind schiet van de vloer voor de achterbank en 'boe!' roep. Mor Lennart wil net een hap van een chocoladewafel nemen, die hij onhandig fijnknijpt en verkruimelt. Ik zie dat ze even nijdig worden, maar dan lachen ze beschaamd en vragen of ik opgebracht wil worden, dit kan zomaar niet, in een politieauto gaan zitten, weet ik wel wat voor straf daarop staat?

'Sluit me maar op', antwoord ik. 'Ik kan wel wat vakantie gebruiken. Het eten schijnt er goed te zijn, rechtstreeks van de Nisskiosk, en de verlofregeling is natuurlijk riant.'

Ze grommen dreigend en willen kennelijk niet herinnerd worden aan een ontsnappinkje uit de cel in Grönland.

'Hoe gaat het met je, Siv? Heb je nog iets leuks onder handen?' vraagt Olof ter afleiding.

'Nee, niets', antwoord ik doodernstig en we kijken elkaar doordringend aan. Nee, hier gebeurt niets, absoluut niets, behalve de jaarvergadering van de accordeonvereniging en ongenode bevers in een beek.

We kijken elkaar aan en we weten het. Dat hier niets gebeurt, op het eerste gezicht. Maar het is hier allemaal voorgekomen, al is dat alleen bekend bij de mensen die hier sinds jaar en dag wonen. Moord, doodslag, berovingen, diefstal, incest, mishandeling, brandstichting, verkrachting, intimidatie van getuigen, fraude, samenzweringen, oplichting en zelfmoord tussen aanhalingstekens, aangezien het dat niet was. Ik voel de trilling, ik voel de auto schommelen. Iedereen die hier woont weet het, wij weten dat het gebeurd is, dat het nog steeds gebeurt en dat het weer zal gebeuren. Het is waar dat we de buitendeur niet op slot doen en de sleutels in het contact laten zitten uit pure luiheid, maar desalniettemin is het hier allemaal gebeurd, inclusief openbare groepsseks, streetracing, zelf alcohol stoken, dealen, bigamie en gif, vergiftiging van rivalen en concurrenten.

Dus zeg niet dat het leven op het platteland kalm en rustig is. Dat is helemaal niet waar, het is lastig als iedereen iedereen kent, het is zwart en glinsterend als het schild van een kakkerlak, maar dit is ons land en daar geven we niets van prijs, ook zijn geheimen niet.

Harskari Olof en ik slaan onze ogen neer. 'Beroepsgeheim', zeg ik. 'Ja, beroepsgeheim', herhalen ze samen.

Daarna beginnen we uitgebreid te praten over het schietincident bij Myrflodammen.

Ze weten dat ik erbij was, ze hebben met hun collega's uit Sälen gesproken, een vrouw die huisjes schoonmaakt en Siv heet en in zo'n gammele roestbak rijdt, dat was echt niet moeilijk. 'Maar laat horen!'

Ze weigeren consequent iets anders te spreken dan Malungs dialect. Ik vraag me af of ze hun processen-verbaal ook in het Malungs schrijven. Als ze Engels moeten praten met een toerist vertalen ze vast ook vanuit het Malungs. Ze zijn niet veel ouder dan dertig, maar verschrikkelijke chauvinisten, ze jagen, vissen, hakken af en toe wat hout in het bos, dat ze met de sneeuwscooter ophalen, dat is trouwens de omgeving waar ze het liefst vertoeven, en ze kunnen soms stevig drinken, maar nooit in de kroeg. Waarschijnlijk moeten hun arme vrouwen het met hen zien te rooien onder dergelijke omstandigheden. Ze zijn sympathiek, charmant, ongeneeslijk ouderwets en het zijn heel goede agenten, ze kennen de omgeving en ze voelen aan wat de moeite waard is om nader te bestuderen en waar ze zich beter niet in kunnen mengen.

Ze verveelden zich kennelijk een beetje en ze zijn blij met mijn gezelschap, ze amuseren zich met mij. Ik mag nu voor het vermaak zorgen, voor mijn brutaliteit om de achterbank van de politieauto in bezit te nemen en hun aandacht op te eisen moet ik nu betalen door een beetje interessant te zijn. Er branden twee rode lampjes op het dashboard, de achterdeuren zijn op slot gegaan zonder dat ik het heb gemerkt. Hopelijk laten ze me weer vrij wanneer ze vinden dat ze klaar zijn met me. Ik zal wel saai moeten worden, dan sturen ze me weg en kan ik nog op tijd mijn boodschappentassen en andere spullen rondbrengen voordat het avond wordt.

Zij hebben een even duidelijk beeld als ik, dat moest ook eens anders zijn. Natuurlijk weten ze alles van Klas Lekares escapades, ze hebben hem vast al een paar keer opgebracht, ook al zeggen ze dat niet met zoveel woorden. Uit de stiltes die ze laten vallen blijkt ook dat ze meer dan eens bij Peggy thuis zijn geweest. Maar je kunt mensen niet dwingen. Om aangifte te doen, bedoelen ze natuurlijk. Een vrouw die bij een man blijft die haar slaat is zo dom als het achtereind van een varken, schijnen ze te vinden, ze kan immers gewoon opstaan en weglopen.

Dat zal best. Maar als het zo makkelijk was, zouden er niet elk jaar zo veel vrouwen door hun partner worden doodgeslagen. Ik probeer hun aandacht op Klas Lekare en zijn gedrag te richten.

Dat is moeilijk, ze willen die kant niet echt op, Klas Lekare is immers niet goed wijs. Of liever gezegd 'was', hij heeft zichzelf nu onder handen genomen. Ze heeft hem teruggenomen ook al had ze schroeven in haar kaak gekregen, titanium schroeven! Ze vroeg er bekant om geslagen te worden, hoe kun je zo stom zijn?

Ik doe een nieuwe poging de schijnwerper op Lekare te richten. Dat hij opeens stopte met zijn getreiter is toch best vreemd?

Dat was natuurlijk de verdienste van Bränd Sven. Hij greep Klas Lekare bij de lurven en liet pas los toen die kerel van de drank en de drugs af was en een baan had gekregen bij *De Looier* – ons hoogst lokale nieuwsblad – en een appartement in de wijk Fällen. Als hij niet naar zijn werk ging, kwam Bränd Sven hem ophalen, hij zette hem in de auto en bracht hem erheen en hield hem de hele dag in de gaten als het moest.

Dat had effect. Klas Lekare was bang voor Bränd Sven. Dus dat werkte. Nu is hij er vast alleen maar blij om, nu hij zijn rijbewijs en alles terugheeft.

'En zijn wapenvergunning!' vul ik aan. 'Ik denk dat hij de jongen heeft doodgeschoten en dat Bränd Sven dat is vergeten of dat hij de schuld op zich heeft genomen om Lekare te beschermen en hem nog een kans te geven!'

'Vergeten?!' Mor Lennart laat zijn zware hoofd op het stuur vallen. Harskari Olof duwt zijn breed glimlachende gezicht bliksemsnel tussen de neksteunen van de voorstoelen door naar achteren. 'Nee maar, Siv, heb je nu al een verdachte opgespoord?' Ook Mor Lennart draait zich nu met zijn hele lichaam om en zegt met een verwachtingsvolle glimlach: 'Je bent weer lekker bezig, Siv, vertel ons je hele theorie!'

Ze drijven de spot met me. Ik heb geen tijd om hen hier te zitten vermaken. Bovendien is het hun werk om boeven te vangen, ik probeer alleen maar te helpen en daar krijg ik nog niet eens een bedankje voor. 'Wat weten jullie dan?' vraag ik bits. 'Weten jullie wel iets? Hebben jullie een kristalhelder beeld van hoe het schieten eigenlijk in zijn werk is gegaan?'

'Dat hebben onze collega's in Sälen wel in de peiling', verklaart Lennart. 'Leuk geprobeerd, Siv, maar het was een gewoon schietongeluk. Ik weet dat het moeilijk is te beseffen hoe banaal het is, je wilt er graag een betekenis, een bedoeling of zelfs een misdaad in zien, alles beter dan de kille zinloosheid, het is heel menselijk om zo te reageren, maar helaas.'

'Hoe weten ze dat het een ongeluk was?'

'In de eerste plaats: omdat iedereen dat zegt. Mensen zijn feitelijk meestal eerlijk en er stonden bovendien drie man helemaal vooraan in de linie die de eland hebben gezien. Bovendien hebben een paar schoolkinderen die ook gezien. Er was een eland, een grote. In de tweede plaats, de hoek van het schot, die klopte met de afstand en ook met het geweer.'

'En de kogel?'

'Oké, die is niet gevonden. In dat terrein is dat moeilijk, het zou misschien wel een week kunnen duren om zo'n groot en half moerassig terrein uit te kammen. Daar was ook geen reden voor omdat het zo'n duidelijk geval was.'

'Dus het was het geweer van Bränd Sven?'

'Ja, natuurlijk! Op zich hadden de andere twee ook geschoten – jouw vriend Lekare bijvoorbeeld ook! Ja, ja, Siv. Maar hij mikte op de eland, omdat hij dacht dat die aangeschoten was; hij had Bränd Sven horen schieten en daarna kwam de eland eraan denderen, wat moest hij anders denken? En de derde schoot toen ze bij de jongen kwamen, om de aandacht van de anderen te trekken, dat klopt ook precies met de tijden, de geluiden van de schoten en de verklaring die iedereen meteen ter plaatse aflegde. Een van de leraren was er vlakbij, hij heeft bijna alles gezien en gehoord.'

'Dus met alle drie de geweren was geschoten?'

'Ja. Ze lijken erg veel op elkaar, ze hadden allemaal hetzelfde merk, een Sako.30-06 en dat is ook niet zo vreemd, een heel gewoon wapen in dit verband.'

'Dus het waren vergelijkbare wapens?'

'Ja, Siv, dat klopt. Maar met verschillende productienummers, gelukkig, anders was het niet best. En die derde man, wat zeg je daarvan? Dat had dan toch ook de schutter kunnen zijn? Heb je daar niet bij stilgestaan?'

'De kogel is toch niet gevonden? Dan weten ze toch niet uit

welk van de geweren het dodelijke schot is gekomen?'

'Rustig maar, Siv. Trouwens, wat is volgens jou het motief?'

'Dat heb ik toch al gezegd? Wraak, natuurlijk. Hij wilde haar te pakken nemen en opeens kreeg hij de kans. Het was een manier om haar echt pijn te doen. Oké, als het niet gepland was is het misschien geen moord, maar dan toch in ieder geval doodslag.'

Ik zie dat ze geamuseerd zijn, ze wisselen openlijk blikken van verstandhouding en kleine lachjes verraden dat ze hun gezicht maar moeilijk in de plooi kunnen houden. Kunnen ze hun lachen bijna niet bedwingen?

Olof knikt wijsneuzig. 'Stel dat je gelijk hebt, Siv', zegt hij. 'Dan kan die tweede man net zo goed een verborgen motief hebben dat wij niet kennen, bijvoorbeeld dat hij gewoon een hekel heeft aan jonge jongens. Je hebt echt best veel mannen van middelbare leeftijd die zich geprovoceerd voelen door jongemannen als ze een extreem kapsel hebben, rare kleren dragen of aan de een of andere modegril meedoen die ze onmannelijk en dwaas vinden. Tegenwoordig zijn er immers zelfs jonge kerels die zich opmaken, en oorbellen en kettingen heeft bijna iedereen.'

'Sammy was niet opgemaakt.'

'Maar Morgan Eriksson vond misschien toch dat hij op de een of andere manier te werelds was.'

'Wie is Morgan Eriksson?'

'De derde man in de drijflinie. Weet je niet wie dat is? Van "Het Woord en het Licht"? Hij is ook nog op tv geweest.'

Morgan Eriksson? Die naam klinkt bekend en opeens zie ik hem weer voor me, hoe hij Marlene na het schot condoleerde op de verzamelplaats. Ik had toen al het idee dat hij iets bekends had. Ik weet nog dat hij een sympathieke indruk op me maakte.

Ik knik. Nu weet ik het weer, het Woord en het Licht. Hij is de voorganger van een nieuwe, moderne kerk met wortels in de Verenigde Staten. Hij is populair en hij is op tv geweest, ik heb het programma gezien, zijn kerk heeft na die uitzending een heleboel nieuwe leden gekregen, dans en zang en alleen maar blijdschap over de liefde van Jezus.

Een half bekende Zweed uit Stockholm. Misschien kent hij Bränd Sven uit de tijd dat die directeur-generaal was en is hij via hem in de jachtploeg gekomen? Of heeft hij betaald voor de jacht, net als de Duitsers? Dat hij een hekel zou hebben aan jongens met een ringetje in hun oor of zoiets, is onwaarschijnlijk. Het Woord en het Licht is de lievelingskerk van de media geworden, daar is het een en al liefde en openheid volgens het imago dat ze stevig proberen vast te houden.

'Waarom nemen jullie me niet serieus? Kunnen jullie Lekare niet op z'n minst verhoren, gewoon omdat hij misschien belangrijke informatie kan geven?'

'Dat hebben de collega's uit Sälen al gedaan. Het rapport van de lijkschouwing is nog niet klaar, maar ze hebben wel de voorlopige resultaten gekregen. Als het definitieve document er is, kunnen ze de hele zaak seponeren. Soms gebeuren dat soort dingen gewoon, hoe vreselijk dat ook is. Niemand kon er iets aan doen, het was gewoon zinloos, helemaal nergens goed voor.'

Ik kom helemaal nergens met hen. Wat had ik dan gedacht? Ik heb nog niet eens serieuze belangstelling bij hen weten op te wekken, alleen zin in een verzetje. Verdomme! Als het me was gelukt hen achterdochtig te maken jegens Lekare, dan hadden ze niet gerust voordat ze de laatste steen boven hadden gehaald, dat weet ik zeker. En als dan was gebleken dat hij onschuldig was, dan had ik zekerheid. Nu ben ik gedoemd te blijven geloven dat hij Sammy heeft vermoord. Nu word ik telkens misselijk wanneer ik hem zie.

'Akkoord?' vraagt Harskari Olof. Ik knik.

'Geen eigen initiatieven, zodat we je uit de rivier moeten halen of uit een mast?' grinnikt Mor Lennart. Ik schud mijn hoofd.

'Zullen we haar dan maar laten gaan?' Ze glimlachen naar elkaar. Olof knikt en drukt op de vierkante rode knopjes en de lampjes gaan uit.

Ze geven me nog diverse zelfgemaakte wijsheden mee voor onderweg: 'Doe eens gek en spring niet weer overal bovenop.' 'Houd je hoofd koel onder je muts en je hart warm onder je jas.' Ja, dat beloof ik.

Stiekem beloof ik mezelf het omgekeerde, dat ik mijn hart koel zal houden, dat ik me nergens meer druk om zal maken, wat heb ik er eigenlijk aan dat ik met paarden kan praten?

Ze zeggen dat Patrik veel te veel alcohol drinkt, dat hij onhandelbaar, stijf en slap tegelijk wordt, dat er geen land met hem te bezeilen is, alles is mis wanneer ze bij hem zijn. De persoonlijke assistenten laten het op het laatste moment afweten, ze hebben niet de puf om erheen te gaan en melden zich ziek en dan kan ik komen opdraven vanuit de pool.

Ik merk niets van al die problemen. Hij is de vriendelijkheid zelve en heel beleefd wanneer ik weer naar hem toe snel. 'Heb je een kater?' vraag ik.

Hij lacht. 'Niet erger dan anders, Siv, hoe kom je erbij? Kom binnen, maar raak me niet aan voordat je warm bent.'

Ik gehoorzaam en ga met mijn handen onder de warme kraan staan. 'Het lijkt wel of het met de dag donkerder wordt', zeg ik. 'Het zal wel de donkerste tijd zijn, kort voor de sneeuw.'

'De mist', antwoordt hij, 'dat die niet optrekt. Die blijft maar hangen, het heeft geregend, daar zal het wel van komen.'

We gaan door met opwarmen met een praatje over het weer, de bevers en de elandjacht die voor de deur staat.

Dan hoor ik het. Zijn stem is zachter. En hij is veranderd,

hij heeft een aardappel in zijn keel. Ik hoor dat hij slist. Ik kom dichterbij staan en snuif. Dat merkt hij.

'Niet erger dan anders, zei ik', zegt hij.

Hij ruikt niet naar alcohol en ik zie geen flessen.

Hij zegt niets. De tijd blijft even haken, ik krijg een ijskoude emmer water over me heen gekieperd.

Nu weten we het allebei.

De ziekte heeft hem weer iets vaster in zijn greep. En ik moet hem voeren, kip met sinaasappel, rijst en medicijnen, koffie en water waar hij zich in zal verslikken, ik kan hem vandaag alleen al een paar keer laten stikken.

Hij is net onder de douche geweest en zijn nog natte haar krult in zijn nek. De assistenten klagen, elke dag douchen, dat trekken ze niet, hem omhoog takelen met de lift, over de rand van de badkuip, op de stoel, tegenwoordig moeten ze hem vastsnoeren voordat ze kunnen beginnen. Maar hij wil het en tot dusverre heeft hij een sterkere positie dan onze gewone klanten.

Nee, het is niet gemakkelijk om hier te zijn, om te zien hoe het touw langzaam strak komt te staan en de strop wordt aangetrokken. Mijn hoofd is leeg. Ik heb nu zelf last van mijn keel, de ontwikkeling maakt weer een sprong in de verkeerde richting en dat is niet alleen voor hem een klap, maar ook voor mij als zijdelings betrokkene.

We moeten natuurlijk oefenen. Ik leg mijn handen op zijn schouders, maar ik kan geen enkel gespreksonderwerp verzinnen. Hij zegt ook niets. Hij zal wel moe zijn omdat hij de hele tijd de kar moet trekken, omdat hij altijd moet zorgen voor vrolijkheid en de angst op afstand moet houden.

Er is immers geen troost. Dus waarom zou je het proberen? Ik moet iets verzinnen om het over te hebben. Maar ik kan niet fris en vrolijk, positief en bemoedigend praten na het inzicht dat de spieren in zijn keel het gaan begeven, er is immers geen genade. Straks kan hij niet meer ventileren. Nu zie ik het beademingsapparaat in de hoek, nu is de tijd er rijp voor, het maakt zijn entree op het toneel.

Op de leesplank met bladomslaander ligt een boek, een oud boek, lijkt het. Hij leest gewoonlijk vooral tijdschriften over techniek. Hij weet er een heleboel van, maar daar kan ik het helaas niet met hem over hebben. Dat is net als tennissen met Björn Borg, ik heb het wel geprobeerd, maar ik blijf nergens.

Nu ligt er een oud boek. 'Wat ben je aan het lezen, Patrik?'

'Jack London.'

'Jack London? *Roep van de wildernis*?'

'Nee, dit boek is veel erger, ook al is het meer dan tachtig jaar geleden uitgekomen, bij de bibliotheek hebben ze het voor me uit het magazijn laten komen. Ik heb er een bladzij uit een agenda in gevonden, die waarschijnlijk als bladwijzer diende, uit 1953, toen is het dus voor het laatst uitgeleend. Het is een verslag van de roep in jezelf, wanneer je vastzit en niet los kunt komen. De hoofdpersoon zit in de gevangenis, hij is ter dood veroordeeld, hij zit in een dodencel, maar dat is nog niet genoeg voor zijn plaaggeesten, ze willen hem van zijn zelfrespect beroven, ze willen zijn naakte angst zien, ze willen zijn ziel. Dus gaan ze hem met fysiek geweld te lijf. Met een dwangbuis dat op de rug vastzit. Je kunt niet bij de knoop. Als het van zeildoek gemaakt is, zitten er koorden door koperen ogen aan de rand van het doek, dat smaller is dan je eigen omtrek. Je ligt op je buik en iemand gaat op je rug staan zodat je wervels kraken, en trekt uit alle macht aan het koord. Je krijgt geen lucht meer, er wordt zo hard in je geknepen dat je gek wordt en dat je geest als een champagnekurk rechtstreeks de atmosfeer in schiet, de zwarte ruimte in.

Dan is er ook nog een andere variant, van stevig katoen, een gewoon overhemd, heel lang en met veel te lange mouwen. Die zijn zo lang dat iemand ze om je heen moet winden. Je slaat je armen om jezelf heen en je zit zo vast als in een bankschroef.

Je kunt nog niet eens aan je neus krabben als er een vlieg op komt zitten. Als je alleen gelaten wordt met een vlieg kun je daar stapelgek van worden. Je kunt helemaal niets doen. Wanneer het te stevig wordt aangetrokken wordt de bloedsomloop afgesneden en weet je dat je doodgaat. Dan doe je alles om los te komen. Maar je komt niet los en je wordt nog gekker. Gekte wordt je enige vluchtmogelijkheid, je kunt niet eens zelfmoord plegen.'

Goh, leest hij dat soort dingen? Daar word ik niet spraakzamer van. Dit is geen conversatie meer, we zijn nu in diep water en ik houd mijn mond. Hij is de professor. Hij onderwijst mij en ik kan alleen maar luisteren. De dood staat op Patriks rug en trekt steeds harder aan de veters. Het is verschrikkelijk. De tijd vliegt, we gaan bergaf, zijn tijd gaat steeds sneller, die rent voor hem uit. Wat een waardeloze assistente ben ik.

Zijn blik is vriendelijk. Mijn ogen zijn vast vochtig. Ik houd zijn ene arm vast en voel de huid, die is slap alsof hij stokoud is, alsof er geen jonge krachten onder zitten, geen veerkracht.

'Doe maar alleen masseren', zegt hij met zijn nieuwe zachte stem. 'Alleen masseren, oefenen doen we een andere keer wel weer.'

Dat doe ik. Ik hoor aan zijn ademhaling, hoe oppervlakkig die ook is, dat dit een goede beslissing is, hij heeft zijn gevoel immers nog.

Een poosje later begint hij te praten, in zichzelf lijkt het wel, peinzend. Dat het vreemd is, ja, heel vreemd, dat hem nu bepaalde dingen duidelijk beginnen te worden. Tien jaar in Västerås, wat voor leven was dat? Natuurlijk is hij nog geïnteresseerd in techniek, in alle natuurwetenschap, maar in die tijd kreeg hij door zijn baan ook de bevestiging dat hij een echt mens was. Hij geloofde erin. Toen zijn vrienden weg moesten, gingen er aan de andere kant deuren voor hem open, hij maakte carrière, kreeg een hoger salaris en betere voorwaarden, een eigen kamer en ten slotte een eigen secretaresse, ook al heette die PA. En nu is hij weer zo ver, hij heeft weer een persoonlijke assistente. Wat een dubieuze promotie. Hij had steeds moeilijker en steeds ingewikkelder taken gekregen, met steeds meer verantwoordelijkheid. Het was net een verliefdheid, maar niet op de secretaresse, want dat was een man.

Nu lacht Patrik. 'Schud je hoofd maar even namens mij, Siv, omdat ik zo stom was! Het was net of ik verliefd was, op het bedrijf. Het was net een minnares die mij het hoofd op hol had gebracht en ik kwam zodra ze riep, ik maakte idioot veel overuren en er was nooit sprake van dat ik die kon compenseren, nee, ze werden uitbetaald. Ik kreeg elk jaar een naheffing.'

'Maar je had toch een vriendin?'

'Die kreeg er genoeg van. Ze stelde een ultimatum, ze wilde een huis en een kind, en ik zei ja, maar toen stelde ze als voorwaarde dat ik minder zou gaan werken. Dat kon ik niet, het werk eiste me helemaal op. Hoe meer ruzie we maakten, hoe harder ik er op het werk tegenaan ging. Dus stapte ze uiteindelijk op, na veel tranen, en ik werkte alleen maar. De mensen die aan me verdienden, wreven in hun handen. Ja, ik dacht dat het liefde was, sukkel die ik was!'

Ik pak de indianenband vast en laat zijn hoofd heen en weer wippen, domme, domme Patrik.

'Ja, hè? Maar ik was een man. Daar kun je van op aan, op en top een man, elk stukje van mij werd door die gladde wapenrusting bedekt. Ten slotte sliep ik nog maar een paar uur thuis, de rest van de tijd woonde ik op het werk. Ik ben zo boos op mezelf, dat ik vind dat deze ziekte mijn verdiende loon is – hoe stom kan een mens eigenlijk zijn?'

'Die duchenne heb je geërfd, dat kun je jezelf niet aanrekenen.'

'Ergens had ik de onuitgesproken overtuiging dat organisaties liefhebben! Dat mijn werk van mij hield! Dat dat de zin van mijn leven was, het doel ervan. Dat dacht ik niet in woorden, maar voor mijn gevoel kwam er veel liefde van bovenaf, waren ze helemaal afhankelijk van mij, en mocht ik hen niet laten zitten. Wat dat laten zitten betreft, ik ben er later wel achter gekomen hoe het daarmee gesteld was, toen deze dwangverpleging begon.'

Hij zwijgt. Ik ben vergeten wat ik aan het doen was, ik sta verstijfd. Nu pak ik hem weer vast, ik knijp voorzichtig in zijn hals en zijn nek, maar het is net of ik hem niet meer kan bereiken. Hij heeft voor een extra sticker op zijn werk gekozen in plaats van voor zijn vriendin.

Er wordt geklopt. Onze zwarte zeepbel knapt, er komt zuurstof naar binnen, er is iemand aan de deur, er klinkt een belletje en iemand vraagt of hij binnen mag komen.

Deze onderbreking is een geschenk uit de hemel, ik loop snel de hal in en knal bijna tegen de forse gestalte van Bränd Sven aan.

Hij knikt en trekt zijn schoenen uit, hij lijkt me niet te herkennen van de bergen. 'Is Patrik thuis?' Meer als een bewering, gewoon om iets te zeggen.

Hij draagt een donkere broek, een lichtblauw overhemd en een leren jasje. Hij heeft geen muts op en hij is nog langer dan ik me hem herinner en hij komt nog net zo bezwaard over, hij glimlacht niet en kijkt me niet eens aan, maar sjokt als een grizzlybeer naar de keuken.

Patriks donkere wolken worden uiteengedreven, hij wordt vrolijk en levendig. Hij vraagt of ik koffie wil zetten, maar Bränd Sven maakt een afwerend gebaar, hij hoeft geen koffie. Maar hij wil graag even praten, als dat kan.

'Blijf jij er maar bij', zegt Patrik, wanneer hij merkt dat ik de slaapkamer wil gaan opruimen. 'Blijf maar zitten, beschouw het als een deel van je werk.

'Jullie kennen elkaar toch?' vraagt hij en nu kijkt Bränd Sven mij aan, zijn blik is dromerig, omfloerst alsof hij me toch niet ziet. 'Zij was erbij, in de bergen', gaat Patrik verder.

'O ja?' vraagt Bränd Sven verbaasd. 'Daar staat me niets van bij.'

'Ik stond wat afzijdig', verklaar ik. 'Ik was bij Marlene, die ken je toch wel?'

Hij knikt, zonder verdere zichtbare reactie. 'Natuurlijk weet ik wie dat is. Ze was mee op de schoolexcursie vanwege Peggy's zoon.'

Het is onverwacht gemakkelijk om over de gebeurtenissen te praten. Natuurlijk is het zwaar, maar gebeurd is gebeurd, hij kan de klok niet terugdraaien. Bränd Sven straalt zo veel gezag en zelfvertrouwen uit, dat weet hij zelf vast niet. Het is mogelijk het moeilijke onderwerp aan te roeren zonder dat het al te gespannen of geforceerd wordt. Hij praat duidelijk en concreet over de dagen na het incident en vertelt dat de politie hem een paar keer heeft verhoord. Er komt een aanklacht tegen hem. Dat de zaak een juridisch staartje krijgt is goed. Dan wordt de opzet – die er niet was – gescheiden van de eigenlijke misdaad, dat hij nonchalant is geweest, want dat was hij toch? Anders was het toch nooit gebeurd? En als hij wordt veroordeeld zal hij de straf accepteren uit respect voor Sammy, om te bewijzen dat hij hem geen kwaad wilde doen.

Hij is bij Peggy geweest, samen met de jonge dominee. Dat ging heel goed. Hij vindt haar geweldig. Wanneer het erop aankomt, is dat meisje veel meer waard dan ze zelf weet.

Ik ben zo brutaal te vragen hoe zijn jachtkameraden hebben gereageerd.

'Wat moeten ze ervan zeggen?' antwoordt hij. 'Voor twee van de mannen uit Sälen is het gemakkelijk, zij waren bij de Duitsers. Die ouwe, Jelten, was in een moerasgat gestapt, dus ze waren een eindje achterop geraakt. Karl-Erik Lindvall was hondengeleider, maar hij was ook een heel eind verder weg, het duurde zeker tien minuten voordat hij tevoorschijn kwam na het schot. Morgan Eriksson daarentegen heeft voor me gebeden, toen meteen, en ik kan niet beweren dat ik dat verkeerd vond. Dat hij dacht aan iemand als ik toen die jongen daar lag. Voor hem had hij trouwens allereerst gebeden, meteen nadat we alarm hadden geslagen.'

'En Klas Lekare, wat vond die?'

'Lekare? Tja. Ik weet niet meer hoe die precies reageerde.'

'Hij heeft toch met de jongen onder één dak gewoond?'

'Ja. Maar dat was vanwege Peggy, hij was met haar, de jongen moest hij op de koop toe nemen. Niet dat hij een hekel had aan Sammy. Het heeft hem vast wel aangegrepen, ook al maakte hij geen misbaar, dat deed niemand. Het wordt er niet beter op als je jezelf laat gaan. Het is zoals het is, daar doe je niets aan. Dan kun je net zo goed je mond dichthouden.'

Hij neemt Lekare in bescherming terwijl er nog helemaal geen beschuldiging is geuit, het is net wat ik dacht!

Die man is groots. Hij heeft een mooie, diepe stem en de zorgelijke uitdrukking op zijn gezicht maakt hem onbereikbaar. En daarmee ook verleidelijk. Ik zou hem willen leren kennen. Onder die buitenkant zit een andere Bränd Sven en in die persoon ben ik geïnteresseerd. Hij maakt een volkomen normale indruk, maar Patrik heeft immers gezegd dat er alzheimer bij hem is vastgesteld. Het is een kwestie van tijd voordat hij verandert, voordat de echte Bränd Sven, de unieke persoonlijkheid, verdwijnt.

Ik vraag me ook af waarom hij nooit getrouwd is. Zo'n hoge pief als hij had ze toch voor het uitzoeken? Toch heeft hij ervan afgezien. Waarom?

'Ik heb zo veel steun ondervonden van mensen', gaat hij peinzend verder. 'Ik word niet met de nek aangekeken, ondanks wat ik heb gedaan. Ik voel juist warmte van de hele omgeving. Ik durf nog over straat. Niemand spuugt naar me, ook al heb ik een fout gemaakt. Dat is geweldig.'

Dit is mijn kans, nu hij zo vriendelijk gestemd is, het is buigen of barsten – ik moet van de gelegenheid gebruikmaken nu de zogenaamde dader recht tegenover me zit.

'In het bos, hè, toen dat gebeurde? Dat ging toch heel snel en je kon het toch slecht zien vanwege de bomen en de mist? Is het niet mogelijk dat iemand anders heeft geschoten, bijvoorbeeld Klas Lekare, en dat je alleen maar denkt dat jij het hebt gedaan?'

Inwendig zie ik nu het hele scenario, het wordt als een video op fast forward afgespeeld, hoe Lekare de jongen in het oog krijgt, schiet en daarna snel tussen de bosjes door naar Bränd Sven toe rent, die overrompeld is, Lekare wijst, hitst hem op, Bränd Sven gehoorzaamt, schiet, Lekare schreeuwt, zwaait, ze vinden de jongen, Bränd Sven is er kapot van, Lekare troost hem en ramt die voorstelling er bij hem in, en dan is het voor elkaar.

Bränd Svens antwoord is krachtig, hard en laat geen ruimte open: 'Ik heb het gedaan! Natuurlijk was ik het, wat denk je wel! Klas is onschuldig, betrek hem hier niet in, dat zou het einde kunnen betekenen voor een kwetsbaar iemand die toch al zo'n zware last te torsen heeft. Laat hem met rust. Dit neem ik volledig op me. Dit soort ideeën zit je toch niet overal rond te vertellen? Houd daar dan meteen maar mee op, daar kan die jongen last van krijgen, Klas, bedoel ik. Laat hem alsjeblieft met rust. Vanwege vroegere toestanden is er vast wel iemand die hem zal verdenken, maar dat zeg ik, hij heeft het niet gedaan! Ik heb het gedaan, helaas, en niemand anders.'

Een heleboel woorden, maar wel overtuigend. Misschien neemt hij Lekare dan toch niet in bescherming. Misschien had ik het bij het verkeerde eind. Misschien is mijn fantasie met me op de loop gegaan, vanwege alle toevallige verbanden heb ik het negatief geïnterpreteerd, terwijl die verbanden inderdaad maar toevallig waren. Ik zal het er niet meer over hebben, de sfeer is er al niet beter op geworden.

'Ik moet poepen, Siv. Jij kunt toch wel even wachten, Sven, jullie kunnen intussen toch wel even met elkaar praten?'

Bränd Sven knikt en ik rijd Patrik weg. De peristaltiek wordt ook aangetast, de gladde spieren van de darmen, de bewegingen daarbinnen; dat hij moet poepen is positief.

Een lappenpop van zestig kilo met het grootste deel van het gewicht in het bovenste deel moet op de wc gezet worden. Ik til en draai, daarna klap ik de armleuning naar beneden en bind Patrik in een provisorisch tuigje vast. Toch is het resultaat niet alles, hij is zo mager, ik ben bang dat hij eruit glijdt en met zijn hoofd op de vloer komt.

'Kun je het niet proberen terwijl ik hier blijf staan?'

'Nee, dat gaat niet. Wegwezen, ik red me wel. Ik roep je wel als ik klaar ben.'

Bränd Sven loopt door de keuken, hij kijkt naar de briefjes op de koelkast en naar het oefenschema op de muur en naar een technische constructie achter glas in een lijst, waarvan Patrik beweert dat het een wonder van schoonheid, harmonie en poëzie is – 'Muziek en wiskunde, Siv, wat jij niet allemaal hebt gemist!'

Het is hier zo benauwd, of komt het gewoon doordat ik niet weet wat ik moet zeggen en doordat Bränd Sven zwijgt? Ik schuif een paar planten opzij en zet het raam op een kier. Ik ben misselijk, ik heb frisse lucht nodig.

Plotseling rukt een windvlaag aan het raam dat naar binnen toe openslaat, ik had het nog niet vastgezet. Met een dreun valt er een gatenplant op de grond – overal potgrond en scherven.

Dan staat Bränd Sven naast me. We kijken naar de ravage en hij zegt: 'Sorry. Sorry, dat was niet de bedoeling, waar is een veger?'

Ik staar hem aan. Hij kijkt me met zijn vriendelijke samojedenogen aan en vraagt: 'Wat is er? Ben je boos? Het was immers niet de bedoeling, het ging vanzelf. Sorry dat ik zo onhandig was, hij viel gewoon om, ik wilde het raam dichtdoen. Er is toch wel ergens een veger?'

De woorden zijn voorgoed gestolen. Ik kan je niet meer bereiken. Ik mag je niet aanraken en wanneer ik je roep, hoor je niet wat ik wil. De woorden zijn te klein, te zeer versleten, en er zijn ook geen andere.

Wat wij hebben meegemaakt is woordeloos. Ben je het vergeten? Vast niet. We waren vrij, armen, ledematen, alles hadden we gemeenschappelijk en we zeilden overal naartoe waar we maar wilden, er waren geen grenzen, geen dwang die ons kon tegenhouden, al die rijkdom die we ontdekten en waar we het van namen. Verstopt in ons kleine kamertje – de buitenwereld vlak achter de dunne muur – hadden we alles: van feestbanketten, vuurwerk en klassieke dichtwerken tot aan ijsbaden. Ik voelde dat wij dit samen beleefden, we zagen dezelfde supernova's, dezelfde grassprietjes en we hoorden dezelfde klokken, hetzelfde tedere ruisen, we voelden dezelfde branden, waterdruppels op onze dunne huid.

Toen we 's ochtends de wereld in gingen, was iedereen dood en de grond glinsterde van scherven van gesprongen ruiten. De tijd begon bij ons. We waren gemaal en gemalin en we hadden woorden, die spraken we uit. Ze werden voor de allereerste keer uitgesproken, ze waren pasgeboren en teer, het vlies er nog omheen.

Ze zijn gezegd. Je bent ze toch niet vergeten? Het waren geen beloften. De zon doet geen beloften, hij schijnt alleen. De jaargetijden beloven niet dat ze zullen wisselen, dat doen ze gewoon. Vergeten doe je niet, het hart slaat, je ademt, lacht, je hebt het koud.

De wereld krimpt, de hemel zinkt, de aarde stijgt op om me heen. Ik lig gebonden, ik zit vast in harde wikkels van top tot teen ingesnoerd als een mummie. Ik krijg geen lucht. Het hart slaat slechts af en toe een enkele slag. Jij zit in dit hart, jij bent die sto-

ring die het leven is. Het zou er helemaal niet moeten zijn, het is niet geloofwaardig dat er beweging bestaat door andere krachten dan die van de tijd zelf.

Overal zijn alleen maar tralies, grendels en gesloten deuren, die, als je ze open weet te krijgen, alleen naar nog meer bakstenen muren leiden. We hebben alles afgebroken en weigerden het op een akkoordje te gooien. Voor ons geen kluisters of boeien, dat wezen wij allemaal af. Wij waren de enige volwassenen, de enige levenden.

Daarna gleed je gewoon weg uit mijn armen, of glipte je weg? Ik had het bijna niet door toen het gebeurde. Het kon niet gebeuren, het was onmogelijk. Door de schok kwam ik weer in actie.

Ik heb gevochten. Alles wat je zei, deed ik en alles wat je wilde hebben, kreeg je.

Die je niet krijgt. Die krijg je niet. Wat niet gaat. Dat gaat niet.

Wanneer de zuurstof op is, blijven er alleen kleine maar des te moeilijker beslissingen over. Als het hart nog slaat, dan gaat het niet. De atomen moeten stoppen met trillen, het gevoel mag niet meer voelen. Ik wil de stilte van het universum afkondigen, dan pas krijg ik rust.

Wat doe je met een zekerheid waar je niet om hebt gevraagd? Je hebt die zekerheid, die zie je telkens weer, je ontkomt er niet aan. En alles gaat zo snel, ik zie hoe Lekare op Sammy af sluipt, hem in het oog krijgt – de schrik! Dan het geweer, hij ziet Lekares geweer! Sammy kan niet meer denken, hij kan het niet geloven. Dan wordt het schot gelost en Sammy zakt tussen de pollen op het veen in elkaar. De hoge halmen zijn net hippies die zijn dood beklagen.

Is het zo gegaan? Hoe raak ik mijn demonen kwijt? Ze achtervolgen me. Het is de schuld van Bränd Sven, van zijn diagnose. Ik had nu vrij moeten zijn, maar intussen word ik steeds dichter naar het epicentrum van dit duistere drama getrokken.

Het begint al te schemeren, al is het programma *Na drieën*

nog maar net begonnen wanneer ik de contactsleutel omdraai om terug te rijden naar de personeelsvergadering die we hadden uitgesteld vanwege gebrek aan mensen. Maar nu moet het ervan komen. Ik verheug me erop mijn collega's te zien en hun verhalen te horen, terwijl Anki probeert ons in het gareel te krijgen en een logisch verhaal op papier te zetten over de mensen die het grootste gedeelte van onze tijd in beslag nemen, of we dat nu willen of niet.

De hele staf zit om de grote tafel. Gunilla zet koffie, Anki rent in en uit met papieren en het lawaai is oorverdovend. Ik weet een plekje te vinden tussen Veronica en Ruth. Ik zie dat Veronica moe is, maar ze zegt er niets over; ze glimlacht, knijpt in mijn zij en laat haar halsketting en oorhangers rammelen. 'Hoe gaat het met Patrik?' vraagt ze. Ik zeg dat hij meer moeite heeft met praten, maar dat Bränd Sven daar vandaag was, zodat hij godzijdank iets anders had om over na te denken.

'Bränd Sven, ja. Het is echt triest, wat er in de bergen is gebeurd. Die man is een klasse apart, vraag het me maar, ik kan het weten!'

'Wat weet je dan als ik vragen mag?'

'Afgelopen zomer, in de Week van het Dansorkest, vroeg hij me ten dans en hij kon beter dansen dan je zou denken.'

'Waar waren de kinderen?'

'Bij hun vader en bij oma. Bränd Sven is natuurlijk een forse man, maar licht en soepel als een tijger, we vlogen ervandoor. Het orkest van Lasse Stefanz speelde, het was druk op de dansvloer en ik ben natuurlijk ook de kleinste niet, maar met deze man aan het roer maakten we een rondje over de baan zonder ook maar de kleinste botsing. Na een paar dansen bracht hij me rustig en beleefd terug naar de plaats waar hij me had gevraagd. Daarna kwam hij nog een paar keer terug. Ik dacht half en half dat hij ergens op uit was, hij had me gin aangeboden en ik was vrolijk en gevleid – die Värmlander, je weet wel, was toen net weer teruggegaan naar zijn vrouw, het was hem opeens te binnen geschoten dat hij die had. Dus daarom gaf ik Bränd Sven de laatste dans. En toen die afgelopen was, vroeg hij of ik een lift wilde. Hij was met de auto, zie je, en ik was moe en had geen zin om naar huis te lopen en een beetje spannend was het ook wel. Hij is immers bijzonder, een hoge pief, en een heel stuk ouder, maar ik vond hem toch erg leuk, al lag dat misschien aan de gin. Nou ja. Hij bracht me rechtstreeks naar huis, hij reed niet eens een rondje door ons geliefde Grönland. En wat denk je dat er voor de deur van mijn huis gebeurde?'

'Hij dook boven op je, zeker?'

'Ja, dat zou je toch verwachten, hè? Maar nee. Hij keek me aan, pakte mijn hand en kuste die voorzichtig! Daarna wenste hij me een goede nachtrust en bedankte me voor een plezierige avond. Ik was zo verbaasd dat ik bijna vergat uit te stappen. Dat was me nog eens een man, een echte gentleman!'

'Ja, maar wil je dan geen kerel in bed?'

'Jawel, maar het is toch veel leuker als ze een beetje tegenstribbelen? Dat gebeurt bijna nooit. Het tegenovergestelde wel, maar zo was hij niet. Ik dacht dat ze niet bestonden, maar hij was echt zo. Ik kon mijn ogen daarna niet van hem afhouden, telkens als ik hem zag. Maar hij is zo correct en beleefd dat ik niet tot hem doordring. Misschien wil ik dat ook niet. Ik ben alleen nieuwsgierig naar die man, dat mag toch? Dat zal mijn grote fout wel zijn, maar wat kun je hier verder nog voor leuks doen?'

'Je kunt toch gaan kantklossen?'

Ze lacht. Haar oorhangers rinkelen. 'Wat moet een arm meisje doen in een afgelegen plaats als deze? Dan moet je toch wel verliefd zijn, dan is het nog een beetje uit te houden.'

'Er zijn grenzen', zegt Ruth, die aan de andere kant van haar zit en alles heeft gehoord. 'Ik zeg alleen "Venjan".'

'Oké, zo verliefd ben ik op dit moment niet, maar dat verandert wel weer. Ik begrijp die haast niet, acht seconden, wat zeggen jullie daarvan? Ik zal die man niet meer zien, maar daar kan Venjan toch niets aan doen?'

Nu heeft Anki haar schoen uitgetrokken en slaat ermee op tafel. Iedereen lacht en het geroezemoes houdt op. Ze begint met de verslagen en ik raak in gedachten verzonken. Ik verlang naar rust en vrede en zoek naar het punt in mezelf waar ik voor niemand te bereiken ben, waar ik veilig ben, mezelf.

Ik denk erover na dat het gemakkelijker is om arm te zijn hier in dit dunbevolkte gebied dan in de grote stad. Je gevoel van eigenwaarde redt zich op een andere manier en ook al is het niet echt waar dat *the best things in life are free* – die spreuk is vast bedacht door de een of andere rijke stinkerd – toch kun je hier genieten van dingen die niet voor geld te koop zijn. Hier heb je vooral tijd, de luxe om ergens de tijd voor te nemen – dat is meer dan menig directeur durft te doen. Misschien kan die af en toe wegvluchten naar een exclusief vakantieoord, maar kwaliteit van leven is niet iets voor af en toe. Gewoon kijken naar de bomen die heen en weer bewegen in de wind, naar de vogels die ruziën en pikken bij de voederplank, een boswandeling maken of gaan skiën of sleeën als het winter is. Dat is luxe, het kost niets en is goed voor je gezondheid en je figuur. Voor mijn geestelijk welzijn heb ik de stilte, het ontbreken van motorgeluiden en storende muziek, en het gezang van de vogels. De lucht is zo schoon dat er overal baardmos groeit, ik heb geen last van uitlaatgassen of de walmen van cafetaria's en de jaargetijden zijn duidelijk, het zijn gebeurtenissen. Het is dramatisch wanneer de duisternis invalt en de natuur zich ter ruste begeeft, of wanneer het licht terugkeert, het smeltwater van het dak loopt en de trekvogels terugkomen, en daarna dag en nacht zo veel licht dat je erbij kun lezen. De natuur geeft me energie in tegenstelling tot de stad, waar alle energie uit me wegliep zodra ik de straat op ging. In het bos los ik problemen op en daarna wil ik mensen zien of iets leuks doen. Ik ben sterker geworden sinds Jan en ik onze eigen weg gingen en ik hier ben komen wonen.

'Over de Week van het Dansorkest gesproken,' fluistert Veronica, 'ik moet aan Peggy denken. Vorige zomer, midden op de dag, hier in het Grönlandpark, het was heel druk en de ene artiest na de andere stond op het toneel, er heerste een vrolijke, ongedwongen sfeer en ik stond naast Peggy en die klootzak – want dat is het toch – was er ook bij. Ik wilde haar even spreken, heel onschuldig een paar woorden met haar wisselen. Toen hij zag dat ik haar een eindje mee wilde trekken pakte hij haar hand en arm met beide handen vast. Hij hield haar puur fysiek vast alsof ik haar van hem wilde roven. Hij hield haar arm vast en liet niet los, ook al wilde ik even een eindje verderop met haar alleen praten. Ze rukte zich niet los, ze liet het toe. Ze stond daar alsof ze vastgebonden was, als een dier op weg naar de slacht. Het verbaasde me niet toen ik hoorde wat hij met haar had gedaan. Ik vond al dat ze zo warm gekleed was met dat shirt met een hoge hals en lange mouwen ook al stond te zon te branden aan een wolkenloze hemel.

'Peggy was toch niet iemand die over zich heen liet lopen?' fluister ik terug.

'Dat is het rare', antwoordt Veronica. 'Ze was normaal gesproken niet op haar mondje gevallen, maar als Klas Lekare erbij was, gedroeg ze zich heel anders. Ze hing aan zijn lippen en liet hem de dienst uitmaken. Het leek wel of ze ervan genoot. Hoe noem je mensen met zo'n afwijking, masochisten? Zo iemand leek zij wel. Al weet ik dat ze in wezen stoerder is dan jij of ik.'

Aangezien ik toch bij de Shellpomp ben, die iedereen nog steeds Koppis noemt, ook al is het zeker dertig jaar geleden dat die van Koppartrans was, blijf ik besluiteloos voor de schappen staan nadat ik voor het verwisselen van de banden heb betaald.

Het Malungse woord *ofridu* betekent 'rusteloos', maar dan dieper; het zijn niet zomaar onbehaaglijke gevoelens en impulsen waar je last van hebt, maar je staat voor zwaardere dilemma's. Dat soort rusteloosheid heb ik nu, die nachtmerrie zit me dwars, ik kan geen rust meer vinden in mezelf. Van thuis een was gaan draaien en de tv aanzetten zou ik alleen maar nog gejaagder worden.

Ik doe wat ik altijd doe – ik vat de eland bij zijn gewei en doe iets drastisch. Soms werkt het, soms loopt het in de soep. Maar elke activiteit is te verkiezen boven kalmte en rust; dat komt later wel weer.

Eerst herkent ze me niet, maar voor ik het kan uitleggen valt het kwartje. 'Kom binnen', zegt ze. Een van de vriendinnen van de vorige keer zit in de keuken, is ze daar al die tijd blijven zitten? Nu ziet ze er nog matter uit en zodra ze ziet dat ik op Peggy's aansporing mijn jas uittrek, verontschuldigt ze zich en glipt weg.

Peggy bedankt voor de film die ik heb gekocht en die ik met overleg heb gekozen; hij mocht niet te somber zijn, maar ook niet te idyllisch, hij moest haar afleiding bieden, haar een paar uur laten ontsnappen. Kennelijk staat het relatiedrama dat ik heb uitgezocht haar wel aan; de hoofdrolspelers zijn jong en verliefd, maar het geloof staat hun liefde in de weg, staat er op de achterkant van het doosje. Ze bedankt me zelfs met een glimlach. 'Veel leuker dan een bloemetje, wat attent van je!'

Ze ziet er beter uit dan de vorige keer, ze is niet opgemaakt, maar ze heeft geen dikke, roodbehuilde ogen meer. Ik vraag hoe het gaat en ze antwoordt dat ze daar geen antwoord op kan geven, dat wisselt continu, elke minuut is een strijd, ze laat hem komen en slaat zich erdoorheen. En aldoor komen er nieuwe uren en minuten die ze moet zien door te komen. Maar ze heeft wat geslapen, en ze eet. Ze heeft het druk gehad met de begrafenis, met keuzes en beslissingen.

Ik schaam me. Ik heb me niet gerealiseerd dat de jongen nog niet eens begraven is, en dat is zo'n vreselijke tijd, het vacuüm tussen het overlijden en de begrafenis. En dan kom ik haar ook nog op achterbakse wijze storen in haar rouwverwerking. Ze is met haar gedachten bij haar zoon en bij het feit dat hij er niet meer is, en ik denk alleen aan Klas Lekare. Ik schaam me en ik vind het een beklemmende gedachte dat ze moet vechten om er niet onderdoor te gaan of misschien in het gesticht te belanden of zelfs de hand aan zichzelf te slaan.

Ze gaat me voor naar de woonkamer. Een klein lampje voor het raam is niet in staat de schemering daar te verdrijven. Ik beland in een diepe, veel te zachte fauteuil en kan Peggy's gelaatstrekken niet onderscheiden als ze vraagt of ik iets wil hebben.

Nadat ik koekjes, koffiebroodjes, ijs en zoete likeur heb afgeslagen, besluiten we de restanten van haar lunch samen te delen.

Ze verdwijnt naar de keuken, ik hoor haar rommelen, en daarna komt ze terug met borden, bestek, een paar biertjes en servetten. Als de magnetron heeft gerinkeld zegt ze 'eet smakelijk' en serveert een stuk pizza met runderfilet; de bearnaisesaus is gaan schiften. Het ruikt lekker en we vallen aan.

Het kost me weinig moeite om haar aan het praten te krijgen over Klas Lekare, en ik voel me net iemand van de maffia. In antwoord op mijn vraag zegt ze: 'Nee, die komt hier niet, dat mag hij niet.'

Er komen wel een paar tranen, haar hand gaat naar haar gezicht, ze veegt ze haastig weg en kauwt verder. Daarna pakt ze het servet, veegt daarmee verder en zucht. Ze laat haar bestek vallen.

'Dat mag hij dus niet. Mijn zoon heeft erg onder onze ruzies geleden. Jeugdzorg was ingeschakeld. Verstandelijk weet ik dat het goed is dat hij hier nooit meer komt. Maar mijn hart bonst en doet pijn. Soms denk ik dat Klas de enige is van wie ik ooit echt heb gehouden. Wat maakt het eigenlijk allemaal nog uit, nu Sammy er niet meer is? Klas zag me zoals ik ben. Hij drong door al mijn pantsers heen, hij zag wie ik echt ben, hij was de enige die een goed beeld van me had.'

'Wat zag hij dan? Dat hij je moest slaan? Sorry, Peggy, maar dat schijnt iedereen te weten.'

'Dat gebeurde alleen als hij had gedronken. Anders was hij feitelijk ... helemaal oké. Hij is nu allang van de drank af. En hij heeft me daarna nooit meer lastiggevallen of zich aan me opgedrongen.'

'Nee, Peggy! Niet doen, alsjeblieft. Met dat soort figuren wordt het nooit wat. Die kant moet je helemaal niet op met je gedachten.'

'Je kent hem niet. Je weet niets van hem, hoe hij is wanneer ik alleen met hem ben en met hem praat. Hij kan goed luisteren, hij geeft om mij.'

'Sorry, Peggy. Het zijn natuurlijk mijn zaken niet. Maar weet je zeker dat Bränd Sven het dodelijke schot heeft gelost? Zou Klas niet de dader geweest kunnen zijn?'

'Wat zeg je? Waarom zou Bränd Sven daarover liegen? Hij weet toch zelf wel of hij heeft geschoten of niet? Hier zit Marlene natuurlijk achter. Ze kon er niet tegen dat ik zo gelukkig was, zo verliefd. Ja, voordat het allemaal ontaardde, toen hij nog niet dronk. Ze heeft me nooit kunnen uitstaan, zo is het. Dat Bränd Sven zich ermee bemoeide, daar had zij vast iets mee te maken, en nu probeert ze Klas Lekare te laten oppakken wegens moord! Ik verbaas me nergens meer over.'

'Rustig, Peggy. Sorry. Marlene heeft hier niets mee te maken, ik ...'

'Ik zal je één ding zeggen. Meteen toen ik hoorde dat zij mee was gegaan, wist ik dat er iets niet in de haak was. Zo veel betrokkenheid opeens. Terwijl ze nog nooit naar Sammy of naar mij had omgekeken. Maar toen hij doodging, was ze erbij.'

'Ze was erg dol op Sammy.'

'Dat heeft ze jou verteld, ja. Maar ik ken haar. Ze had zelf geen kinderen. Ze was jaloers. Ze wilde me breken, dat heeft ze meerdere keren gezegd. "Jij zou een keer flink op je donder moeten krijgen", heeft ze gezegd. Ze heeft me nooit geholpen, ik heb me altijd zelf moeten redden. Ze is zo verdomd slim, ik wed dat ze dit allemaal in scène zou kunnen zetten. Die vrouw heeft contacten en ze is zo gehaaid als wat, ze intrigeert en heeft een naar karakter, maar er zijn maar weinig mensen die haar kennen. Ze is tot alles in staat.'

'Nou moet je ophouden. Je begrijpt toch wel hoe dwaas zulke gedachten zijn? En ook gevaarlijk, het is kwaadspreken, het leidt tot niets.'

'Als jij beweert dat Klas de schutter was, mag ik toch zeker wel beweren dat het Marlene was? Wat is het verschil als ik vragen mag?'

'Laten we hier maar niet over doorgaan, verkeerd idee van me, ik draafde door. Als er iemand is die wil dat de waarheid aan het licht komt, ben jij het wel.'

'Het is kwaadsprekerij. Dat heb je zelf gezegd.'

'Je hebt gelijk. Sorry dus. Jij kent Klas Lekare natuurlijk en dus weet je dat hij jou iets dergelijks nooit zou kunnen aandoen. Toch?'

Nu blijft ze eindelijk het antwoord schuldig. Ze buigt haar hoofd en wijdt zich aan de pizza en ik heb het vermoeden dat het antwoord uitblijft vanwege beelden die ze niet tegen kan houden. Ze weet waar hij allemaal toe in staat is. Ze heeft aan den lijve ondervonden hoe gewelddadig hij is en hoe gemakkelijk huid, vlees en botten kapotgaan. Er zullen nu wel dreigementen van hem door haar hoofd spelen, dat hij haar of haar zoon zou mishandelen, misschien zelfs wel doodsbedreigingen. Het lijkt wel of Klas Lekare haar een dienst bewees door haar te straffen. Ik denk dat ze daarom zo'n geïdealiseerd beeld van hem heeft. Haar zelfvertrouwen is helemaal niet zo groot als Marlene dacht. 'Hij keek door al mijn pantsers heen.' Ze heeft dus een pantser. Daar is Marlene nooit doorheen gekomen. Daarachter verbergt zich misschien het kleine meisje dat vroeger luisterde naar alles wat haar liefhebbende ouders tegen haar zeiden. Dat meisje zit daar nog steeds, ze verlangt naar een sterke vader die overal een antwoord op heeft en die de verantwoordelijkheid op zich neemt om complimenten uit te delen en haar de nodige bevestiging te geven, van hartelijke woorden en strelingen tot straf en 'foei' als ze iets verkeerds doet.

De sfeer is bedrukt geworden. Ze heeft me vast binnengelaten omdat ze dacht dat ik nieuws had en dat ze op zou knappen van mijn bezoek, maar het tegendeel is waar. Het ergste is dat ik er nu nog sterker van overtuigd ben dat Lekare de dader zou kunnen zijn. Ook al hebben ze allang geen contact meer, toch staat ze onder zijn invloed. Dat bagatelliseert ze, ook al was hij er de oorzaak van dat Sammy bij jeugdzorg belandde. Zelfs de dood van haar zoon brengt haar er niet toe afstand te nemen en in te zien wat voor een afschuwelijke man Klas Lekare is geweest en waarschijnlijk nog steeds is.

Maar ik ben ervanaf. Als zelfs de moeder van de overleden jongen geen kritische vragen wil stellen over wat er is gebeurd, maar zich vastklampt aan de versie waar iedereen voor heeft gekozen, blijf ik er niet over bezig. Ik zal hem laten gaan. Ik zal niet meer moeilijk doen en ik zal mijn eigen verborgen motieven eens onder de loep nemen. Mijn leven zal wel te armzalig, te onbeduidend zijn. Misschien zoek ik sensatie en voel ik me te goed om gewoon te roddelen. Daarom volg ik het eerste het beste spoor dat wegvoert van de zwaarmoedigheid en de angst en van mezelf. Zo simpel zal het wel zijn. Nu zal ik me vermannen en bijvoorbeeld stoppen met zielig doen en naar de nok van mijn huis klimmen. Als ik vind dat een man dat moet kunnen, zal ik er zelf ook aan moeten geloven.

Er is alleen sport op de radio, ik zet hem uit en hoor het nieuwe geluid van de winterbanden. Peggy's pizza ligt als een blok op de maag, en buiten is het stil en donker.

Ik rijd rond over verlaten wegen en besef na een paar kilometer dat ik de ellendige gebeurtenissen van me af heb gezet. Ik ben opgelucht – ik kom niet verder, ik ben geen politievrouw en geen detective en ik moet me er niet mee bemoeien.

Om de kerk heen, dan de volkshogeschool, het streekmuseum, in noordelijke richting langs Skinnarvallen en Rosengrens. De Lisagatan ligt er net zo verlaten bij als de oude dorpswegen en de duisternis is er al bijna net zo compact.

Des te witter licht het interieur van de pizzeria op, het is net een toneel, een schilderij van een Amerikaanse kunstschilder die ik op tv heb gezien, grote schilderijen, jaren vijftig, mensen in helder verlichte lokalen en bars, waar ze alleen maar zitten, schaduwen buiten.

Daarbinnen leiden ze hun leven als in een aquarium.

Terwijl het tableau achter me verdwijnt, komt het signaal bij mij binnen en opeens besef ik wat ik heb gezien.

Ik rem af en stop. Rijd achteruit. Langzaam komt het beeld weer langszij, het verlichte tafereel dat net een schilderij is. Hij staat in het midden.

Hij is de enige klant. De nieuwe Zweed met het zwarte haar die samen met een aantal anderen helemaal tot hierheen is doorgedrongen, is druk bezig in zijn pizzeria. Hij is altijd open, ook op stille avonden zoals deze.

De centrale gestalte op mijn schilderij wacht en kijkt tv, terwijl de pizzabakker heen en weer loopt achter de toonbank.

Zijn paardenstaart komt onder zijn honkbalpetje uit en hij staat met zijn rug naar me toe met het geflikker van het scherm als een stralenkrans om zijn hoofd.

Buiten in het donker staat als een silhouet zijn auto, even krakkemikkig als die van mij. Wij zijn de enigen hier. Toch ga ik zo dicht naast hem staan dat hij zich zijn auto in moet wurmen als hij aan de bestuurderskant wil instappen. Ik kan dat soort stoere binken niet uitstaan, van die domme dikdoeners, wat denken ze wel? Ik ga gewoon even met hem praten.

Niet meer over nadenken – meteen doen! Ik sla mijn eigen laffe waarschuwingen in de wind. Wat nou beloften en voornemens? Moet hij hier gewoon kunnen gaan en staan zonder dat iemand iets zegt? Terwijl je het weet? Dat hij Peggy de tanden uit de mond heeft geslagen, is hij daar ooit op aangesproken? En al die andere dingen, Sammy niet te vergeten. Ik ga gewoon even met hem praten.

De pizzabakker begrijpt meteen dat ik niet ga bestellen. Maar Klas Lekare wordt in beslag genomen door de tv, een belangrijk programma inderdaad, over slangen, hoe ze vervellen, hoe toepasselijk. Ik ga voor hem staan zodat hij mij wel moet aankijken.

Hij gluurt naar de toonbank, hij wacht op zijn bestelling. Misschien is zijn bloedsuikergehalte te laag en verklaart dat waarom hij niet teruglacht. Mijn glimlach zit echter van oor tot oor vastgeklonken.

O ja, nu weet hij het weer, nu herkent hij mij. Hij praat gehoorzaam over het gebeurde, als ik dan zo tactloos ben om binnen te komen banjeren om dat met hem te bespreken, terwijl hij duidelijk uitgehongerd is en zo snel mogelijk weg wil.

Ik beheers me en na wat gepraat over koetjes en kalfjes zeg ik, nog steeds met een glimlach, dat ik niet geloof dat Bränd Sven de dader is.

Hij pakt de afstandsbediening die op een tafeltje ligt, zet de tv uit en vraagt waar ik het over heb, verdomme? Waar haal ik het vandaan? Heeft de politie iets gevonden?

Ik stel hem gerust, ik verzeker hem dat het alleen mijn eigen bedenksels zijn.

Maar dan stel ik een vraag: 'Heb je het Peggy ooit kunnen

vergeven dat je niet terug hoefde te komen na die ruzie? Geniet je ervan dat ze nu in het stof bijt?'

Hij zwijgt, stomverbaasd. Op dat moment komt er een klant binnen en Klas Lekares pizza is klaar, hij pakt hem aan.

Hij houdt hem voor zich en loopt weg. Opeens stopt hij. Hij draait zich om en komt vlak bij me staan. Ik word misselijk van de pizzalucht. Hij buigt over de pizza heen en fluistert zacht: 'Hier krijg je spijt van. Je denkt dat je iets weet, maar wacht maar af, je zult nog raar staan te kijken!'

IV

DE TANDWIELEN VAN DE MACHINERIE grijpen in elkaar. Op een middag rijd ik van het ene afgelegen dorp naar het andere, dat doe ik graag, ik vind het prettig om de flats achter me te laten, op weg naar de verhalen en de legendes. Een passerende toerist ziet niets bijzonders aan de huizen en weilanden, de houten schuren, bergen en heuvels, maar voor mij is alles doortrokken van de verhalen de ik heb gehoord over mensen die hier rondliepen of daar woonden, of over iemand die een molen had aan de beek die je bijna niet meer kunt zien vanwege het hoog opgeschoten struikgewas, waar met een machine houten dakspanen werden uitgestoken.

Onderweg kom ik een zigzaggend autootje tegen; het is geen dronken bestuurder, maar de bezorger van *De Looier*, die alle brievenbussen aandoet, want het blaadje is gratis. Nu is het feest aan elke keukentafel, het krantje wordt zorgvuldig gelezen, vooral door bejaarden.

Ik verschoon steunverband en leeg toiletstoelen en katheterzakken, ik maak een praatje en voer iemand die het als een klein kind vertikt om te eten. Een oude vrouw kijkt me met een eigenaardige blik aan. Ik zie dat het plaatselijke blaadje voor haar ligt en ik krijg de indruk dat ze wil dat ik opschiet, zodat ze verder kan lezen in de belangrijkste krant van de week, ook al staan er bijna alleen maar advertenties in.

Bij Hol Britt Kersti krijg ik het commentaar: 'O, je leeft dus nog?' Wat een rare opmerking.

'Ik ben er nog, zoals je ziet', antwoord ik. 'Al voel ik me soms meer dood dan levend met die verkoudheden die nu in de herfst weer beginnen.'

In een ander huisje is de dochter op bezoek, het wordt doodstil wanneer ik binnenkom, niemand zegt iets. Ze staren me aan en uiteindelijk ga ik tussen de klusjes door stiekem voor een spiegel staan. Geen vlekken, ik heb niet geknoeid en mijn mascara loop ook niet uit. Toch voelt het net alsof ik een briefje op mijn rug heb waarop staat dat ik melaats ben.

Wanneer ik eindelijk thuiskom, is het donker. In de brievenbus liggen een elektriciteitsrekening, reclame en *De Looier*. Het is een leuk blaadje om te lezen, het onderscheidt zich van andere advertentiebladen doordat er soms ook beschouwingen, interviews en zelfs reportages in staan, die weliswaar heel lokaal zijn, maar daarom juist niet te overtreffen. Er is altijd wel iemand die je kent die is overleden of die zijn computer wil verkopen of zijn verjaardag groots wil vieren en soms worden er ook evenementen, voordrachten of demonstraties aangekondigd, goedkope en gezellige uitjes waar je andere mensen kunt ontmoeten.

Ik maak een kopje oploskoffie klaar, ga zitten en begin te lezen. Voorin staan de kerkelijke berichten en dan komen de overlijdensadvertenties. Op dat moment hoor ik een portier dichtslaan. Dat moet iemand zijn met een heel stille auto, want ik heb geen motor gehoord.

Terwijl ik verbaasd over mezelf lees dat ik dood ben, plaatselijk beroemd:

Mijn moeder Siv Dahlin, geboren 16 juni 1959, heeft me vandaag met een onbeschrijflijk verdriet en gemis achtergelaten

gaat de keukendeur open

Malung, 1 oktober 2006

Åsa

In plaats van bloemen graag een bijdrage voor het fonds voor onschuldig veroordeelden

en komen Mor Lennart en Harskari Olof binnen.

De begrafenis zal plaatsvinden.

Eerst ben ik alleen maar verbaasd. Het is zo onwerkelijk en bijna komisch. Wanneer ze de keuken in stappen, glimlach ik naar hen, weten zij iets, is het niet compleet ongelooflijk?

Daarna lees ik het nog eens, terwijl ze bij mij aan tafel aanschuiven. Ze zijn in burger en groeten beleefd, maar ze zijn ernstig, ook al laat ik duidelijk merken dat ik blij ben hen te zien.

Ik begrijp er niets van. Zij wel? Ik glimlach nog steeds naar hen. Maar denk maar niet dat zij glimlachen.

Daarna begint de machinerie langzaam weer op gang te komen. Het gaat zo traag, net alsof die vrouw in mijn binnenste, die mijn ware ik en mijn persoonlijkheid is, niet beseft dat mijn leven misschien op het spel staat.

Dit is natuurlijk belachelijk. Ik moet lachen. 'Het is treurig', corrigeer ik mezelf wanneer ik hun sombere blikken zie. Wat is dit? Een grap? Van wie? En waarom? Als dit leuk moet zijn, dan stelt de humor hier nog niet zo veel voor, en hoe kun je aan zoiets meewerken?

'We hebben de verantwoordelijke personen al gesproken', antwoordt Olof. 'Bij *De Looier* heeft niemand hier een bestelling voor gekregen, er is geen factuur, geen datamatrix en het is pas ontdekt toen de kranten al onderweg waren. De advertentie staat op de plaats van een andere, die is weggehaald; die had hetzelfde formaat, zodoende zagen ze de vergissing pas toen het al te laat was.

En wat komen de heren doen? Komen ze voor de gezelligheid of staat hun bezoekje met de advertentie in verband?

Ze schuiven heen en weer. Een uur voordat hun dienst erop zat, is het blaadje op het bureau bezorgd. Ze hebben geprobeerd mij te bereiken, maar ik was kennelijk ergens waar geen bereik was. En toen hadden ze vrij, maar het liet hen niet los. Nu willen ze dat ik morgen aangifte ga doen en dat ik hun nu vast vertel wat er aan de hand is. Heb ik iets gedaan wat iemand zo vals heeft gemaakt? Het is vast een grap, hoe smakeloos ook. Heb ik iemand zo boos gemaakt dat die het nu op mij heeft gemunt?

'Klas Lekare', zeg ik. 'Die werkt daar op de drukkerij, hij zal er wel iets mee te maken hebben. Hij vindt misschien dat ik hem heb bedreigd en nu neemt hij wraak.'

Ik vertel van mijn bezoek aan Peggy. Dat ik niet van plan was verder te snuffelen nadat ik haar had gesproken, maar dat haar zwak voor Klas Lekare me stoorde. 'Toen werd hij me daar in de pizzeria als op een presenteerblaadje aangeboden. Het gebeurde gewoon, ik heb alleen maar tegen hem gezegd dat volgens mij niet Bränd Sven, maar iemand anders de jongen had neergeschoten, misschien dat ik nog iets heb gezegd wat verkeerd is gevallen.'

Zoals wel vaker wisselen ze een blik van verstandhouding. Ze zijn een team, net als Bill en Bull uit *Pelle Svanslös*, maar minder dom. 'Je moet morgenochtend meteen aangifte doen zodra we open zijn', zegt Lennart. 'Maar wees niet bang. We pakken hem zelf wel aan, dat is het simpelst, dat is voor iedereen beter, ook voor jou en voor hem.'

Harskari Olof wrijft over zijn armen, dat doet hij vast onbewust, en Mor Lennart masseert zijn gebalde rechtervuist. Opeens gaat mij een licht op en ik voel het kriebelen op mijn hoofd.

Maar ik ben er blij mee en verheugd dat het dus echt waar is. Een lakse, bureaucratische organisatie met een rampzalige leiding, die de mensen moet beschermen tegen boeven, terwijl er nog steeds geen vermindering optreedt in het aantal vrouwen dat door hun voormalige partners, tegen wie ze meestal aangifte hebben gedaan, wordt vermoord. Niemand is zijn bezit of zelfs zijn leven meer zeker, de agenten zitten achter hun bureau en houden zich met andere dingen bezig, maar er zitten nog gedreven dienders tussen.

Ik had zo veel kritiek, nu krijg ik mijn trekken thuis. Ik wilde niet weten wat er gebeurt als politieposten sluiten. Maar iemand heeft me eens verteld dat het iedereen tot híér zat dat er zo veel werd gestolen uit zomerhuisjes, uit bosbouwmachines, gereedschapsschuren en op industrieterreinen, dat een paar mensen de handen ineen hebben geslagen om het probleem zelf aan te pakken. Met succes. In plaats van hoogst onzekere rechtszaken die bespottelijk lang konden duren, hebben ze een lik-op-stukbeleid gevoerd. Het ging er niet zachtzinnig aan toe, maar nu wordt er niet meer gestolen. En de recidive schijnt verwaarloosbaar te zijn. De politie moet met vier man door heel Noord-Värmland, Noord-Dalarna en heel West-Dalarna patrouilleren, ze hebben geen schijn van kans. Dat weet iedereen. Vooral de mensen die de politie mijden. Maar die hebben nu geleerd dat een privé-auto minstens zo gevaarlijk kan zijn als de politieauto's die je nooit ziet.

Dus ze willen Lekare zelf aanpakken?

Ze redden mij. Omdat ze me kennen en me graag mogen. Ze willen hem bang maken, een pak slaag geven misschien? Ik weet ervan, maar ik zeg niets. Ik zeg niets en dan rinkelt de telefoon bij mij in de hal. Ik zeg dat ze rustig moeten blijven zitten, ik wijs naar de koelkast – daar zit wel wat in, ga je gang, ze moeten intussen zichzelf maar bedienen.

De ene na de andere kennis belt. Ze zijn boos, verdrietig, verontwaardigd. De verantwoordelijke uitgever belt ook, het spijt hem heel erg en hij wil het goedmaken.

Wanneer ik terugkom in de keuken zijn ze weg. Maar van mijn potlood, dat ik gisteren heb geslepen toen ik weer verder wilde gaan met mijn kruiswoordpuzzel, is de rug gebroken.

Ik fleur ervan op, ze zullen Klas Lekare niet de kans geven mij iets aan te doen.

Maar als ik ga zitten, is dat nog maar net op tijd. Ik heb geen controle over mijn benen en tril als een espenblad. Ik ben niet bang om dood te gaan. Maar dat iemand zo over mij denkt, dat hij mij dood wenst, is erg genoeg. Het is niet eens oorlog, maar ik huiver van angst. Als dit goed afloopt, zal ik nooit meer provoceren. Ik houd me gedeisd, wat er ook gebeurt.

Je denkt dat het een schreeuw om hulp van me is. Maar iemand met schuldgevoelens opzadelen en ziek verklaren is niet de juiste weg. Ik heb geen hulp nodig, ik ben mezelf.
Als je je opgelucht voelt en je hebt weer heel veel zin in het leven, is dat niet verkeerd, zolang je niemand kwaad doet. Ik heb nooit iemand kwaad gedaan. Misschien heb ik weleens iemand pijn gedaan, maar dan was dat niet met opzet. Ik liet me door levenslust en opluchting overspoelen en wie wilde, kon meegaan, je hebt aldoor geweten hoe het zat. Ik liet alleen de boeien vallen. En ik viel. Ik liet de remmen los en liet me vangen in wolken van een ander bestaan, en het was fijn dat jij daar was.
Je vroeg me waarom ik toch zo hard was. Je adviseerde me om met de hele hiërarchie van koning, edelen, lakeien, wapendragers en boeren te breken, er waren andere wetten, het waren andere tijden, en vrouwen willen niet meer stilzitten en alleen maar toekijken, uitverkoren zijn om te bewonderen. Je zei dat het tegenwoordig geen juiste gedachte meer is, vrouwen verlangen niet meer naar mannen die zich op de borst slaan en laten zien wat ze gewonnen hebben, nee, de tijden zijn veranderd, jullie kijken naar het innerlijk en maken jullie niet meer druk om de buitenkant, geld kunnen jullie zelf wel verdienen.
Je maakt een denkfout, schat. Dacht je dat dit voor jullie was?
Dat heb je dan helemaal mis. Jullie betekenen heel weinig, jullie betekenen niets. We doen het voor de anderen.
Ik weet dat je het verkeerd wilt begrijpen, dat het niet doordringt wat ik zeg.
Ik ben de grens gepasseerd. Ik heb alle rollen uitgeprobeerd. Ik weet meer dan andere mannen. Ik weet hoe het is om te zijn als jij, ik weet hoe het is om een vrouw te zijn en door een man te worden begeerd. Ik weet daarnaast ook hoe het is om als vrouw een andere vrouw te begeren, ik ben immers een man, dat ken ik ook.
Wie een onbekend continent ontdekt en het claimt is een held, vooral als het als gevaarlijk en avontuurlijk bekendstaat. De angst

moet overwonnen worden, het klimaat en het terrein moeten worden bedwongen. De veelvuldige terugtochten zijn van het grootste belang, opdat je niet zomaar bezwijkt en daarginds achterblijft. Opdat je weer thuiskomt.
Het kan gebeuren dat je vanuit je innerlijke vrouw een man begeert. Dat is een dode hoek die niemand wil zien. Durf dat ook toe te laten. Misschien dat het voor sommigen toch zo is. Aangezien wij – maar ik niet – alleen onze soortgenoten respecteren. Ware begeerte en ware liefde kun je alleen voelen voor iemand op wie je niet neerkijkt.
Misschien heb je gelijk, hoe vreselijk dat ook mag zijn.
Het is dus niet omwille van jullie. Jullie overschatten jullie betekenis altijd. Jullie zoeken overal te veel achter en telkens wanneer we zwijgen, vatten jullie dat op als een teken dat we met stomheid geslagen zijn over jullie betekenis – gewoonweg idioot.
'Helaas', kan ik alleen maar zeggen. We doen het voor de anderen. We laten ons gaan, we spelen verwoed en leren nog iets op de koop toe, net als bij echte spelletjes.
Het is niet om jou. Zo belangrijk ben je niet. Je houdt alleen van iemand die je respecteert. Verliefdheden en spelletjes strelen het ego, maar dat is niet hetzelfde.

Ik hou van oude mensen, ik help hen graag en ben blij met mijn vak. Zelf ben ik nog niet oud, maar ook niet jong meer, hun situatie is mijn voorland. Ik zie het, ik ga daar straks ook wonen als mijn gezondheid het toelaat. Het is een groot voorrecht om zo oud te worden en dan de hulp te krijgen waar je om vraagt. Een voorrecht als het leven dan een einde krijgt dat – hoe onnatuurlijk ook – natuurlijk lijkt. En ik heb het geluk dat ik mag assisteren, dat ik getuige mag zijn van de zachte landing wanneer het leven uiteindelijk klaar is.

Maar ik zit te krap in de tijd en ik heb last van mijn rug, mijn nek en mijn schouders, ik heb continu pijn. Ik klaag zelden, maar in de auto tussen de verschillende adressen helpt 'De zon is er voor ons' van Christer Sjögren niet altijd. Dan zet ik de radio uit, praat hardop en luister naar mezelf.

De bomen wuiven in de mist en strooien met gele piasters, de bladerhopen worden steeds groter, je rijdt hier over straten van goud.

Verder stelt het niet veel voor. Maar het is van mij en ik wil niet anders.

Je hebt hier afgrijselijke knutten en afgrijselijke kou en daartussen deze nevel die nooit op lijkt te trekken.

Ik heb in ieder geval een baan. Hier zijn immers geen banen. De middelbare school zit in de gevarenzone, de dorpsscholen zijn al gesloten en aan het ooit zo modieuze hotel is al sinds mensenheugenis niets meer gedaan. De vaste vloerbedekking ligt nu langzaam te verschimmelen en de receptie ligt er verlaten bij als een overblijfsel van vroeger.

Soms komt hier iemand wonen. De lokale pers maakt veel tamtam, we hebben een nieuw schoolhoofd, een nieuwe beleidsadviseur bedrijfsontwikkeling, een nieuwe grote ondernemer, jippie!

Een paar maanden later komt de juridische nasleep, de gemeente is opgelicht, de ondernemer was een bedrieger, het schoolhoofd had valse referenties opgegeven en de beleidsadviseur had zelf een hele rij faillissementen op zijn cv staan.

Maar misschien is dat niet zo verkeerd. Misschien is er behoefte aan experts in faillissementen. Wanneer de volgende eenmanszaak zijn concept optimistisch aankondigt in de plaatselijke krant weten we meteen welke kant het op gaat. Voetverzorging, meubelonderhoud, psychische zorg voor honden en verpleegartikelen, je kunt alles verkopen met een startersbijdrage. Met de slogan 'Geloof in je droom' wordt de arme zwoegers een paradijs voorgetoverd, waarin ze representatie, visitekaartjes en een eigen brochure nodig hebben. Even later blijkt de stapel reclamemateriaal het enige wat ze nog hebben. 'Geloof in je droom' en word vooral niet wakker!

En ze verhuizen naar elders. Er vertrekken er meer dan er doodgaan en de gemiddelde leeftijd stijgt continu. Sommigen zwemmen echter tegen de stroom in, komen hier wonen en beweren dat alleen dode vissen met de stroom meedrijven. Ze zijn verkeerd begrepen als vaklieden, als familieleden, als leden van de maatschappij. Hier doen ze nieuwe energie op om weer in de aanval te gaan en om iedereen ervan te overtuigen dat ze eigenlijk winnaars zijn. Sommigen trouwen hier ook. Liefde maakt blind, en als die blindheid na verloop van tijd overgaat, is het te laat om contactlenzen aan te schaffen en opnieuw te beginnen. De meeste nieuwe bewoners zijn echter van die malloten zoals ik, die zijn teruggekeerd.

Niet per se omdat ze een bepaalde gevoeligheid hebben, maar zoiets moet het wel zijn. Wat ik in mijn omgeving zie en hoor heeft me altijd beïnvloed, ik kan me er niet voor afsluiten. Het bruisen van de stad groeide uit tot geraas, ik kon mezelf niet horen denken, ik ging eronderdoor.

Nu ligt de wereld er elke ochtend onaangeroerd bij. Ik ben benieuwd wat er gaat gebeuren, het is boeiend, een lekker buitje, de bedwelmende geuren van de herfst, ik wankel door alle indrukken heen, totdat de winter toeslaat en het leven tuchtigt, je zult weten dat je leeft. Maar dan komt het licht terug. De aromatische lente is zo barstensvol beloften die telkens niet gestand worden gedaan. Want het sneeuwt in mei, het licht in de midzomernacht is ijzig, en daarna komen de muggen die je dood kunt slaan en de knutten waar niets tegen te beginnen is. Je bent genoodzaakt de lieflijke avonden in de veel te korte zomer binnen door te brengen.

Dan staat de zon hoog aan de hemel tot tien uur en je moet het rolgordijn naar beneden trekken om naar een video te kunnen kijken. Het is bloedheet. Je spant fijnmazige horren, zodat je ramen en deuren tegen elkaar open kunt zetten, terwijl je badend in het zweet geniet van *Badgasten,* een oude film van Lars Molin over rijkelui uit Stockholm die een huis aan zee kopen, tot ongenoegen van de lokale bevolking.

In die film weten ze niet hoe goed ze het hebben. 'Als de sprinkhanen van Egypte komen ze hier – de badgasten.'

Ha! Doe mij zo'n plaag!

Op alle mogelijke manieren hebben we geprobeerd hen naar onze streek te lokken. We zouden niets liever willen dan dat zo'n zwerm sprinkhanen hier binnenviel. Wat een feest zou dat zijn voor bloedzuigers die hier al zitten.

Maar hier komen geen badgasten. En in de winter komen ze hier alleen op doorreis naar de bergen, naar hun eigen subcultuur daarboven waarvan wij niet weten hoe die werkt, daar hebben we niet achter weten te komen. Het is te snel gegaan, we konden het niet bijbenen. De bergtoeristen hebben behoeften op een niveau waar wij met onze pet niet bij kunnen. Wanneer wij onze fantasie gebruiken, bedenken we dat we misschien baardmos kunnen rapen in het bos om daarmee trollen te maken die we kunnen verkopen. Of dat we een dag of twee in een bakhuisje zouden kunnen staan bakken en voor een flinke stapel dun brood konden zorgen waarmee we de bergen in konden gaan om ze bij de pistes of langs de weg te verkopen.

Maar dat willen de toeristen niet. Trollen van baardmos en dun brood kunnen ze thuis wel in de Markthal kopen. Ze willen iets spiritueels, ze willen spanning en verwondering, schoonheid en ervaringen die uitstijgen boven wat de stad hun zo efficiënt kan bieden. Ze hebben niet de energie om twintig kilo bosbessen te plukken in acht uur en die dan voor acht kronen per kilo te verkopen. Niet eens als zelfkastijding, niet als je ook naar een klimwand bij een restaurant toe kunt gaan. Er is ook weinig animo voor een schommelende voettocht door zwarte knuttenzwermen over eindeloze veenmoerassen om uiteindelijk bij een overwoekerde zomerweide te komen waar nog nooit een mens van heeft gehoord en daarna langs dezelfde route weer terug te gaan.

Nee, we lopen hopeloos achter op de ontwikkelingen, we sloffen erachteraan, het gaat zo snel, we rennen alle kanten op en vallen ons blauwe plekken van de tegenstrijdige impulsen.

De badgasten verschansen zich in de bergen en we kunnen hen niet bereiken. Ze willen hierbeneden in het vlakke dal geen geld uitgeven en zien niet wat er zo mooi aan is. Schone natuur? Nou en? Dat geldt voor negentiende van ons land. Wandelen in het bos is immers gratis. We zitten goed hierboven in het hotel met onze super-de-luxe vrijetijdsbesteding, wat maakt het ons uit dat het duur is, de piste op en neer in een razende vaart, daarna après-ski, de kroeg, de bar en de nachtclub en daarna weer opstaan zodra de haan kraait om het maximale rendement te halen uit het recreëren. Het kost een paar centen, maar dan heb je ook wat, vinden de stedelingen. De bedroevende wijze waarop jullie je vrije tijd invullen is niets voor ons, en het duurt een half leven voor je daarin thuis bent.

Alsof wij hier niet ook onze verlangens hebben. Alsof wij geen immateriële behoeften hebben, behalve de zuiver kennisvergrotende en door de EU ondersteunde. Maar de wereld keert ons de rug toe. Alleen tijdens de Week van het Dansorkest is het daarmee iets beter gesteld. Dan komen er gelijkgezinden hier met hun caravans en wordt er gedanst op dansbaan één, twee, drie en vier. Dan zijn we mens samen met andere mensen en is het zelfs dringen geblazen. In die spetterende week vliegen de vonken eraf, maar als we daarna weer met beide benen op de grond staan, merken we dat we de resterende eenenvijftig nog door moeten zien te komen.

In de winter zou je ook iets leuks moeten verzinnen, je zou bijvoorbeeld een avontuurtje kunnen beginnen met een deelnemer aan de Vasaloop. In de week dat hij hier is ingekwartierd heb je een intensief liefdesleven. Het begint met het Vasaloopbal, waar oude banden worden aangehaald en nieuwe contacten worden gelegd. De echtgenotes van de deelnemers uit zuidelijker landen zijn vol bewondering voor hun atletische mannen, en vinden het prima dat ze elk jaar weer meedoen.

Eén keer per jaar nemen de vrouwen hier het van die echtgenotes over, één keer per jaar nemen ze vrij van hun eigen sneeuwscooterrijdende elandjagers, één keer per jaar worden ze heel beschaafd opgewacht met rozen, champagne en dans. Ze hebben hun mannen op slinkse wijze naar een blokhut in het bos gestuurd met entrecote en brandewijn, het gaat zo gemakkelijk, het is gewoon eng.

Na een week keren de vrouwen terug naar de thuiszorg, de taxidienst, hun krantenwijk en de verpleging – met rozige wangen, lacherig en opgepept, met nieuwe energie waarmee ze er weer een jaar tegen moeten kunnen.

In zakelijk opzicht schiet je er bij nader inzien weinig mee op.

We zijn zo besluiteloos, zo nostalgisch en sentimenteel. We hebben nog niet eens een duidelijke vijand in beeld weten te krijgen. Natuurlijk dromen we, maar waarvan kunnen we niet zeggen, we mompelen maar wat, we slaan onze ogen neer en blijven het antwoord schuldig.

Ik zou niet zo veel moeten denken als ik autorijd, nu rijd ik te snel. Tussen twee schuren vormt het bos een soort boog en dat beeld herinnert me aan een ouderwetse bril met een groot montuur.

Ik ben vergeten een bedlegerige mevrouw haar bril aan te geven, nu kan ze de ondertiteling op tv niet lezen, nu raakt ze in de war en wordt ze verdrietig. Ik moet omkeren!

De telefoon gaat. Vast een of ander alarm, want ik heb hier bereik, maar ik moet eerst die vrouw helpen.

Het is Marlene.

Het gaat zo snel. Ze heeft niet echt een boodschap, ze wil alleen graag even praten.

Ik kan zo snel geen smoes verzinnen en antwoord gehoorzaam dat ik best even langs kan komen.

In ons Hill Street Blues kantoor is het een kakofonie van rinkelende telefoons, gesprekken en mensen die rondlopen vlak voor de ochtendbespreking en het vertrek naar onze respectieve diensten. Babs ziet grauw en Anki vraagt of ze nog iets van de reiziger heeft gehoord. Babs staart haar aan en wil net antwoord geven, maar dan komt Veronica eraan, met de make-up van de vorige dag nog op haar wangen en met een brede glimlach. Ze schreeuwt: 'Lindesnäs Mon Amour', en iedereen begint te lachen.

Ik begrijp niet waar ze de energie vandaan haalt. Dat hele eind rijden naar Lindesnäs, Norra Finnskoga of zelfs Karlstad, en na het dansen het hele eind weer terug naar huis. Of erger nog, misschien.

Ze kijkt me met spiedende, toegeknepen ogen aan. 'Erger? Jij snapt het niet. Je krijgt er energie van en je wordt er sterk en vrolijk van. Daardoor kan ik het aan, niet desondanks. Ga maar eens mee, dan zal je zien wat voor een kick je ervan krijgt.'

Ik bedank voor het aanbod, maar schud mijn hoofd. In het donker, de rook, met harde muziek in een omgeving waar de meeste mensen te veel drank op hebben, denk ik niet dat je van die diepzinnige contacten opdoet. Dan geloof ik meer in de Vasaloop, het daglicht, zweten en zwoegen, en je ziet meteen wie je voor je hebt.

'Ik maak geen grapje', zegt ze. 'Wie heeft het over diepzinnig? Nee, graag heel tijdelijke contacten. Ik hou van alle mannen, maar niet van een op een in al te grote doses. Het wordt zo ingewikkeld, je moet zo veel praktische zaken oplossen, een hoop kabaal, territoria die bevochten moeten worden en bloed dat vloeit, nee, dat is alleen maar lastig, dat is wat mij betreft voorbij.'

Ik kijk haar aan, die mooie, vrolijke Veronica, haar ogen hebben meerdere kleuren en de herinneringen komen langsdrijven als wolkenbanken voor de zon, ook al lacht ze. Onder haar kracht echoot de eenzaamheid. Ze is in de steek gelaten, meer dan eens, en teleurgesteld – en nu kiest ze voor zichzelf.

'Heb je nog een nieuwe kaart gekregen, Babs?' vraagt Anki onverdroten. Het gaat zeker over die jongen die aan het backpacken is, waar Anki zo'n belangstelling voor heeft. Maar haar gelaatsuitdrukking, haar wenkbrauwen opgetrokken om niet in lachen uit te barsten, geeft haar vraag een verdacht tintje en het wordt er niet beter op wanneer Babs onheilspellend antwoordt: 'Hij is weer thuis!'

'Is hij weer thuis?' roept Anki verrukt uit. 'Echt waar? Werkelijk? Wanneer is hij thuisgekomen? Hoe zag hij eruit? Ben je er inmiddels achter waarom hij zomaar opeens weg was?'

Anki praat zo hard dat iedereen nu luistert. Nu willen we allemaal weten welk ondeugend kleinkind er zomaar vandoor is gegaan, terwijl het misschien te jong was, dronken is geworden of door de douane in New York is tegengehouden.

Babs wordt onder druk gezet door de algemene belangstelling. Ze kijkt onwillig om zich heen en begint snel te vertellen van de vreselijke tijd die ze heeft doorgemaakt toen hij helemaal tegen haar zin, en tegen die van haar man, op reis was gegaan.

'Ze hebben hem meegenomen toen wij aan het werk waren. Dat was op 8 augustus en ik had eerst niets door, maar toen mijn man thuis was en het gras zou maaien, zagen we het natuurlijk. We snapten er niets van. Op klaarlichte dag, en verder was er niets weg, dus we dachten dat iemand ons een poets bakte, dat hij wel weer tevoorschijn zou komen.

Maar dat gebeurde niet. Er kwam wel een kaartje. Geen gewone ansichtkaart, maar een foto waar een ansichtkaart van was gemaakt. Uit Oslo. Dat zag je, want hij stond op de voorgrond en achter hem zag je het Raadhuis. Dat hij het echt was, zagen we ook, omdat mijn man per ongeluk een stuk van de muts had afgeslagen met de steel van de hark. Er stond niets op de kaart, alleen ons adres.

Een week later kwam er weer een kaartje. Nu met een IJslandse postzegel erop en hij stond voor zo'n geiser die water spuwt. We wisten niet wat we ervan moesten denken. Misschien was het een grap, maar wij konden er niet om lachen.

Er gingen twee weken voorbij voordat het volgende kaartje in de bus lag. Nu met Amerikaanse postzegels en hij stond op een dak met een woud van wolkenkrabbers achter zich en voor hem had een attente sadist een briefje met de naam "Dallas" schuin neergezet, voor het geval we zouden denken dat hij in New York was. Maar we hadden meteen gezien dat dit zuidelijker was.

Daarna kwam er een hele poos niets, en het was vreselijk om in de bus te kijken als we thuiskwamen. Ik wilde niet meer van dat soort post krijgen.

Maar dat kreeg ik wel. Op de volgende kaart had hij een bloemenkrans om zijn nek en op de achtergrond stonden wuivende palmen op een krijtwit strand. Ik kon het poststempel lezen: Honolulu.

Daarna kregen we er nog een, uit Thailand. Palmen en een zandstrand, net als de vorige keer, en ditmaal poseerde hij met een cocktail met een parapluutje. Het leek wel of hij grijnsde en ik had het niet meer. Ik heb nog nooit van mijn leven een cocktail met een parapluutje gehad!

De laatste kaart kwam uit Oostenrijk. Hij stond op een tafeltje op het terras van een restaurant, van waar je een schitterend uitzicht had op de Alpen achter hem. Toen liep ik de kamer uit om over te geven, ook al kwam dat waarschijnlijk van het gehaktbrood.

En toen ik gisteren thuiskwam, stond hij er opeens weer. Om zijn nek had hij een lint met een fotoalbum eraan. Met foto's van zijn fantastische wereldreis. Hij was in de sjiekste restaurants geweest, had de meest bijzondere uitstapjes gemaakt en alleen businessclass gevlogen.

Nu vraag ik me af: wat was de zin hiervan? Wij zouden daar zelf nooit geld voor hebben gehad. Vinden die lui dat om te lachen? En wie zijn het? We hebben een poosje naar een verborgen camera gezocht, maar dat was het ook niet, als het dan nog een of ander tv-programma was geweest, maar nee. Ze lijken alleen de spot met ons te willen drijven. Misschien gewoon uit verveling?'

We lachen een beetje. Nee, wij begrijpen ook niet waar dit goed voor zou kunnen zijn. Babs' beteuterde gezicht is wel komisch – er is haar iets overkomen, maar ze weet zelf niet wat, alleen dat het haar niet bevalt. 'Had de kabouter dan naar Älgsjöselen moeten gaan om bramen te plukken?' oppert iemand. Leuk bedacht.

Ze is al genoeg gestraft omdat ze die kabouter heeft, schiet er door me heen. Door passerende Stockholmers die hun handen niet thuis konden houden, ze woont immers aan de weg naar Sälen. Er is kennelijk geen moeite te veel als het erom gaat de grens tussen goede en slechte smaak te bewaken en om vanuit die sharia te veroordelen en te prijzen.

Nu slaat Anki op tafel. Het is tijd. Nieuwe instructies van hogerhand. Het nieuwe toverwoord binnen de gemeente is 'attitudes', daar gaat het alleen nog maar over op bijeenkomsten en personeelsbesprekingen: 'Attitudes, mensen.'

Ze vertelt in het kort over het project dat als motto heeft dat je met de juiste houding bijna alles aankunt. Ze doet de nieuwe campagne uit de doeken en ik bedenk boos dat er weer eens geen aandacht is voor de noden van het personeel in de afgeslankte organisaties, maar wel voor een nieuwe heilsleer waarbinnen degene die met de vinger wijst naar de naakte, maar wrede koning, wordt afgescheept met de opmerking dat hij de verkeerde 'attitude' heeft. Zing en lach. Dit jaar worden er vijftig kinderen geboren in plaats van honderd en over vijftien jaar gaan ze naar de middelbare school, maar is die er dan nog wel, met zulke kleine jaargroepen? Het water staat ons al tot aan de lippen, moeten we niet gauw eens leren zwemmen? Ik ben negatief, ik heb een verkeerde instelling; wie klaagt, heeft een gevaarlijke attitude.

Gullmari komt buiten adem binnenstormen en Anki zwijgt als gewoonlijk om de uitleg van de dag te horen, en dat is?

Ziekte. Niet die van haarzelf, maar van haar zoon.

'Is hij nu minder ziek dan een half uur geleden?' vraagt Anki zacht.

Nee, maar ze moest voor hem zorgen, hem de afstandsbediening van de tv geven, wat vruchtensap en daarna wilde de krultang niet warm genoeg worden.

Anki vraagt niet of de jongen gekapt moest worden, maar ze gaat zuchtend door over attitudes en ik raak verzonken in gedachten over krultangen en kapsels. Marlene, die heeft mooi haar, met vast een natuurlijke slag en hier en daar wat grijs, helemaal goed en alleen maar mooi voor haar leeftijd.

Ze wil mij als haar vertrouwelinge, maar houdt toch afstand. Ze heeft er behoefte aan haar hart te luchten, maar halverwege houdt ze in, ze zegt niet alles.

Toch was dat vast de reden waarom ze mij daar wilde hebben, ze wilde iemand om serieus mee te praten. 'Het is net even rustig', merkte ze op en ze deed de winkel dicht. In de achterkamer lagen stapels dozen, bij de postorderwerkzaamheden was het kennelijk juist wel druk. Er lag ook een tafelkleed keurig over het bureau en ze had koffie en broodjes klaarstaan. 'Ik weet dat je van je werk komt en ik kan niet naar huis vanwege dit allemaal', zei ze en ze wees naar de stapels bestelbonnen. 'Ik wilde je toch spreken, ik mis je, het is zo eenzaam, de winkel, wat er met Sammy is gebeurd, alles, ik voel me niet goed. En dan ook die advertentie nog, wat een gek, ben je erg geschrokken?'

Ik zei dat ik niet bang was en dat ik aangifte had gedaan. De politie had me er echter op voorbereid dat zulke misdrijven moeilijk te bewijzen zijn. Toch was er iets dat me zei dat Klas Lekare me niet meer lastig zou vallen.

Ze zette grote ogen op. Maar ze ging niet tegen mijn zienswijze in. 'Ik voel me ook niet goed, ook al ben ik er niet direct bij betrokken', zei ik. 'Ik heb van Sammy gedroomd. Ook al heb ik hem niet gekend, toch droom ik bijna elke nacht van hem. Het is net of hij iets van me wil. Heb jij dat gevoel ook?'

'Ik voel me schuldig', antwoordde ze. 'In zekere zin heeft Peggy gelijk. Het was helemaal niet zo nobel van me als het misschien leek om mee te gaan met de excursie. Maar nu is het niet anders. Wat vind je hiervan?'

In de dozen die ze openmaakte, zag ik schoenen met extreem hoge hakken van doorzichtig plastic, met riempjes van imitatieluipaardleer, met binnenzolen van zijde en met stras en glitters boven op het minimale leer. Ik was verbaasd. 'Er zit toch al een schoenwinkel in Grönland, wordt die niet boos?'

'Nee, hoor,' antwoordde ze, 'we zijn het helemaal eens. Het zijn gescheiden culturen, verschillende genres, zogezegd. Hij verkoopt daagse schoenen, zoals ze hier zeggen, en Graninge schoenen met een verstevigde houten zool. Ook damesschoenen, inderdaad, maar dan bedoeld om op te lopen. De schoenen uit mijn collectie hebben een breder spectrum.'

Ik gluurde naar de stilettohakken en de flinterdunne zolen en merkte blozend op dat ik niet helemaal begreep waar je schoenen voor nodig had, behalve om erop te lopen. 'Heb je ze zelf geprobeerd?' vroeg ik weifelend.

'Jazeker, dat doe ik soms wel', antwoordde ze. 'Je moet weten wat je verkoopt, om een klant te begrijpen moet je in zekere zin die klant zijn.'

Ik dacht aan de mannen die ze als klant had en voelde onrust. Het was net of het geluid van hoge hakken op asfalt op de achtergrond van ons gesprek klonk. Het duurde even voor ik doorhad dat de onrust van haar afkomstig was. Ze was gespannen, misschien wel bang.

'Wat is er', vroeg ik. 'Wat zit je dwars, is het Sammy, wilde je me daarom vanavond hier hebben?'

'Ik voel me schuldig', zei ze weer. 'Ik had naar Sammy moeten omkijken. Maar ik had meer aandacht voor iets anders. Voor iemand anders.'

'Iemand anders?'

Ze knikte. Iemand anders, een man.

Natuurlijk. Dat sprak vanzelf. Dat ontbrak er nog maar aan. Zo'n elegante en mooie vrouw had natuurlijk ergens een man, het was gekker geweest als het niet zo was.

'Wanneer krijg ik hem te zien?' vroeg ik glimlachend. 'En waarom heb je niets gezegd?'

Toen had ze het niet meer. Het hele pakje papieren zakdoeken kwam tevoorschijn, ze snikte luid en ik begreep dat ik hiervoor gekomen was.

'Omdat hij getrouwd is', zei ze snikkend. 'Hij is getrouwd en hij schaamt zich, geloof ik. Het is zo vreselijk. Ik hou zo ontzettend veel van hem.'

'Wie is het? Komt hij hiervandaan?'

'Sorry, Siv, maar ik kan niet zeggen wie het is. Dat is juist het verschrikkelijke. Onze liefde moet geheim blijven.'

Ik zuchtte. Een klassieker op herhaling, voor de hoeveelste keer? Waarom komen wij altijd in die situatie terecht en wat moest ik zeggen?

'Hoelang is dit al gaande?'

'Een jaar, ongeveer. Hij kwam hier gewoon als klant. Maar

hij is zo bijzonder. Ik zou je wat graag aan hem voorstellen, dan zou je me begrijpen.'

'Nee, bedankt, ik heb al genoeg ellende en het is toch al mooi genoeg dat jij voor hem gevallen bent?'

'Hij is niet zoals anderen, ik ga er bijna aan kapot als ik hem niet in de buurt heb. Ik heb nog nooit op deze manier van iemand gehouden.'

'Is hij van plan te scheiden?'

'Dat kan niet.'

'Vanwege de kinderen?'

'Ja. Laten we zeggen dat het vanwege de kinderen is. Die zouden het niet accepteren, beweert hij. Ik weet het niet. Ik heb ze nooit ontmoet.'

'En zijn vrouw.'

'Dat is het probleem niet. Ze gaan nooit met elkaar naar bed, hun huwelijk is maar schijn. De kinderen daarentegen ... En ik zou zo graag ... ik heb immers zelf geen ... maar dat is kennelijk volkomen uitgesloten.'

'Hij heeft ze toch opgevoed?'

'Of zij.'

'Het is haar schuld, oké. Hoe gaan jullie het dan aanpakken? Hoe stellen jullie je dat voor?'

'Ik kan alleen maar hopen. Wanneer we bij elkaar zijn, is het de hemel op aarde – en ook de hel, omdat het allemaal te leen is. Wanneer we bij elkaar zijn, bestaat er niets anders dan wij tweeën en het is onvoorstelbaar dat hij dat vervolgens gewoon weer achterlaat.'

'Misschien kijkt hij er anders tegenaan?'

'Vast niet. Hij zegt dat hij van me houdt. Wat moet ik denken?'

De make-up was weggehuild en de zakdoeken op en ik probeerde iets te verzinnen waarmee ik haar kon troosten. 'Schrijf hem een brief', zei ik.

‘Nee, dan wordt hij boos en bang dat iemand dit misschien ziet.’

‘Stel een ultimatum.’

‘Dat durf ik niet, stel je voor dat hij niet meer terugkomt.’

‘Maak het dan uit, zonder ultimatum, dit is onwaardig en eigenlijk weet je niets van zijn gezin.’

‘Dat kan ik niet, nee, dat kan ik niet aan.’

Ik had mijn best gedaan om te troosten, maar een innerlijke stem fluisterde dat ze net zo was als Ingela, de vrouw die mijn huwelijk heeft verwoest. Misschien was Jan toen ook die fantastische man die beweerde dat hij geen seks had met zijn vrouw en beide partijen bedroog.

Ik word wakker uit mijn gedachten met dienst vijf weer in mijn maag gesplitst.

Fijn, het was ook alweer een paar dagen geleden. Vandaag is Sigvard aan de beurt om te douchen. Nou ja, dat zal ook wel lukken.

Moeizaam komen we overeind, we zetten onze veren op als uilen en voelen een vlaag van kou en onbehagen, daar gaan we weer.

Gullmari en Veronica stoppen bij de carport voor hun gebruikelijke peuk. Ik blijf ook staan. Al dat gehaast, dit lichaam moet nog langer mee dan vandaag, en we spreken elkaar te weinig; rookpauzes zijn nodig als we dit willen volhouden.

‘Een lekker sigaartje’, zeg ik. Het is nog steeds donker en we kunnen elkaars gelaatsuitdrukkingen niet echt goed zien wanneer we het verhaal over de tuinkabouter tot op de bodem uitspitten. Zou de redactie van *De Looier* geen tip moeten krijgen? Maar dan wordt ze vast nog bozer.

En ze is al boos genoeg, gaat Gullmari verder. ‘Vandaag zag ik haar met haar man op de promenade, maar ze zagen mij niet. Toen kwam er een madam uit het Modecentrum en die man van haar kwam ogen te kort! Ze had fantastische benen, met een naad van achteren. Om van haar achterste nog maar te zwijgen. Een echte vamp dus. De man van Babs bleef stokstijf staan, hij leek wel behekst. En Babs maar schelden over iets heel anders, maar het was wel duidelijk waar het om ging.'

'Hoezo, vamp?'

'Bloedmooi. Veel te luchtig gekleed, natuurlijk, maar je moet immers pijn lijden. Ze was vrij lang, ze droeg een korte rok en ze had minstens cup D, en ze was wel opgemaakt, maar ook mooi van zichzelf en niet eens zo piepjong. Een echte vrouw, en de man van Babs stond daar gewoon te kwijlen, het was zo'n grappig gezicht dat ik weg moest lopen om niet in lachen uit te barsten. Dat zal die vriendin wel zijn waar ze het over hebben. Die ziet er zo uit, ze wandelen soms, flaneren zeg maar, ze houdt schijnbaar van wandelen, die vriendin, hoewel ze altijd van die ongelukkige schoenen draagt.'

'Ze is toch dood, die vriendin? Weet je dat niet meer?'

'Deze was niet dood, dat verzeker ik je, vriendin of geen vriendin.'

'Dan maak ik deze sigaar nu uit', zeg ik.

Ik loop gauw weg. Ik wil opeens alleen zijn. Die vriendin?

De oceanen van verborgen kennis van het onderbewuste. En aldoor dat getik, die harde hakken op het asfalt.

Het ochtendlicht dringt door de lagen nevel heen en wekt huizen en boerderijen weer tot leven. Ze staan op in hun grijsheid en langzaam, onverbiddelijk, worden er plaatjes getekend die zopas nog verborgen waren. Na verloop van tijd worden ze zelfs ingekleurd.

Kon het nog maar ongedaan gemaakt worden.

In het grensgebied tussen dromen en waken bestaat die mogelijkheid nog. In de droom ligt de grens nog voor me en kan ik een stap opzij doen, het vermijden.

Maar dan word ik wakker. Opnieuw ben ik degene die dit le-

ven heeft genomen. Ik ben niet meer een van velen.

Was het maar iets moois geweest. Iets groots, onheilspellends en heerlijks, maar dat is het niet. Het is alleen maar walgelijk.

Het is vunzig en lelijk. Ik ben lelijk en de last is zo zwaar, het is zo walgelijk om het geheim alleen te dragen. Zo zwaar om geen rust te vinden.

Ergens heb ik diep berouw. Maar ik heb ook spijt dat ik mezelf toeliet op die manier te denken. Het is nu te laat, ik kan niet op rewind drukken, er is geen rewind. Ik moet verder strompelen en net doen alsof alles onder controle is, ook al voel ik me beroerd.

De grens is zo vaag, zo onbetekenend en zo moeilijk te zien, maar wanneer die gepasseerd is verandert orde in chaos. De levende zo vol kracht. De dode lelijk en koud. Het leven brandt en wanneer het uitgaat, wordt het donker op aarde. Eén enkele vlam verlicht een universum, wanneer die uitgaat, wordt de zon zelf gedoofd.

De mens heeft altijd gemoord, om zichzelf en zijn stam, zijn eer en zijn bestaan te verdedigen. In de beschaving heeft hij de massamoord tevoorschijn geroepen en gekken hebben uit lust en waanzin gemoord en om te voelen dat ze machtig waren.

Ik heb geen lust gevoeld, en de macht was zo vluchtig. Ik moord omdat er geen andere mogelijkheden zijn. Wanneer het hele bestaan om deze ene oplossing schreeuwt, stijgt de kracht op als levenssap en is er geen keus, ik moet.

De prijs wordt na afloop betaald met angst, met de strijd tegen die verrekte krankzinnigheid.

Er waren geen alternatieven. Dit was de enige mogelijkheid. Het gevoel erna is toch walging. En spijt. Ik heb spijt van de gedachten die ik heb, dat ik die heb losgelaten, ik wilde dat ik me kon afsluiten. De angst doet me de das om. De stilstand en het wachten zetten me onder druk, ik moet kiezen. Gaan liggen en doodgaan of blijven vechten. Ik kan de klok niet terugdraaien, ik ben de grens overgestoken, nu ben ik hier en moet ik mijn opdracht jegens mezelf vervullen.

Backhans Maj-Lis voelt zich te moe om op te staan, maar ze heeft geen koorts. De nachtdienst heeft haar om vier uur op laten staan, ze had alarm geslagen, dat heb ik in het zwarte schrift gelezen.

Maar nu is alles goed. Ze kan alleen niet opstaan. Ik ga op de rand van het bed zitten en pak haar ijskoude, dunne hand vast. Het vel is veel te ruim geworden, maar zo zacht als dat van een baby. De kat springt op de vloer, beledigd door mijn binnendringen, sorry dan.

Ze weet niet meer waarom ze alarm had geslagen. 'Je ligt daar maar te denken en je kunt niet slapen', zegt ze. 'Je ligt daar zo dicht bij alle liefdeloosheid die je hebt ervaren en waarvan je wist dat die bestond, ook jegens kinderen. Je bent alleen dicht bij die angst, alles wordt zo concreet. Bij daglicht is het anders. Ik zal me wel ellendig gevoeld hebben, ik weet het niet meer. Het was aardig van hen om te komen zonder mij verwijten te maken. En ik heb geplast en ik heb nog een bordje pap gekregen ook. Daarna heb ik zo lekker geslapen, niet te geloven. Ik heb niet gemerkt dat ze weggingen.'

Ze heeft geen fut en van mij hoeft ze niet op te staan. Ik beloof dat ik later terugkom en ga op weg naar het bos bij de klanken van 'Town without pity' van Gene Pitney. Ik zie twee beelden door elkaar heen: twee verliefden in een drukke, nachtelijke straat in de grote stad en de verlaten autoweg door het bos, waar uitstekende takken over het dak van de auto vegen. De mist hangt er nog steeds en de wielsporen zijn halfbevroren without pity.

De katten komen naar de auto toe springen. Ik raak ze niet aan.

Ook met Anna Katarina Bengts gaat het slechter. Dat komt door de elandjacht. Ze ziet ertegen op. Die radiotoestellen waarmee ze in het bos naar elkaar seinen, walkietalkies. Die mannen zijn wel aardig, ze komen haar altijd waarschuwen als ze gaan jagen, maar het zijn die apparaten. Ze roept altijd naar hen dat ze moeten blijven staan en niet dichterbij komen. Ze is zo bang om nog meer pijn te krijgen als ze dichterbij komen.

En dan de elandkoe. Die nu bijna dagelijks komt. Ze legt wat wortelen en rotte appels buiten neer, ze wou dat ze geld had voor hooi, dat zou het bos ook nog sparen. Die elandkoe vertrouwt op haar.

Zij heeft harder een douche nodig dan Sigvard. Ik bied aan haar mee te nemen, maar nee. Vandaag wil ze rustig thuisblijven zodat het eczeem niet erger wordt.

Na Sigvard ben ik murw. Hoe opgewekt hij ook is, het blijft een hele klus. Zijn armen zijn krom van de reumatiek en hij kan niet helpen. Hij is zwaar, maar dat zijn allemaal spieren, grapt hij. Ja, dat zal ooit wel waar geweest zijn.

Als ik weer in de auto zit, voelt het alsof mijn nek tussen mijn schouderbladen geduwd is en bij Jerskersti Oskar Stigsson hangt er een nog compactere oudemannenlucht dan eerst en ik kan de schijn niet meer ophouden. 'Ruik je niet dat het hier stinkt?' vraag ik.

Hij schrikt ervan, stinkt het? Wat stinkt er dan?

Ik vraag of hij mee zou willen naar het gezondheidscentrum om te douchen.

'Zijn daar dan mannen om me onder de douche te zetten?'

'Nee, geen mannen.'

'Nou, laat het dan maar.'

Ik overweeg te vertellen dat we honderden mannen in hun adamskostuum hebben gezien, maar ik doe het niet, omdat ik het gevoel heb dat het daar niet beter van wordt.

Hij zit met de krant voor zich en opeens zie ik een blik in zijn ogen die me doet stoppen met wat ik aan het doen ben. Hij heeft de rouwadvertenties voor zich liggen.

'Is er een bekende van je overleden, Oskar?'

Het duurt even voor hij antwoordt. Daarna brengt hij een

trillende vinger naar een advertentie. Stina Olivia Helmersson, mijn geliefde echtgenote, onze lieve moeder en grootmoeder.

We kijken elkaar in de ogen en voor het eerst heb ik het gevoel dat ik de mens achter de nurkse oude man zie. Zijn blik is naakt. Hij zegt niets en ik knik alleen dat ik het begrijp.

Wil hij praten? Het lijkt er niet op.

Dan is het dus waar. Dat hij ooit vanwege een ongelukkige liefdesrelatie in de psychiatrische kliniek van Säter terecht is gekomen.

En nu is ze dood. Ze is een eeuwigheid getrouwd geweest, ze heeft kinderen en kleinkinderen gekregen en nu is ze er niet meer. Maar hij is het niet vergeten, dat is duidelijk. Het zit er allemaal nog.

'Ga je naar de begrafenis?'

'Nee. Dat zou een rare indruk maken.'

Ja, als hij zou huilen. Dan zou dat een rare indruk maken.

'Je kunt vanaf hier meedoen', zeg ik. Hij knikt.

'Ik kan de begrafenisliturgie meelezen in het psalmboek.'

Waarom worden er nooit liefdesromans of tv-series geschreven over een levenslange liefde als deze? Ik zuig een forse dosis fictieve nicotine naar binnen als ik het huis van Jerskersti Oskar uit ben. Ik probeer mijn professionele rol weer op te pakken, terwijl ik uitkijk over het Broken Promise Land van de Weeping Willows met witte hooibalen in de grijze mist.

Maar hoe zou je dat in beeld kunnen brengen? Een man die alleen maar zit? Innerlijke beelden? Een paar verrukkelijke, vluchtige weken in de jaren vijftig en een filter dat de steeds talrijker rimpels en wallen van de geliefde weghaalt, wanneer hij een keer per ongeluk tegen haar aan loopt op een plein. Verder is het allemaal ellende, een leven lang ploeteren om niet weer gek te worden, om het vol te houden. De dood zien als een verlosser en als een beloning voor wie het heeft doorstaan. En dat het dan toch hard aankomt wanneer zij als eerste overlijdt. Hij rouwt om die vrouw en om alle jaren die ze niet samen hebben gehad. Omdat ze iemand anders koos. Nee, dat zou geen mooi liefdesverhaal worden, hooguit die korte weken en haar vertrek daarna. Maar het lange naspel zou niet tegemoetkomen aan de vraag van het publiek naar spanning en smaak – oude mensen en geen actie. Alles ingehouden. Hoe zou een jong publiek al dat explosieve begrijpen, dat het gevaarlijke in bedwang gehouden moet worden, dat het niet erkend mag worden, niet uitgesproken?

Anki belt net op het moment dat ik denk naar huis te kunnen. De assistente van Patrik heeft de handdoek weer in de ring gegooid, zou ik ...?

Natuurlijk.

Grönland in het donker met de lucht van de failliete leerlooierij, de mist die tussen de huizen door kronkelt en de piekdrukte wanneer de mensen op weg naar huis vanuit hun werk nog gauw even boodschappen doen. Daarna verspreidt het verkeer zich in steeds dunnere stroompjes naar de dorpen. De straten van Grönland liggen er weer verlaten bij.

De buitenlamp bij Patrik boven de deur brandt niet en ik denk niet verder na over de bundel die daar in het donker ligt. Ik heb was bij me en duw de deur open met mijn elleboog. Ik wil net over de drempel stappen wanneer de bundel met zijn klauw mijn enkel vastgrijpt.

Ik word op mijn knieën getrokken met de was onder mij, terwijl mijn bloed in ijs verandert, ik dacht dat het een kleed of zoiets was.

Maar het is Lekarc, die engerd. Hij trekt me naar beneden zodat mijn gezicht dicht bij zijn akelige kop komt. Zijn paardenstaart hangt los, hij heeft klitten in zijn haar en hij stinkt vreselijk uit zijn mond, een mengeling van nieuwe en oude drank. Hij sist iets tegen me en de druppels spuug spatten in het rond, ik kan er wel van kotsen. 'Ah, jij bent het, kreng, ik hoop dat je nu tevreden bent, ik hoop dat je 's nachts lekker slaapt nu je mij uit mijn evenwicht hebt gebracht.'

'Laat me los! Jij hebt het dus gedaan. Jij hebt die akelige advertentie geplaatst!'

'Dat is je eigen schuld! Je vroeg erom, stomme trut.'

Hij is zo dronken dat ik me los weet te maken en hij probeert niet op te staan. Ik vraag wat hij daar doet. Dat gaat me natuurlijk geen donder aan, zegt hij, maar hij voegt eraan toe dat hij op een maat van hem zit te wachten, niet voor de gezelligheid, maar omdat hij geld nodig heeft, de slijterij is nog niet dicht, hij houdt de tijd goed in de gaten en ik moet hem trouwens duizend kronen lenen.

Ik ga snel naar binnen en ren hijgend de trappen op. Het is guur en koud buiten. Als hij er nog is als ik klaar ben bij Patrik, moet ik maar zien hoe ik het aanpak.

Dus hij is weer gaan drinken? Na twee jaar droog te hebben gestaan. Wat betekent dat?

Ik los de assistente af die de hele dag bij Patrik is geweest. Haar glimlach is flets, ze is zo jong, dit is veel te zwaar voor haar.

De dood is dichterbij gekomen.

De dood heeft zijn intrede gedaan op een oppervlak ter grootte van een luciferdoosje. De dood is grijs. Dood vlees is niet rood, het is grijs, wanneer de bloedsomloop is gestopt.

Er was maar weinig voor nodig, iets te lang iets te veel druk en dit kleine deel van deze mens geeft het op en laat het gezonde, zuurstofrijke bloed niet meer door naar de buitenste haarvaten.

Ik vertel zakelijk wat er daarachter is gebeurd, nu is het zaak om de druk weg te nemen en in te smeren en te masseren en de necrose niet de minste kans te geven om verder op te rukken.

Hij reageert nauwelijks. Er valt niet veel te zeggen. Zijn nieuwe stem is nog zwakker en zijn hoofd hangt zwaar in de hoofdband en nodigt me niet meer uit tot grapjes, ik krijg het er alleen maar benauwd van. Ik zie op tegen het avondeten en het voeren. Dan vraagt hij of ik niet bij hem kan blijven en een van zijn assistenten kan worden, ik kan toch daarna weer terug naar de thuiszorg?

Hij bedoelt wanneer hij is overleden.

Ik bedank hem en zeg dat ik me gevleid voel. Maar hij heeft immers al genoeg mensen, ze zijn alleen een beetje vaak ziek geweest de laatste tijd, maar dat gaat weer over.

Hij gaat er niet over door. Hij zal wel beseffen dat ik niet zo geïnteresseerd ben. Af en toe zoals nu gaat prima, maar hele dagen? Ik zou me waarschijnlijk veel te betrokken voelen en het me veel te veel aantrekken. Dat kan ik niet aan. Dat lijkt alleen maar zo omdat ik een beetje een botte manier van doen heb.

Uiteindelijk klaart de stemming wat op, hij begint weer te vertellen over zijn tijd in Västerås, hij heeft een nuchtere kijk op zijn leven en is van mening dat hij met sprongen vooruit is gegaan in zijn innerlijke ontwikkeling, terwijl de buitendienst op zijn gat ligt en helemaal afgebouwd zal worden. Ik vraag of hij niet heeft overwogen contact op te nemen met zijn vroegere vriendin.

'Ik was toen niet dezelfde als nu. Ze zou nu niet verliefd op me worden. Ze hield van dat compromisloze dat ik toen had, dat harde. Mijn nieuwe slappe handje zou haar niet bevallen. Maar je wordt niet impotent. En niet debiel. Je blijft in stijl, maar je kunt niet zo veel zelf doen. Ik kijk nu overal heel anders tegen aan. Toen zat ik vast als in een bankschroef. Nu niet, nu ben ik vrij. Jammer dat de tijd in mijn nieuwe leven zo beperkt is.'

Ook ditmaal komt Bränd Sven op bezoek, kennelijk komt hij hier regelmatig. Zou Klas Lekare op hem hebben zitten wachten?

Hij herkent me en doet heel gewoon. Misschien heb ik dat

van die gatenplant wel gedroomd. Wanneer ik vraag of hij iemand bij de deur heeft gezien, antwoordt hij rustig dat het een ellende is, nu is Klas Lekare weer aan de drank, alsof het allemaal niet al erg genoeg was.

Weer valt me de integere uitstraling van Bränd Sven op; alleen met mijn verstand kan ik begrijpen dat er iets niet goed is met hem, mijn gevoel zegt iets anders, de manier waarop hij mij behandelt, zijn respect voor vrouwen. Hij is in zekere zin wel gereserveerd, maar niet zo dat je er continu last van hebt. Die rust die getuigt van ware mannelijkheid. Patrik vraagt of ik thee wil zetten en een broodje wil smeren. Wanneer we aan tafel zitten, is het krampachtige eraf, we praten gemakkelijk en het langzame voeren van Patrik gaat bijna ongemerkt. Hij krijgt niet veel binnen, maar hij verslikt zich niet en drinkt wel goed.

Bränd Sven vindt troost bij Patrik, dat is duidelijk. Het gesprek beweegt in golven van hoog naar laag met schijnbaar neutrale gespreksonderwerpen, maar de woorden zijn net haarkwallen, alles heeft een lading, het raakt hen persoonlijk en ze zijn allebei slachtoffer; het is moeilijk om erbij te zitten en dat allemaal aan te zien.

Bränd Sven praat over rechtvaardigheid, hij zwetst vind ik, over rechtvaardigheid, hij gelooft in absolute rechtvaardigheid, net als in de politiek. Rechtvaardigheid is volgens hem dat je je uiterste best hebt gedaan. Ik begrijp niet goed waar hij op doelt. Hij kijkt naar Patrik, alsof zijn ziekte oneerlijk is, alsof kwellingen en beloningen net zo eerlijk verdeeld zouden moeten worden als vroeger de bedoeling was met alle maatschappelijke voorzieningen.

Ik wil troosten, maar ik kan me niet voorstellen dat het zou helpen als ik ook aan deze droeve vertoning meedoe. En over sommige dingen kun je beter zwijgen. Ik vertel dat ik met Marlene in contact ben gekomen door wat er in de bergen is gebeurd. Maar ik vind dat hij moet weten dat ik het niet goed vond wat zij deed, ook al stond ik op dat moment naast haar. Ze was kleinzielig en maakte een vergissing toen ze zijn uitgestoken hand weigerde en niet inging op zijn vraag om vergiffenis.

Bränd Sven kijkt me aan en ik kijk bij hem naar binnen.

Het is daar leeg! Weet hij niet waar ik het over heb? De spiegel van de ziel – het is daar schoongeveegd en zonder leven.

Hij reageert niet. En nu zie ik ook dat hij geknoeid heeft, op de borst van zijn dunne overhemd.

Hij weet het niet meer, hij heeft geen flauw idee. Zijn blik is dof, er zit geen gevoel in.

Ik ben bij *Rapport* in slaap gevallen. Wanneer er gebeld wordt, denk ik dat het Åsa is, maar het is Jan, haar vader. Hij wil gewoon even praten, ook al is het lang geleden. En dat niet alleen, hij wil bij me langskomen, hij wil zien hoe het met me gaat. Ten slotte komt de aap uit de mouw: hij moet weg uit Stockholm, hij heeft het iets te druk gehad, hij voelt zich onder druk gezet, bijna bang.

Hij heeft frisse boslucht nodig, het is zo benauwd in de stad, hij zit vast en straks kan hij geen stap meer spontaan in vrijheid verzetten, het is allemaal zo gecontroleerd. Wat voor nut heeft werken in de politiek eigenlijk, je wordt bedreigd en toch zijn het anderen die de macht hebben.

Hij moet er even tussenuit. En hij moet met mij praten. We hebben geen echt gesprek met elkaar gevoerd sinds onze scheiding. Ik merk op dat je daarom juist scheidt, domoor, omdat je niet meer met elkaar kunt praten.

Praten kan altijd, zegt hij. En als het niet kan, dan komt dat omdat de wil ontbreekt. Geloof je in democratie, dan geloof je ook dat het mogelijk is de ander met verstand en woorden te bereiken. Argumentatie en debat zijn immers het fundament voor een gelijkwaardig leven, in het groot én in het klein.

Ik hoor iets nieuws en iets bekends in zijn stem. Hij zegt dat hij onze gesprekken mist en ik hoor dat hij dat meent. Hij zegt dat hij sowieso stopt, ook als hij er bij de volgende verkiezingen niet uit vliegt. Ik vraag waarom, wat moet hij dan gaan doen? Hij antwoordt dat hij nog niet vergeten is hoe je een spijker inslaat of een steiger bouwt. Ik zeg dat hij al veel te lang politicus van beroep is, hij is dat ontgroeid. Bovendien is hij niet jong meer, hij zou zijn rug verpesten.

Hij zoekt toenadering, dat merk ik. Hij zegt weet je nog van toen en toen. En dat Åsa wil dat hij en ik het uitpraten. Onze dochter Åsa mag nu stormram spelen in dit dubieuze spel.

Stockholm is een plaats waar iedereen café latte drinkt en geen kookkoffie zoals hier, waar het looizuur je als de hoef van een paard recht in het middenrif raakt, die nasmaak blijft de hele dag zitten. Moet ik hem hier ontvangen, omdat ik naar deze dag heb uitgekeken, erop heb gehoopt. Maar we zijn niet meer dezelfde mensen. Nu ik er eindelijk overheen ben, nu ik de eenzaamheid heb geaccepteerd en die ook heb leren waarderen, moet ik alles op het spel zetten?

Of ben ik alleen maar laf? Wat vreselijk. Emotionele lafheid is het verfoeilijkste wat er bestaat. Maar heb ik wel emoties? Of heb ik alleen maar geaccepteerd dat we onverenigbare visies hadden? We deelden niet dezelfde liefde, daarom ging die kapot. Daarna heb ik het allemaal ingekapseld, zo stevig dat ik het nu niet meer tevoorschijn kan halen. Waar ben jij nu, Jan van me? Zit je nog ergens in dat dure pak van je?

Lieve vragenrubriek, wat is met het oog op de kinderen het beste moment voor een scheiding? Åsa was formeel volwassen, maar flipte toch en zelfs nu, jaren later, kunnen we er nog niet over praten. Ik heb het geprobeerd, ik heb het echt geprobeerd, maar telkens loopt het uit op slaande deuren en tranen. Zelf ben ik rustig gebleven, de verontwaardigde gevoelens zaten helemaal aan haar kant. Ik kreeg te horen dat we egoïsten waren. En ik schaamde me. Haar oneerlijke uitvallen troffen telkens weer doel, we hadden het toen verkeerd gedaan. We waren haar ouders, maar waren nu bijna in het tegendeel veranderd, lange dagen waarop we de hele wereld lieten zien dat we geen ouders waren. Nu bestonden er hooguit nog moederschap en vaderschap op zich en Åsa nam er genoegen mee, maar was niet van plan ons te vergeven. Hoe sta jij hierin? Wat hebben we van ons leven gemaakt? De prijs die we betalen, was het dat waard? Pas toen het al te laat was, besefte ik dat het gezin op zichzelf iets was, iets heiligs, iets wat meer was dan zijn leden. Het is zo gemakkelijk om een huwelijk kapot te maken, je krijgt er zelfs sociale subsidies voor als er kinderen bij betrokken zijn. Bij mij kwam het keerpunt toen Åsa zo boos was, maar toen waren we al te ver heen. Hoe kan liefde verdwijnen? Bij mishandeling en moord, natuurlijk, maar verder, zoals bij de meesten van ons?

Aan de andere kant heb ik nooit gelezen over iemand die vrijwillig afstand doet van zijn voorrechten. Als Jan er nu genoeg van heeft en als hij doet wat hij nu zegt, is het helemaal mijn oude Jan, met idealen en gedrevenheid, de man van wie ik zo veel heb gehouden. Maar het druist in tegen alles waarvoor hij heeft gevochten.

'Ben je niet lekker', zeg ik. 'Ga je de wolven vrij spel geven? Is het niet je plicht om te blijven vechten? Het zou een mooie boel zijn als de hele oppositie het er zomaar bij liet zitten. Je houdt toch vast aan waar je in gelooft?'

Hij is even stil en dan zegt hij dat het allemaal politiek is, ook hoe hij zijn privéleven gestalte heeft gegeven. Hij heeft intussen nagedacht en het allemaal op zich in laten werken. Ons lange leven samen, toen we werkten en zorgden voor ons gezin, dat lijkt nu een onschuldige en optimistische tijd, we werkten op dezelfde voorwaarden, hij en ik, en het was allemaal heel simpel. Pas toen hij vakbondsvertegenwoordiger werd, begonnen we mentaal onze eigen weg te gaan, de fulltime politiek, ook al was die veel breder, werd een armetierige bedoening, hij raakte het contact met zijn collega's kwijt vanaf het moment dat hij hen niet meer vanuit de ramen van het vakbondshok kon zien.

Ik weet dat allemaal wel, wat moet ik erop zeggen? Het is niet echt een nieuwe ontdekking. Ik zag het meteen al aankomen, toch was ik vrolijk en trots en ik hield het vol, hij was degene die meer wilde.

Praten met hem is gemakkelijk, net alsof de eenzame jaren er nooit zijn geweest, maar ik blijf op mijn hoede. Hij mag hier best komen, als hij dat wil, maar dan moet Åsa er ook bij zijn. Formeel doen we het voor haar als we elkaar überhaupt ontmoeten.

We beëindigen het gesprek op de juiste toon en ik hang rustig op.

Maar dan kan ik me niet meer groot houden, het komt allemaal over me heen en het moet eruit, ik zit als een klein kind op de bank voor de tv te huilen. Op het scherm schateren ze het uit, het ene lachsalvo nog heviger dan het andere, en daar moet ik alleen nog maar harder om huilen, het leven drijft de spot met me. Het is te laat. Het zit te diep. Nog een steek in mijn hart overleef ik niet.

Ik slaap nog maar net als de wekker gaat, tijd om op te staan. De duisternis plakt aan de ramen en ik heb het koud, maar er is geen tijd om de kachel aan te doen. Het is mijn vrije dag en ik moet boven op mijn plaats zijn als het licht is.

Er ligt een laagje ijzel op de bergweg, de spijkers van mijn banden prikken erin en geven me grip. Naast me rijzen de bergen op, waar hier en daar sneeuw op ligt. Er branden nog geen schijnwerpers en ik voel de bergen meer dan dat ik ze zie.

Het bungalowpark van Myrflodammen ligt er zo verlaten bij alsof de pest er heeft huisgehouden. Ik vergelijk mijn spiekbriefje met de gebouwen in de werkelijkheid en ik vind ze een voor een in het duister, het klopt. Nu alleen nog geduld en spirit, dan verdien ik ook vandaag weer een paar centen.

In het eerste koude huisje – negen graden – ruikt het muf, maar de steunverwarming staat aan en ik krijg het warm zodra ik aan het werk ga, dat weet ik. Met de ramen wacht ik tot het lichter wordt, intussen pak ik de geverfde oppervlakken en de tegeltjes aan.

Was de wet van de zwaartekracht maar niet zo onverbiddelijk, het werken valt niet mee, ik ben moe en neerslachtig. Het telefoontje van Jan zit me dwars, het bleef maar door mijn hoofd spoken en ik kon er niet van slapen.

En dat is niet het enige. Vandaag is de begrafenis. Vandaag zingt het schoolkoor meerstemmig, als ze ondanks alle tranen wijs kunnen houden. Vandaag nemen Peggy en Marlene voorgoed afscheid van hem, van een kind dat nooit volwassen mocht worden, een slachtoffer van het wrede toeval of een pion in een cynisch spel.

Ik wrijf en poets en schrob en in gedachten ben ik bij hen onder de hoge bogen met middeleeuwse schilderingen. In het koor staat de witte kist met witte rozen erbovenop. Daarnaast staat het jeugdkoor, ijle jonge stemmen, witte kleren, de meisjes met het haar los, ze zingen volhardend en mooi om een medeleerling te eren voor wie ze bij zijn leven nooit oog hebben gehad.

Ik heb het idee dat ik de echo van die tonen hoor wegsterven en daarna wordt het stil. Al het schrapen en hoesten is zo duidelijk hoorbaar, evenals een psalmboek dat iemand met een bons op de grond laat vallen.

De jonge dominee loopt naar voren en aangezien hij erbij was die dag, zoekt en krijgt hij contact met Peggy, die zich kapot heeft gehuild. Hij kijkt haar in de ogen en begint dan te praten: 'We zijn hier vandaag bijeen om gezamenlijk afscheid te nemen van Sammy, laten wij bidden.'

Laten wij bidden, door het raam zie ik de verzamelplaats daarbeneden voor het Myrflocentrum, wat er gebeurde, de bus, de kinderen en de leraren. En daarna de jagers en de processie met de brancard, de reddingsdienst, de agenten en de ambulance, ik was erbij en heb het gezien. Ik heb even iets van een manie of fobie gehad en misschien had ik wel gelijk, maar nu ligt dat achter me. Klas Lekare is weer aan de drank en komt er misschien nooit meer van af. Als hij Sammy heeft neergeschoten, wordt hij toch in zekere zin gestraft. Het is nu allemaal voorbij. En ik ben met de schrik vrijgekomen.

De hele ochtend maak ik in stilte schoon, zonder radio. Inwendig hoor ik wat er in de kerk gebeurt, ik zit afwisselend bij Marlene en bij Peggy, ik voel met hen mee op deze zware dag.

Mijn tweede huisje ligt iets hoger aan de Flatfjällsvägen. Ondanks de mist is het licht, ik schud mijn denkbeeldige begrafeniskleren van me af en mijn bedruktheid verdwijnt, ik voel me weer gewoon, alleen nog wat stemmig.

De natuur heeft bepaald dat de bergen zelf baas mogen zijn, maar daar trekken mensen zich niets van aan, die bouwen toch lichtzinnig en koppig tot boven op de kale rots aan toe, ondanks sneeuwstormen en problemen met de riolering.

Weer zo'n luxueuze alpenvilla. Met veel licht, veel ramen en lichte houtsoorten, en nu gaat de radio aan. 'Chattanooga choo choo', dat is lekker schoonmaken.

Een van de douches ruikt muf wanneer ik de deur opendoe, een vochtige lucht, kans op schimmel, hier moet ik extra goed schoonmaken. Het is er donker, er zit geen raam in. Er gebeurt niets wanneer ik op het knopje druk. Is de gloeilamp stuk? Ik klim op een krukje en draai hem eruit, hij rammelt wanneer ik ermee schud. En geen reservelamp, zal je net zien, ik zoek overal. Moet ik nu naar Tandådalen rijden voor een nieuwe?

Op dat moment zie ik het buurhuis, er komt rook uit de

schoorsteen. Soms zit het mee, er zijn mensen in de buurt.

Er staat een schutting om het grote terras dat het huis omgeeft met een hekje erin dat je open moet doen. Aan het hekje zit een bordje met de afbeelding van een waakhond, maar ik hoor geen geblaf, ook al stamp ik opzettelijk met mijn voeten op de houten ondergrond.

Wanneer hij opendoet, is hij net zo verbouwereerd als ik. We kunnen elkaar niet meteen thuisbrengen, waar hebben we elkaar meer gezien? Ik weet niet meteen iets te zeggen, maar houd mijn gloeilamp ter verklaring als een schild omhoog.

'Neem me niet kwalijk', zeg ik. 'Ik ...' Ik wijs naar het buurhuis.

'O, kom binnen', zegt hij nog steeds verbaasd en hij doet een stap opzij. Ik zie dat hij zijn jas aanheeft, dat hij op weg was naar buiten.

'Dus de lamp is kapot?' vraagt hij dan. 'Ik dacht dat ik alleen was hierboven, maar niet, dus. We hebben elkaar toch al eens ontmoet? Dat kan haast niet anders als we buren zijn en alles, mag ik eens kijken hoeveel watt het is?'

Hij pakt de lamp uit mijn hand en daarna kijkt hij mij weer aan, nog steeds verbaasd. 'Ga zitten', zegt hij. 'Mag ik mijn buurvrouw misschien iets aanbieden? Een kopje koffie? Of wil je iets eten?'

Dit is een villa, geen huisje. Hij is smaakvol ingericht en even licht en ruim als het huis dat ik nu aan het schoonmaken ben.

Ik heb mijn schoenen uitgedaan en ben een eindje het huis in gelopen. 'Ga zitten', zegt hij weer en dan doe ik dat, ik voel me opeens heel flauw. Ik ga zitten aan een mooie oude klaptafel, van waar ik een schitterend uitzicht heb op Hundfjället en Tandådalen, die nu in witte nevelsluiers gehuld zijn.

Het is allemaal zo logisch. Daarom zat hij in de jachtploeg van Sälen, deze villa is van hem, hij heeft een band met de bergen, dat is helemaal niet raar.

Hij verdwijnt naar de achterste regionen van het huis en komt terug met een dubbelverpakking. 'Neem ze allebei maar mee, ik heb een kast vol armaturen, lampen en stoppen. Nee, geen dank. Excuses voor mijn nieuwsgierigheid, maar heb je het huis al lang?'

Ik lach gegeneerd en leg uit dat ik niet de eigenaar ben van het huis naast het zijne. Ik maak het alleen maar schoon.

Hij verstrakt meteen, het gaat vast onbewust, zijn glimlach verdwijnt, zijn strategie verandert, hij knikt even, zijn stem kraakt, maar hij vraagt toch nog eens of ik koffie wil, om te laten zien dat hij de ene mens echt niet anders behandelt dan de andere.

Ik kan er niets aan doen, ik vind het jammer. Hij lijkt me aardig, hij heeft zo'n sympathieke uitstraling, en ik zou graag wat met hem hebben gepraat, dat zou mijn dag wat leuker hebben gemaakt.

Ik sta op en bedank, maar ik moet weer terug om verder te gaan met schoonmaken. Ik bedank ook voor de gloeilampen en zeg dat ik een briefje kan neerleggen om het uit te leggen en dan zullen ze het zeker terugbetalen. Hij zegt dat ik dat niet moet doen, het stelt niets voor. En als ik van plan ben te gaan, kan hij wel even met me meelopen, hij wilde net zijn dagelijkse wandeling gaan maken.

Ik zeg dat ik hem herken van tv. Hij knikt. Ja. Hij wordt wel herkend, dat heeft voor- en nadelen.

Met een klik schakelt hij een alarm in en loopt met me mee naar buiten. 'Zo, zullen we gaan?'

Wanneer we op de houten terrasvloer staan, kijkt hij me toch nog eens onderzoekend aan. 'Maak je vaak schoon hier in de buurt? Ik heb het idee dat ik je eerder heb gezien.'

Ik vertel dat we elkaar gezien hebben bij die verschrikkelijke gebeurtenis niet zo lang geleden. 'Ik stond bij de tante van de jongen, jij condoleerde haar naderhand toen de ambulance was weggereden, dat weet je misschien nog wel.'

'Jij was bij Marlene, ja!' roept hij verrast uit. 'Ja, nu vallen de kwartjes!'

'Ken je haar?'

'Niet echt.'

'Omdat je haar naam kent.'

'Ja, ik ben weleens bij haar in de winkel geweest. Voor een cadeautje voor mijn vrouw. Maar hoe kwam het ...?'

'Dat ik haar ken?'

'Ja. En dat je daar was.'

Ik word weer verdrietig, ditmaal omdat hij mijn vriendschap met Marlene zo'n ongelijke verbintenis vindt. Ik leg uit dat zij feitelijk mijn gezelschap heeft opgezocht. Verder doe ik dat schoonmaken erbij, omdat ik dat wil, omdat ik het leuk vind en om de deur uit te komen.

Schaam ik me dus? Ik weet het niet. Maar ik ben beledigd. Moet je dan liegen over jezelf? Bij die gedachte schaam ik me nog meer.

Hij vraagt niet wat ik verder doe, maar zijn zwijgen is sceptisch. Dit is toch triest. Ik word boos. Tegelijkertijd word ik heel nieuwsgierig. Hij kent Marlene dus bij name? En hij heeft weleens iets bij haar gekocht? Daar heeft ze niets van gezegd.

Aan de andere kant heeft ze meermalen benadrukt hoe belangrijk het in haar branche is om discreet te zijn. Deze rijke dominee – of wat hij ook is, hij zal er wel een goedbetaalde baan naast hebben, want van Gods woord alleen kun je toch niet leven? – geniet waardering, er wordt over hem geschreven en zijn kerk is bijna tot een volksbeweging uitgegroeid, terwijl een aantal andere als sekten zijn afgedaan. Het Woord en het Licht daarentegen is openheid en liefde, die begrippen worden erin geramd met tv-spotjes, advertenties en reclame in treinwagons en op stadsbussen. De mensen verlangen naar liefde, hemelse liefde, en daar kan Morgan Eriksson voor zorgen, daarom is hij zo populair. Je hoeft niet religieus te zijn om je te laten verleiden door zijn charisma. Als Veronica hier was geweest, had ze vast een heel wereldse omschrijving voor hem gehad, maar dan wel een met waardering voor zijn masculiene schoonheid.

Dat Marlene discreet is over deze klant is niet zo vreemd. Een verder onschuldige voorliefde voor exclusieve lingerie, ook al is die voor zijn vrouw, kan in een krantenkop catastrofale gevolgen krijgen. Seks en religie zijn weer een ontvlambaar mengsel geworden, zelfs het huwelijk biedt daar geen afdoende beveiliging tegen. Een zwart korset en ander ondergoed met openingen op plaatsen waar ze maar door één ding gemotiveerd kunnen zijn, kunnen de verkoop van losse nummers – en daar draait het om in de tijdschriftenbranche – zeker stimuleren als deze minimale kledingstukken gekocht zijn door een tv-dominee. Dat zou de religieuze zaak geen goed doen.

'Wat een eigenaardig toeval', zeg ik terwijl we de Flatfjälssvägen af lopen. 'Vandaag is namelijk de begrafenis van de jongen die is doodgeschoten.'

Hij blijft staan, kijkt me aan en richt dan zijn blik op de afgelegen pistes verderop in de mist. 'God hebbe zijn ziel', mompelt hij en ik zie dat hij zijn handen vouwt en heel even zijn ogen dichtdoet. Daarna kijkt hij mij weer aan.

'Wat doe je hier eigenlijk in dit jaargetijde?' vraag ik opdringerig. 'Alles is toch dicht?'

'Daarom juist', antwoordt hij. 'Ik werk, en heb rust nodig.'

'Het was niet mijn bedoeling om te storen.'

'Dat geeft niet, dat kon jij toch niet weten. Dus, jij maakt schoon. Er zal wel veel schoon te maken zijn, wat reken je voor een grote schoonmaak? Sorry, daar heb ik niets mee te maken. Wij maken ons huis zelf schoon, of iemand helpt ons daarbij. Onze kinderen zijn hier in de winter vaak met vrienden en dan maken zij als dank het huis schoon. Ik maakte maar een grapje.'

We zijn bij mijn huis aangekomen, het huis dat ik schoonmaak. Hij blijft staan, wipt even op en neer op zijn hielen en ik krijg het gevoel dat hij nog niet uitgesproken is.

'Marlene is een sympathieke vrouw', laat ik een proefballonnetje op.

'Ja, dat is ze zeker. Kennen jullie elkaar goed?'

'Heel goed, mag ik wel zeggen. We bespreken alles met elkaar, als echte vriendinnen.'

'Als vriendinnen? Waar hebben jullie het dan over? Over make-up en koken en misschien ook over schoonmaken?'

'Helemaal niet. Over ons privéleven, daar heb je vriendinnen voor.'

Hoe ben ik zo uitgekookt geworden? Zo gewiekst? Ik voel kennelijk precies aan waar ik moet prikken, ik weet het al voordat ik het met mijn verstand heb bedacht. Ik flap het er gewoon uit.

Het effect is exact wat ik diep in de krochten van mijn perverse geest had verwacht en gehoopt. Hij houdt meteen op met wippen en staart me een paar seconden aan. Hij laat zijn defensieve houding even varen en ik zie zijn angst.

Dan stopt hij zijn handen in zijn jaszakken en kijkt weer uit over het dal. 'Het vriest', zegt hij zakelijk. 'Aha, dus vriendinnen heb je om intieme zaken mee te bespreken. En ik maar denken dat God daarvoor de aangewezen persoon was.'

Daarna glimlacht hij even en met een knikje loopt hij door. Ik ga de luxe alpenhut in om de doucheruimte in het midden van het huis te saneren.

Ze huilde en snikte en wilde niet zeggen wie het was. Dat kon ze beslist niet vertellen, maar ze was hopeloos verliefd en hij kon haar niets beloven. Omdat de kinderen erop tegen waren.

Voor een dominee zijn de gemeenteleden zijn kinderen. Een vader mag hen nooit in de steek laten. Of hun een reden geven om hem te verlaten en te veroordelen. Zijn vrouw is in dat verband niet interessant.

Ik begrijp dat ze ongelukkig is, als hij het tenminste is.

V

WEGEN EN STRATEN LAGEN ER VERLATEN BIJ. Het dorp sliep. De krantenauto uit Falun kwam even na drie uur in volle vaart Grönland binnen scheuren, de bestuurder was de eerste die het zag.

De melding kwam via de centrale meldkamer in Falun om drie uur zevenentwintig binnen bij de brandweer. Om drie uur eenendertig werden ook de dienstdoende brandweerkorpsen van Transtrand en Vansbro ingeschakeld.

Een onnatuurlijke gloed lichtte op achter het gigantische houten huis, zodat delen van de drukkerij aan de zuidkant van het Lisellse huis in vlammend goud baadden. De rook en het surrealistische tafereel hadden een installatie kunnen zijn van een modernistische kunstenaar.

Toen de eerste brandweerauto arriveerde, klonk de schelle gil van een vrouw. Het was een van de bewoners van de Jannespersflat, die wakker was geworden van de sirenes, het verschrikkelijke tafereel door het raam had gezien en in haar nachtpon de straat op was gerend, omdat ze dacht dat haar eigen flat ook in brand stond.

Er heerste onzekerheid of er iemand in het Lisellse huis verbleef, of dat het er helemaal leeg was ten gevolge van de renovatie. Dat het automatische alarm uitgeschakeld was vanwege de bouwwerkzaamheden was al duidelijk. Hiervoor hadden de brandweer en de verzekeringsmaatschappij al toestemming gegeven voordat de steigers waren opgezet. Maar de commandant had toch het vage gevoel dat het gebouw niet helemaal leeg was. Op de achtergrond was nu de volgende wagen te horen en meteen daarna nog een en om drie uur vierenveertig waren er nog twee brandweerauto's ter plaatse.

Er werden in totaal vijf waterstralen gericht op het punt waar brandweerlieden een poging zouden doen het gebouw binnen te gaan. Er werd nog een slang uitgerold om een watergordijn te leggen tussen het Lisellse huis en de Jannespersflat, waar de verf op de gevel al zacht begon te worden. De commandant schold op de meldkamer toen hij hoorde dat de volgende politiepatrouille zojuist was vertrokken uit Älvdalen, honderd kilometer verderop, maar hij was onderweg.

Nu werden er slangen naar de rivier getrokken, iedereen wist wat hij moest doen. Het waterkanon van het brandweerkorps werd opgesteld. Er kwam nog een wagen aan en om drie uur vijfenvijftig waren alle twaalf de brandweerlieden ter plaatse en volop in actie. Toch zag het er allemaal heel somber uit. De brand was oppermachtig en uit de tien schoorstenen van het oude cultuurmonument kwamen rookpluimen en vonken als reusachtig vuurwerk in een macabere revue.

Intussen had de commandant contact gekregen met de Bescherming Burgerbevolking, terwijl een slaapdronken huiseigenaar aan een andere telefoon meedeelde dat een van de appartementen bewoond was, dat wilde ze zelf, dat was niet zijn idee.

Omdat er geen politie was, droeg de commandant een van de huurders uit de Jannespersflat op om alle bewoners te tellen en af te vinken en ervoor te zorgen dat ze het pand snel verlieten.

Maar ook de andere panden in de buurt moesten worden geëvacueerd. Inmiddels was iedereen wakker en sommigen maakten zich al klaar om hun woning te verlaten.

De politie was nu bij Mora aangekomen en reed verder in westelijke richting. Ze hadden versterking gevraagd van Ludvika en Falun.

Om vier uur negen waren de eerste brandweerauto's te horen die uit zuidelijke richting kwamen. Inwendig klokte de commandant de collega's uit Vansbro en hij stak zijn duim op. Nu zou het niet lang meer moeten duren voordat het korps uit Transtrand er ook was.

De commandant gaf nu het sein dat ze konden beginnen, ook al waren de vlammen meters hoog. Persoonlijke bescherming en repressie, dat was erin gestampt. Hij vertrouwde op zijn mannen en op hun oordeel. De eerste manschappen verdwenen meteen in de vlammen met hun straalpijpen en met zuurstof voor dertig minuten op hun rug. Ze hadden er uren training in brandende containers op zitten en kenden geen aarzeling. Ze werden door een tweede groep collega's gevolgd.

Het hoofd van de BB had een collega bij de stoplichten op de weg naar Mora neergezet, zodat het verkeer in zuidelijke of noordelijke richting omgeleid kon worden over de Lisagatan. De volgende brugovergang was in Forsbyn, tien kilometer noordwaarts, of in Yttermalung, dertig kilometer zuidelijker, er werd voor niemand een uitzondering gemaakt.

Toen de chef van de BB zelf zijn positie innam om het verkeer van de kant van Värmland tegen te houden, kreeg hij allereerst met een Deense vrachtwagen te maken, een gigantische koelwagen, die weigerde achteruit te rijden. Het was inmiddels half vijf en het hele Lisellse huis stond nu in lichterlaaie, mensen uit de Jannespersflat renden heen en weer en de straat was nat en glad van de straal van het waterkanon, waarmee voor een watergordijn tussen de brand en de Jannespersflat werd gezorgd.

Ten slotte moest de vrachtauto wel achteruit de brug weer op rijden en de auto's die erachter stonden, slalomden achterwaarts om hem te ontwijken. De vrachtauto moest een bocht naar rechts maken om over een smalle, gevaarlijke weg langs de leerlooierij te kunnen rijden.

In de gloed en het gebulder van de grote brand en met toeterende auto's achter hem in het donker, nam de Deen de bocht te krap. De zachte, steile oever werd net een zeephelling onder het gewicht, en de spijkerloze banden aan de rechterkant werden een surfplank die de hele combinatie op een haar na deed omslaan. Gevulde brandslangen kronkelden als redelijk harde oliekeerschermen de helling af en hielden de zware wagen tegen.

Toen de vrachtwagencombinatie eindelijk tot stilstand was gekomen, hielden het waterkanon en twee brandspuiten ermee op. De watertoevoer kwam pas na een heleboel werk met dommekrachten en bergingswagens weer op gang, maar toen stond de Jannespersflat al in brand; de uitgebleven bescherming van het waterkanon had de doorslag gegeven.

De brandweerlieden moesten het wel opgeven. Niet vanwege de zuurstof, maar vanwege de onbeschrijflijke hitte, die veel ondraaglijker was dan in de containers waar ze hadden geoefend. De terugtocht was snel en chaotisch, een complete aftocht.

Om vier uur zevenendertig had het dorp nog geen functionerende ordedienst. De agenten waren inmiddels tot Öje gevorderd. De patrouille uit Ludvika was bij Nås aangekomen. De commandant was nog steeds aangewezen op de hulp van burgers en van enkele leden van de BB.

Op de parkeerplaats voor de slijterij stond een ambulance met personeel, ze stonden er al een poosje. De commandant zag dat ze stonden te roken. Hij werd er kwaad om, al had hij er juist blij om moeten zijn. Zijn keel deed er zeer van. 'Verdomme.'

Een van de bewoners van de Jannespersflat kwam aanrennen, alsof hij wilde reageren op de woedende ongerustheid van de commandant. De man wist dat ze een winkel had aan de Lisagatan en dacht dat ze misschien had weten te ontsnappen en in shock daarnaartoe was gegaan. Maar de winkel was leeg. Hij was er geweest, hij had er aangeklopt en ook naar binnen gekeken, aan de straatkant en aan de achterkant, maar alles was donker en verlaten, ze was er niet. 'En daar staat haar auto.' De man wees naar een Renault 2004, die de brandweer moeizaam opzij had geschoven, aangezien hij in de weg stond, veel te dicht bij het brandende gebouw. Ze keken omhoog naar het raam dat het hare zou kunnen zijn, en als een groet kwam er een vuurpluim door de ruit die door de hitte was gesprongen.

Eindelijk kwam de politie aanrijden met zwaailicht en sirene. Een politieofficier nam de verantwoordelijkheid voor de openbare orde over. De brandweercommandant kon eindelijk bepaalde belangrijke waarnemingen doorgeven. Een agent maakte aantekeningen. Collega's van hem maakten werk van de veiligheid in het gebied.

Toen er steeds meer mensen uit de dorpen aan de westkant van de rivier naar het centrum begonnen te rijden, werd er al gewaarschuwd op Radio Dalarna.

De reden voor de versperringen konden ze zelf zien tegen de nog donkere hemel. Het schijnsel was in de wijde omtrek zichtbaar en toen het dag werd ook de rook, wit en walmend, alsof Grönland door een bom was getroffen.

De wekkerradio geeft 04.16 uur aan. Ik draai me nog eens om en probeer door te slapen. Ik hoef pas over een uur aan het werk in de bergen.

Sirenes – een ambulance? Is er een verkeersongeluk gebeurd?

Maar de sirenes sterven niet weg en het geluid gaat maar door – de brandweer dus, is er brand?

Ik kan de slaap niet meer vatten.

Vanuit het raam van mijn slaapkamer zie ik de blauwe zwaailichten tussen de dennen in de verte.

Ze komen uit het noorden. Maar de brandweerkazerne van Malung staat toch aan de Moravägen?

Het geluid veroorzaakt een steeds groter gevoel van onbehagen. Zou het de brandweer van Transtrand kunnen zijn? Of van Sälen? Waarom? Waar is de eigen brandweer van Malung dan?

Ik volg een ingeving, trek pantoffels en een shirt aan en loop snel de trap op naar mijn onverwarmde bovenverdieping.

Door het zolderraam aan de zuidkant zie ik de lichten van Grönland. Er is een krachtige lichtbron bij gekomen, die de hemel boven Grönland verlicht – er is brand!

Ik loop snel terug naar de warmte en doe de deur naar de zolder goed dicht alsof ik de spoken daarboven wil tegenhouden. Wat moet ik doen? Niks, natuurlijk, ik zit niet bij de brandweer en ik heb geen huis in het centrum.

De nachtradio draait blues, wat had ik dan verwacht? Radio Dalarna zendt op dit tijdstip nog niet uit.

Wie hebben er nachtdienst?

Ik bel Gunilla op haar privémobieltje en ze neemt meteen op, ze zit in Östra Utsjö. Wat er aan de hand is? Nou, het Lisellse huis staat in brand. Het hele gebouw brandt als een fakkel, maar ze is nu bij een vrouw die er slecht aan toe is, dus ze kan niet praten. 'Ga slapen, Siv, probeer te slapen, hier kunnen wij niets aan doen.'

Het Lisellse huis, een van de grootste houten huizen van Zweden, met een beroemde architectuur van rond 1900, een monumentenpand, ook bekend vanwege de lijsten die hier gevonden zijn, de deportatielijsten met namen van Joden die aan Hitler overhandigd zouden worden als hij zou winnen. Het nobele gebouw kan het niet helpen dat er onder zijn fraaie stucwerk iets kapot is gegaan; een elektrisch defect of een brandende kaars zal de oorzaak wel zijn. Wat een noodlottige vergissing.

Dan is het net alsof mijn adem afgesneden wordt – Marlene!

Haar huisnummer, dat valt natuurlijk niet meer te gebruiken. Ik bel haar mobiel. De abonnee is momenteel niet te bereiken.

Voor ik er erg in heb, heb ik mijn jas al aan en sta ik in de deuropening met de autosleutel paraat.

Als ik rechts afsla op de rotonde zie ik het licht en wanneer ik dichterbij kom, is de aanblik zo overweldigend alsof ik voor een monumentaal schilderij sta, alleen is dit veel erger. Bij de kleine Shellpomp staan een ambulance en een paar andere reddingsvoertuigen. Bij de stoplichten word ik in noordelijke richting over de Lisagatan gedirigeerd.

Ik rijd de parkeerplaats van de Konsum op. Het gebouwtje van de Nisskiosk beneemt me het zicht op de brand, die met angstaanjagende effecten wordt gereflecteerd op de gevel van de Spaarbank en de oude ijzerhandel.

Het hele plein is afgezet, ik kom niet verder. Er hebben zich een heleboel mensen achter de plastic stroken van de politie verzameld. Een oude vrouw staat te huilen, steunend op een jongere man. Anderen praten heel luid, ze schreeuwen bijna om het vuur te overstemmen.

Ik ren door het Grönlandpark en kom aan de achterkant van de parkeerplaats van de slijterij uit. De politie is bezig de grote mensenmenigte die zich daar heeft verzameld weg te jagen. Ze staan te dichtbij, ik voel het zelf ook, de hitte prikt in mijn gezicht en nu zie ik ook dat het oude houten gebouw, de Jannespersflat, in brand staat, de hele straat ervoor is veranderd in een rivier door al het water dat het waterkanon heeft uitgespuwd.

Als je geluk kunt hebben in deze situatie, dan heb ik dat. Mor Lennart in vol ornaat is bezig de meute over de Grönlandsvägen in noordelijke richting voor zich uit te drijven en met een blauw-witgestreepte rol wil hij de afzetting verder opschuiven.

Ik zie dat hij geen tijd heeft om met mij te praten. Ik hoef maar op één vraag antwoord te hebben.

Nee, ze hebben geen contact met haar gehad. Hij weet dat er zojuist een patrouille met haar zus Peggy heeft gesproken, maar dat heeft helaas niets opgeleverd.

'Hebben jullie geprobeerd naar binnen te gaan?'

'Wij niet, natuurlijk, maar de brandweer wel.'

'En?'

'Ze zijn niet ver gekomen, dat kun je zelf wel zien. Ze is ook niet in de winkel. En haar auto staat hier nog. Het spijt me, Siv, maar nu moet ik weer aan het werk. En jij moet proberen niemand voor de voeten te lopen.'

Het is een vreselijk schouwspel, met het gebulder en de hitte. De vlammen komen nu helemaal tot aan de opgekrulde dakbalken en in de etalages van de Jannespersflat is alleen maar vuur, alsof de duivel zelf er nu eindelijk zijn hete creativiteit aan de man kan brengen.

Ze heeft mij opgezocht, ze wilde dat ik haar vriendin werd. Ik begreep het niet goed, maar nu zou ik er heel wat voor overhebben om haar weer te zien. Inwendig bezweer ik de externe werkelijkheid zoals mensen dat door de eeuwen heen hebben gedaan, door te bidden. Dat ze het gered heeft. Dat ze niet midden in dat razende inferno zit. Dat ze wakker is geworden, snel heeft gehandeld en is ontsnapt. Dat ze nog in leven is. Laat haar niet bij de brand zijn omgekomen.

Ik loop heen en weer achter de afzetting, ik ben vreselijk ongerust en voel me misselijk. De hoge, bulderende vlammen lachen me uit, als tevreden roofdieren likken ze de dakplaten en de hemel zelf. De brandweermannen in silhouet daarbeneden zijn klein en hulpeloos in vergelijking met de enorme vlammen en de woeste vonkenregens.

Ik loop snel terug door het park. Achter de huizen aan de promenade blijf ik abrupt staan.

Ik zie de grote houten jaloezieën, neergelaten als een geloken ooglid en de trap naar de kelder aan de buitenkant, waar het vuilnishok zit.

De winkel ligt er donker en verlaten bij.

Hij heeft verdriet.

Ik houd mijn tranen in, nee, dat mag niet. Ik moet afwachten en blijven hopen.

Maar afwachten, is dat ooit mijn stijl geweest?

Op de parkeerplaats van de Konsum staan al een heleboel auto's, ik wurm me ertussenuit en volg de Lisagatan in noordelijke richting tot aan de Albacksgatan om op de Sälenvägen uit te komen en vandaar naar huis te rijden. Ik ken mezelf immers, werken is het enige wat helpt tegen de angst en ik heb genoeg te doen waar ik moe van kan worden.

De voordeur is niet op slot. Had ik de deur niet op slot gedaan? Was ik zo in de war? Anders doe ik dat altijd automatisch.

Ik ga gauw mijn lunch en mijn schort in mijn tas stoppen.

Waarom loopt de waterkraan? Ik heb geen water gedronken. Of wel?

Ik draai de kraan dicht, raar. Een geluk dat ik thuisgekomen ben, de hele put had wel leeg kunnen lopen.

Daarna ruik ik het. Ik inspecteer mezelf, zit er as op mijn kleren, of ruiken die alleen al zo branderig doordat ik in de buurt ben geweest van de brand?

Opeens hoor ik gejammer. Geruisloos glijdt de zolderdeur open en ik geef een gil, een zwarte figuur schrijdt de kamer in.

'Ik ben het maar, Siv. Je moet me helpen.'

Het is te veel, mijn arme hersenen kunnen deze angstaanjagende figuur niet aan Marlene koppelen, maar het is wel haar stem.

Het is Marlene ook.

Ze loopt snel naar het aanrecht, draait de koudwaterkraan open en houdt haar handen er kreunend onder. Ze is helemaal zwart en beroet, maar aan de ene kant van haar hoofd schemert er wit doorheen, met bloed dooraderd, daar zit geen haar.

'Mijn hemel, Marlene, wat heb je gedaan? Je moet naar het ziekenhuis.'

Haar stem is zacht.

'Rustig! Je moet me helpen, Siv. Ik wist dat ik iets aan je zou kunnen hebben. Ja, sorry, maar we hebben nu geen tijd voor beleefdheden.'

'Hoe ben je hier gekomen?'

'Lopend. Hardlopend.'

'En hoe ben je binnengekomen?'

'De deurmat, de laars of het deurkozijn, je bent niet origineler dan anderen.'

Ze werpt me een gelouterde bik toe vanuit een afgrond die ik niet ken.

'Ben je dat hele eind komen lopen? Je moet naar het ziekenhuis! Ik breng je met de auto.'

'Nee! Of liever gezegd: ja. Maar eerst moet je me helpen. Alsjeblieft, Siv, ik heb verder niemand.'

'Natuurlijk help ik je.'

'Niet naar het ziekenhuis. Ik wil niet naar het ziekenhuis. Ik moet hier alleen weg.'

Haar stem is smekend, ze is net een klein meisje.

'Je hebt een shock. Ik zal voor je zorgen. Je haar ... je hebt hoofdletsel.'

'Daar voel ik niets van. Alleen mijn handen, die verdomde brandende planken die ik opzij moest duwen om naar buiten te kunnen.'

'Je zit onder het roet.'

'Niemand mag weten dat ik ontkomen ben. Begrijp je dat?'

'Ja. Nee. Waarom niet?'

Die harde klank, een bijl op steen, zo ken ik haar niet. Ze wringt haar handen onder de kraan.

'Dat maakt niet uit, wat je niet weet kun je ook niet doorvertellen. Zelfs niet als je gefolterd wordt.'

'Als ik ...? Marlene, ben je gek?'

'Ik heb alleen jou. Je bent echt perfect, er zijn er niet veel die weten dat wij bevriend geraakt zijn. Of wil je me niet helpen en gooi je me eruit zoals ik er nu aan toe ben. In deze toestand?'

Is ze gek of zo? Waar wil ze me nu toe dwingen?

'Ik wil je naar het Gezondheidscentrum brengen. En nu bel ik 112, zodat ze de dienstdoende arts kunnen oproepen.'

Ik voel de hoorn nog maar net onder mijn handpalm. Ze is zo sterk als een poema, en net zo zwart. De telefoon valt rinkelend op de grond en blijft aan het snoer hangen.

'Heb je me niet gehoord? Je mag niet bellen!'

'Marlene! Ben je niet goed wijs?'

'Wil je me niet helpen?'

'Jawel, maar wat moet ik dan doen?'

'Mij hier weg brengen. Ik zal de weg wel wijzen.'

'De weg waarheen?'

'Naar een vriendin. Ik geef je geld voor de benzine.'

'Het gaat niet om het geld, Marlene! Het gaat om je verwondingen. Een brandwond groter dan een handpalm ... ik heb gelezen dat ...'

'Hou nou op! Heb je kleren die je kunt missen? Misschien wat eten?'

Haar stem is zo scherp en hard als vuursteen. Ik dring niet tot haar door.

'Heeft je vriendin dan geen eten?'

'Ze weet het niet ... en ik blijf waarschijnlijk een tijdje in bed. Wat eten en als je nog pijnstillers hebt, mijn handen ... verdomme!'

'En je hoofd dan?'

'Ja, hoofdpijn. Het doet me overal zeer, heb je iets in huis tegen de pijn, maakt niet uit wat, Treo bruistabletten, cognac, whisky, Panadol?'

'Je speelt met je leven, Marlene! Je hebt specialistische hulp nodig!'

Ik sta nu vlak bij haar, maar durf niets te doen, ik ben geen dokter, ze zit helemaal onder het roet, ze is verbrand en dan die verwondingen. Ze stinkt als een oordeel. Ik werp een snelle blik op de kale plek op haar hoofd, die zo groot is als een hand, er sijpelt vocht uit en bloed, en haar hoofdhuid licht wit op tegen al het zwart. Er zitten grote blaren op haar handen, die op haar rechterhand bedekt de hele handpalm. Ze houdt haar handen voortdurend onder de kraan; zodra ze die eronder vandaan haalt om ze in het licht te inspecteren, kreunt ze onwillekeurig.

Ik zet de stop in de gootsteen, zodat die volloopt met water. Ze knikt dankbaar en haalt hijgend adem. Haar kleren zijn zo verbrand en zo zwart dat ik niet goed kan zien wat ze aanheeft. We kijken elkaar aan en haar ogen zijn wit en bang als die van een mijnwerker die net is opgehesen na een instorting.

'Breng me alsjeblieft weg. Siv, toe?'

Ze blijft me wanhopig aankijken. 'Alsjeblieft, Siv, ik smeek je. Ik zal het je later uitleggen, ik bel, dan vertel ik je alles.'

Haar wanhoop is echt. Maar dat zijn haar verwondingen ook.

'Waar het ook over gaat, Marlene, de mensen in de gezondheidszorg hebben een beroepsgeheim, ze mogen niet eens vertellen dat je daar geweest bent.'

'Natuurlijk. De enige arts die 's nachts dienst heeft wordt opgeroepen – vlak na de brand, daarnaast minstens één verpleegkundige, en allebei hebben ze een gezin en kinderen die wakker worden, en misschien zouden ze me daarna doorverwijzen naar Mora – met een ambulance, mét een chauffeur natuurlijk, en daar zou niemand in het kleine Malung iets van merken? Alsjeblieft Siv, hoe naïef denk je dat ik ben?'

'Wíl je dat de mensen denken dat je bij de brand bent omgekomen? Heb je enig idee met wat voor gevoelens je op dit moment speelt? De mensen zijn buiten zichzelf van ongerustheid! Waarom doe je dit?'

'Dat leg ik je later wel uit. Breng me gewoon weg. Ik zal je onkosten vergoeden.'

'Het gaat niet om het geld, zeg ik toch. Het is de shock. Dat je niet weet wat je doet. Je loopt nu nog op adrenaline, maar straks? Je bent verward, je hebt medische verzorging nodig en de mensen maken zich zorgen. Als ik echt je vriendin ben, vertrouw dan op me, laat me jou dan in de auto meenemen voordat die blaren doorbreken en die wonden opengaan en er ik-weet-niet-wat-voor troep in komt, je verliest vocht, je hebt een infuus nodig, van alles, ga nu mee naar de auto of laat me een ambulance bellen!'

Dan draait ze de kraan dicht. Oké, dan ga ik wel. En ik ga precies daarheen waar ik naartoe wil. Je hebt niet het recht me te dwingen, dat recht heeft niemand. Als je mij dan toch wilt meenemen, dan moet het met geweld – vind daar maar eens een toepasselijk wetsartikel voor, ik heb ze nog allemaal op een rijtje en ik ben voor niemand gevaarlijk, nog niet voor een muis.'

Voordat ik er erg in heb, staat ze bij de voordeur. Ik ga snel voor haar staan. 'Nee.'

Ze ruikt naar verbrand afval.

Ik open een kast en haal er een oude jas, een lange broek, een flanellen overhemd en laarzen uit. 'Is dit wat?' Ze knikt. Daarna laat ze zich weer kreunend tegen het aanrecht vallen.

Soms heb ik het gevoel dat het heden en het verleden en zelfs wat er nog gaat gebeuren in dezelfde kamer zitten met alleen maar dunne bordkartonnen wandjes ertussen. Alsof je zo een hand door die kartonnen muur zou kunnen steken. Alsof je gebeurtenissen uit het verleden zou kunnen pakken en die nog eens zou kunnen beleven, tegelijk met het heden en met wat nog gaat komen. Misschien zit dat er ook al, achter een soort ondoorzichtig en flinterdun vlies.

Soms, als ik wakker word, of in mijn lichte droomfase zit, dan trillen die muren in een denkbeeldige windvlaag en dan is alles er tegelijk, mijn kindertijd en mijn jeugdjaren, wonderlijke wendingen in mijn leven die zo concreet zijn dat ik ze bijna kan aanraken, en ik voorvoel ook wat er komt. Ik heb me die wanden weleens zo intensief voorgesteld dat ik erdoorheen heb gekeken. Ik ben een matroesjka die alles in zich heeft. Het leven is ook een matroesjka waar alles al in zit. En het drama dat we op dit moment samen beleven is ook een matroesjka. Alles bestaat tegelijkertijd, gescheiden door muren van bordkarton, het bestaan is alle laagjes tijd bij elkaar.

Het is nog donker en alles is onwerkelijk, de dunne wanden trillen in een koortsige windvlaag. Marlene zit voorin naast me met mijn buitenwerkkleren aan en met een ritselende plastic tas met koelelementen op schoot, waarmee ze haar blaren koelt. In mijn huisje, dat we achter ons hebben gelaten, is de wasmachine druk bezig met haar zwarte, verbrande kleren – jas, pyjama, gymschoenen. 'Die moet je wassen en opbergen, ik wil ze later weer terug hebben', luidde haar opdracht. Ze stond naakt in mijn badkamer, haar lichaam wit als albast; alleen haar hoofd, hals en polsen waren zwart. Ze kon geen warm water aan haar handen verdragen, maar verder kon ik de meeste viezigheid verwijderen, ze zat me de hele tijd op te jutten, we hadden niet veel tijd! Ook haar haar heb ik gewassen, ondanks de schroeiplek, daar voelde ze geen pijn, grote verbrande plukken verdwenen in het afvoerputje, maar ik moest opschieten, want we hadden haast! Het steriele kompres dat ik erop deed, wilde niet goed blijven zitten en ik trok er een oude katoenen muts overheen, die schoon en zacht was van heel vaak wassen.

Op de achterbank staat een tas met eten, nogal karig, macaroni, tomatenpuree, diepvriesworst, poederkoffie, een bevroren brood, smeerkaas met hamsmaak, en lucifers, een kwartfles Skåne aquavit die er nog stond van afgelopen zomer, een doosje Distalgesic dat nog dichtzit tegen mijn rugpijn en alles wat ik nog aan Treo, Panadol, Paracetamol en Finimal in huis had, wat een geluk dat ik zo vaak last heb van mijn schouders en van mijn rug. Ze heeft al het geld geleend dat ik in huis had, zevenhonderdvijftig kronen, en ik heb de sleutel van de winkel gekregen, die ligt nu in mijn badkamerkastje.

Ze heeft een paar tabletten ingenomen en ik heb het idee dat ze nu minder last heeft van de pijn.

Natuurlijk had ik alarm moeten slaan. De ambulance was snel gekomen, dat weet ik zeker. Ook als ze ervandoor was gegaan, hadden ze haar waarschijnlijk wel gevonden.

Maar dan?

De waarheid is dat ik het niet durfde. Ik ben bang – waarvoor? Voor haar woede? Of voor haar angst, dat ze zo wanhopig en doelbewust is? Ik ben bang voor haar gedrevenheid – wat haar motieven ook zijn.

We zijn op weg naar het noorden. We zijn Forsbyn al voorbij en rijden nu door Limskogen. Ik zeg dat het perfect is, ik moest toch naar de bergen om schoon te maken.

Ze reageert niet. Maar het lijkt me duidelijk. Hij is daar vast nog, hun relatie is geheim. Als er iemand is die ze kan vertrouwen, die het zeker niet door gaat vertellen, is het Morgan Eriksson wel, haar minnaar. Dat hij het is, heb ik aan zijn gezicht gezien.

Waarom wil ze verdwijnen alsof ze bij de brand is omgekomen? Was de brand aangestoken? Een oud houten huis, het kan overal aan gelegen hebben. En als de brand gesticht is, wat God verhoede, waarom doet ze dan zo paniekerig? Waarom wil ze net doen of ze dood is?

Zou Klas Lekare hierachter kunnen zitten? Wat zou hij er voor belang bij hebben zich van haar te ontdoen?

De werkelijkheid is helaas zelden zo rationeel. Hij drinkt dag en nacht, hij kan het gedaan hebben toen hij dronken was, en om zijn macht te demonstreren, ze is immers Peggy's zus.

Maar toch, zo totaal zinloos?

Geweldsdelicten zijn vaak zinloos. Wie iemand bij een brand

laat omkomen, heeft daar nooit mooie bedoelingen mee. Er kan alleen een gek achter zitten, iemand die geen enkele grens accepteert.

Als een beer agressief wordt en je kunt niet op tijd wegkomen, moet je net doen of je dood bent, dan verliest hij zijn belangstelling en loopt weg.

Of hij begraaft zijn slachtoffer, om het vlees zacht te maken. Marlene speelt dat ze dood is, dat kan desastreuze gevolgen hebben. Morgan Eriksson kan haar niet beschermen, die kan haar alleen tijdelijk verbergen als Lekare de dreiging is.

Het is vergezocht. Is ze echt zo bang?

'Je moet naar de politie', zeg ik.

'Dat kan ik wel voor je doen,' ga ik verder wanneer ze niet reageert, 'als je zelf niet wilt verraden waar je zit.'

'Siv, alsjeblieft, hou op!' snauwt ze. 'Waar moet ik aangifte van doen? Je hebt toch beloofd dat je je mond zou houden? Begrijp je niet dat er risico's aan kunnen zitten? Ik weet het niet meer ... Kerstin, mijn werkster en mijn hulp die later mijn vriendin werd kon opeens geruisloos opduiken, vaak op een totaal verkeerd moment. Ze was ook zo voortvarend, net als jij, en er ontging haar weinig.'

Ik staar haar aan totdat de auto bijna kantelt op de rand van het asfalt, ik gooi het stuur om, raak in een slip, maar gelukkig komt er niemand van de andere kant! Kerstin, haar vorige vriendin! Die is overleden! Bedoelt ze dat?'

Er glijden ijsblokjes onder mijn kleren.

Limedsforsen. Ze roept: 'Stop! Afslaan!'

Ik raak in verwarring, een bordje dat in westelijke richting naar Norra Löten wijst?

'We moeten hier afslaan!' schreeuwt ze.

Ik kan niet meer remmen, maar draai met gierende banden naar links en bedank opnieuw de voorzienigheid dat er geen tegemoetkomend verkeer is.

We steken de rivier over naar de westkant, we rijden het dorp door en door het bos omhoog. Ik vraag haar of ze het meent. We moeten toch naar de bergen, naar Myrflodammen?

'Wat bedoel je?'

'Ik moet je toch naar Morgan Eriksson brengen?'

'Ben je niet wijs? Hoe kom je daarbij?'

'Hij is toch die getrouwde man van wie je houdt?'

Ze krimpt ineen alsof ze een trap in haar buik heeft gekregen en ze snikt.

Ik zeg dat ik weet dat hij het is, ik ben hem toevallig tegengekomen in de bergen waar ik het huis naast het zijne schoonmaakte, en toen heb ik dat geconstateerd.

Het wordt stil. Dan fluistert ze: 'Hij mag hier niets van weten. Absoluut niet. Als je hem weer tegenkomt, vergeet dan niet wat je hebt beloofd.'

Het bos welft zich zwart om ons heen, het daglicht laat nog op zich wachten, de weg is smal en kronkelig geworden, waar gaan we heen?

'Rij maar door. We moeten nog een kilometer of twintig.'

'Ik ben bij hem binnen geweest. Wanneer ben jij daar voor het laatst geweest?'

'Siv, alsjeblieft!'

'Waarom heb je me niets verteld?'

'Die dag ... van de excursie. Dat was een kans om elkaar te zien. We hadden met elkaar afgesproken ... Hij wilde praten. Dingen uitpraten.'

'Kijk, kijk. Nu komt de aap uit de mouw. Dus daarom wilde je mijn auto lenen, zogenaamd om naar Tandådalen te rijden om zoetigheid te kopen, terwijl ik mijn werk afmaakte?'

Ze geeft geen antwoord, maar vanuit een ooghoek zie ik dat ze knikt.

'Je was daar dus niet alleen omwille van de jongen?'

'Hij was vooral een voorwendsel. Het was verschrikkelijk

van me, maar zo was het. Hoewel Sammy er echt blij om was, dat zag ik wel. Een beetje verbaasd misschien, maar wel blij. Echt, en dat geeft me weer een goed gevoel, nu dat zijn laatste dag bleek te zijn ... Het was de bedoeling dat ik Morgan zou ontmoeten in een huisje waar hij de sleutel van had ... maar daarna gebeurde dat ongeluk.'

'En toen ging je naar zijn huis?'

'We moesten het uitpraten. Dat kon niet wachten. Maar hij was boos toen ik bij zijn huis opdook. "Ik wil geen auto van iemand anders voor mijn huis hebben staan", zei hij. Ook al was het jouw auto en niet de mijne. Hij kan heel streng zijn, dat heb je misschien wel gemerkt. Maar nooit tegen mij. Hij zal wel bang geweest zijn. Tegelijkertijd wilde hij mij, anders had ik nooit binnen durven banjeren. En toen hij gekalmeerd was, kwam het allemaal goed. Echt. Je zou eens moeten weten ... Hij heeft mij de kracht gegeven om de dagen daarna door te komen. Bij mij konden we elkaar ook niet zonder risico ontmoeten, en in de winkel ook niet – al hebben we dat wel een paar keer gedaan. En we zijn een paar keer een weekend naar een kuuroord geweest, maar hij is natuurlijk bekend, noem mij een hotel waar hij kan inchecken zonder dat het uitlekt. Hij raakte er zo gestrest van. Ik troostte hem door te zeggen dat het allemaal wel goed zou komen als hij de beslissende stap had gezet.'

'Om bij zijn vrouw weg te gaan?'

'Dat had hij beloofd. Meermalen. Maar er kwam telkens iets tussen.'

'Zoals de live uitzending van een kerkdienst met bekende artiesten en samenzang?'

'Zoiets, ja. En ook andere dingen. Het werd allemaal zo gecompliceerd.'

'Hoe heb je het volgehouden?'

'Dankzij hem houd ik het vol. Hij heeft me mijn leven teruggegeven. De zin van het leven – hij heeft de sleutel van mijn ziel.'

Ze zucht hartgrondig en ik heb er spijt van dat ik haar gevoelens in twijfel heb getrokken. Maar als hij van haar houdt? Ja, kun je net denken! En als zij van hem houdt? Waarom is ze dan op de vlucht en waarom ben ik dan de enige die mag weten waar ze is?

'Waarom mag hij de waarheid niet weten? Waarom wil je hem en alle anderen laten denken dat je bij de brand bent omgekomen?'

'Daar wil ik het niet over hebben. Dat onderwerp kunnen we beter laten rusten.'

'Dan heeft hij toch verdriet?'

'Dat weet ik. Maar daarna is hij er misschien zelfs wel blij om. Onze relatie is nogal gecompliceerd geweest.'

'Omdat hij getrouwd is? En de leider van een populaire gemeente?'

'Was dat maar alles.'

'Hoezo?'

'Hij speelt graag een vrouw.'

'Met een vrouw, bedoel je? Zoals alle mannen?'

'Je begrijpt me verkeerd. Hij speelt graag dat hij een vrouw is. Hij wil een vrouw zijn, compleet met vrouwenbenen, borsten en een vagina, hij wil anderen laten geloven dat hij die heeft, hij wil zich vrouw voelen ... daar raakt hij waanzinnig opgewonden van.'

'Wow! Heeft hij dat in het grote puriteinse land in het westen geleerd?'

'Hij kan en wil er niets aan veranderen.'

'En jij dan? Blijft jouw rol beperkt tot kleden en opmaken?'

'Wij zijn minnaars. Onder alle omstandigheden. Maar het is wel ... ingewikkeld. Het is een spel. Waarin ik dominant moet zijn. Maar hij is natuurlijk niet homoseksueel en ik moet ook vrouw zijn, ik moet zijn wat ik ben. Maar toch als het ware tegengesteld aan hem, en in dit opzicht degene die alles beslist. Hoewel hij eigenlijk degene is die continu zegt hoe hij het wil hebben. Toch moet ik domineren, dan verandert hij in zijn tegenpool en dan raakt hij overal opgewonden van, van mij en van de hele wereld, zoals hij altijd zegt. Maar het werd steeds ingewikkelder. Hij dirigeerde me alle kanten op, zet die hoed op, zet die hoed af, trek netkousen aan, nee, trek ze uit, trek schoenen met hoge hakken aan, nee, laarzen, nee, wandelschoenen, sandalen, stiletto's, raak jezelf aan, streel me, nee, zo niet, daar, nee, hier, ja, zo. Af en toe ben ik bekaf, dan ben ik er gewoon duizelig van, maar tegelijkertijd lijd ik met hem in zijn manisch koortsige benauwenis, hij wil meer dan een seksuele finale, hij wil een orgiastische ervaring waarbij zijn hele persoonlijkheid vrijkomt en een ander universum wordt binnen geslingerd, waar alles schoongewassen, echt en waar is. Maar het wordt alleen maar steeds gecompliceerder. En ik, de dominante, kan geen "nee" of "ho" zeggen tegen dit spel, dan zou ik zijn vertrouwen verliezen. Dat wil ik niet, want na afloop is hij weer zijn gewone zelf, geweldig, vol begrip en tederheid en dan hebben we fantastische, hemelbestormende liefdesmomenten en dan is hij echt zichzelf. Daardoor kan ik het volhouden. Ik heb weleens gedacht: hoefde het maar niet zo stiekem, hadden we maar een leven samen, zodat we ons niet aldoor hoefden te verstoppen om de schijn op te houden, hoefden we het maar niet van gestolen momenten te hebben, in volle vaart vooruit, stop, terug en daarna weer opnieuw beginnen. Konden we maar voluit leven.'

'Vertel nu waarom je vlucht! Waarom verstop je je?'

'Weet je, van de liefde word je ziek, geestelijk. Ik werd stapelgek, gestoord, wanhopig, toen hij hier niet was en niets van zich liet horen. Ik ben naar Stockholm gegaan toen hij de telefoon niet opnam.'

'Wanneer?'

'Onlangs, helemaal niet zo lang geleden. Daarover moesten we het hebben. Ik ben hem gaan zoeken in de lokalen van de evangelische kerk, maar toen hij daar niet was, ben ik naar zijn villa in Täby gegaan. Ja, ik weet het! Maar ik was gek, blind en ziek van verlangen en het was midden op de dag, dus ik dacht dat zijn vrouw wel op haar werk zou zijn. En ik wilde zijn huis natuurlijk zien, daar ben ik vrouw voor.'

'Had hij een mooi huis?'

'Hij had een mooie vrouw! Ik had even een black-out toen zij de deur opendeed. Maar toen kreeg ik een ingeving. Hij had immers zo veel dure kleren voor haar gekocht die niet perfect zaten, dat wist ik, want ik had er al een paar aangepast. Dus zei ik dat ik toch in de stad was, en dat ik mooi haar maten kon opnemen, zodat ik de kleren echt goed passend zou kunnen maken – gratis.'

'En vond ze dat wat?'

'Vond ze dat wat? Ze keek me aan alsof ik van Mars kwam. Ik begreep meteen dat ze nooit ook maar één kledingstuk had gekregen.'

'Die had hij zelf gehouden?'

'Precies. En ik dacht dat onze spelletjes gewoon voor de grap waren, dat wat er gebeurde als we echt met elkaar naar bed gingen het belangrijkste was, dat dat echt was.'

'Een diepgewortelde voorliefde dus. Maar dat maakt toch niets uit, eigenlijk?'

'Hij voelt zich zo vrij. Zo ontketend, vrij van zijn boeien, vrij om zich te kunnen bewegen, om te ademen, te leven. En om mij lief te hebben.'

'Is zijn vrouw erachter gekomen?'

'Ik weet het niet. Hij klonk verstoord toen hij eindelijk iets van zich liet horen, hij zei niet veel toen hij belde. Ik weet niet wat voor verklaring hij haar heeft gegeven. Zelf ben ik gewoon weggegaan, ik zei dat ik aan het verkeerde adres was. Ik weet niet eens of hij thuis was.'

Ik denk na over wat ze heeft gezegd. Ik heb een heleboel gehoord over haar minnaar. Maar wat haar vlucht betreft, ben ik nog steeds niets wijzer geworden.

Ze dirigeert me een andere onverharde weg op, we rijden over een dam. In de ochtendschemering breidt zich een groot meer uit en grote rotsblokken, daarna gaat de weg naar beneden. We rijden naar het dal van de Klarälven.

'Woont je vriendin in Värmland?'

Ze knikt. In het ochtendlicht zie ik een bleke figuur die nauwelijks te combineren valt met de struise dame die ik ooit heb leren kennen als Marlene. Ze voelt mijn blik, dat weet ik, maar dan moet ik me weer op de weg concentreren.

'Je kunt me vertrouwen', zeg ik, want ik voel dat ze daaraan twijfelt. 'Je ziet er nu beter uit, ik was vooral bang dat je van je stokje zou gaan. Maar je redt het wel, je bent sterk. En ze zal je toch wel helpen?'

'Natuurlijk. Maar ik zeg niet wie het is.'

'Wist ik maar waar dit allemaal goed voor is.'

Daar gaat ze niet op in.

Opeens ligt het smalle dal voor ons, zwarte bergen in het westen, de lucht naar het zuiden toe bloedrood, hoge sparren, de rivier kronkelend en zwart in de diepte, in een paardans met het tegenwoordig geasfalteerde Pelgrimspad, dat naar het noorden toe verder gaat naar Trysil, Röros en Trondheim. Ze vraagt of ik wil stoppen en ik ga gehoorzaam naar de kant, maar dat is haar niet naar de zin. Ik rijd naar een smalle bosweg met wielsporen, waarover hout wordt vervoerd, maar het is nog niet goed, ze vraagt me nog verder door te rijden. Ten slotte komen we op een keerplaats te midden van een kaalgeslagen terrein. We zijn van de weg af niet te zien, en onderweg zijn we niemand tegengekomen. Nu is ze tevreden.

Ze geeft me instructies. Wanneer we in het dal komen, moet ik haar afzetten waar zij wil. Haar gewoon laten uitstappen en meteen doorrijden naar het zuiden. Ik kan over de bergen terug via Likenäs, waar ook een benzinepomp is, en van daaruit in oostelijke richting terug naar huis, langs de zomerweide van Ryan.

Maar er zijn nog twee andere belangrijke, heel belangrijke dingen die ze me moet vragen. Het eerste verzoek is of ik mijn mobieltje aan wil laten staan. Ik moet elke oproep beantwoorden, maar alleen luisteren en zelf niets zeggen, dan loop ik het minste risico mijn mond voorbij te praten.

Het tweede is veel moeilijker. Ze zou het mij niet vragen als ze niet wist dat ik het kon en dat ze op mijn discretie en stilzwijgen kon rekenen. De sleutel die ze bij mij heeft achtergelaten past op de achterdeur van de winkel. Ze wil dat ik daar in het donker naar binnen ga. Als ik binnen ben, mag ik geen licht aandoen. Alleen een sleutel pakken die in een bakje in de koelkast ligt. Dat is de sleutel van de safe onder haar bureau. Uit die safe moet ik een map met gevoelig materiaal halen. Ze kan me niet beletten erin te kijken, maar de speciale voorkeuren van haar klanten zijn erg persoonlijk en niemand heeft er ooit last van gehad, dat wil ze nadrukkelijk stellen. In de safe ligt ook een bedrag van veertigduizend kronen, dat geld moet ik er ook uit halen, alles in een tas stoppen, die ik mee naar huis moet nemen en moet verstoppen, ik heb toch grote schuren? Of onder een wortel in het bos.

Ik stel geen vragen. Als het zwart geld is, is ze niet de enige, ook al krijg ik dat soort bedragen nooit bij elkaar. Hooguit achtduizend als ik geluk heb, en als bonus enorme rugpijn.

Er is geen verkeer in het smalle dal en weinig bebouwing. Op een onbebouwd stuk vraagt ze me een parkeerplaats op te rijden voor onzichtbare toeristen, met tafels, banken en een vuilnisbak. Ik voel een steek in mijn hart. Ik wil haar hier niet achterlaten. Ze is gewond, ze kan instorten, ze heeft niet eens een mobiel, hoe kan ze me dan bellen?

'Ik kan je toch wel helemaal brengen?'

'Je mag niet weten wie het is.'

'Woont ze hier in de buurt? Het is hier zo uitgestorven.'

'Ze komt me hier halen.'

'Ze weet toch niet dat je hier bent?'

'Ik heb haar gebeld toen jij naar de wc was.'

'Echt waar? Daar heb ik niets van gemerkt.'

'Omdat ik zo stil heb gedaan. Dat moet jij ook, want dat heb je beloofd. Rij nu maar door, alsjeblieft.'

Ze heeft de tas met boodschappen van de achterbank gepakt, ze doet het portier dicht en zwaait. Ik zwaai terug en rijd door, net zoals ik heb beloofd. In de binnenspiegel zie ik haar nog, de katoenen muts, de boodschappentas en mijn lelijke kleren. Ze zwaait totdat ik haar niet meer zie omdat de weg een bocht maakt. De ochtendschemering heeft plaatsgemaakt voor een grauwe, onaanzienlijke dag.

De wasmachine is stil, het lampje knippert. Ik hang de kleren op en kijk naar de schoenen. Zal ik haar ooit terugzien?

Na een haastig ontbijt verdring ik mijn onbehagen en ik rijd naar Sälen. Ik zit niet meer zo ruim in de tijd en ik moet mijn vrije dag gebruiken, ongeacht wat er is gebeurd, de sneeuwgarantiegrens nadert met rasse schreden, ik moet klaar zijn met die huisjes voordat de eerste toeristen komen.

En ik wil kijken of hij er nog is.

Op de radio wordt de brandweercommandant geïnterviewd. Het is nog niet duidelijk of er iemand in het gebouw was, of dat het leeg was, dat zijn ze op dit moment aan het onderzoeken. Dat het vuur zich zo snel heeft verspreid, duidt erop dat het aangestoken zou kunnen zijn, dat is zelfs waarschijnlijk. Zonder te veel op zijn korps te willen pochen, moet hem toch van het hart dat zijn manschappen de brand zeker hadden kunnen blussen of in ieder geval aanzienlijk hadden kunnen indammen als er een conventionelere oorzaak was geweest. Dan hadden ze het grootste deel van dit architectonische kleinood kunnen redden. Nu was dat niet mogelijk en dat kan er alleen maar aan liggen dat de brand op meer plaatsen tegelijk is begonnen, wat van nature zelden het geval is, zeg maar. Straks horen we er meer over, nu kunnen we luisteren naar Rosalita met 'Barbados'! 'Je hebt nog een plek in mijn hart, bij alle herinneringen die je me gaf. Laten we opnieuw beginnen. Neem mijn hand en kom! Geef me van je liefde – Rosalita is terug!'

Myrflodammen ligt er net zo verlaten bij als eerst. Bij de receptie staat een auto, maar verder is er geen kip. Wanneer ik over de Flatfjällsvägen loop, hoor ik geen getimmer, ik blijf staan om te luisteren, het terrein is uitgestorven en verlaten, de wind fluit tussen de huizen door. Geen enkele storing voor iemand die rustig wil werken.

Maar de villa lijkt verlaten. De carport is leeg. Er komt geen rook uit de schoorsteen en de ramen zijn donkere, gapende gaten.

Het nieuws van de grote brand gaat heel Zweden door, het is op de radio, het staat vast ook in de avondbladen en misschien komt het zelfs wel op tv. Maar hij is er niet meer. Is hij ook gevlucht, net als zijn Marlene?

Dat grote houten terras met een schutting eromheen en dat hekje met een waarschuwing voor een hond die er niet is – het schrikt allemaal af. Ik heb er immers niets te zoeken. Wat moet ik daar?

Ik wil alleen zijn gezicht zien en daarvan aflezen dat de vrouw van wie hij hield nu bij een brand is omgekomen, de weerschijn ervan zien in zijn ziel. Maar dat kan ik moeilijk tegen hem zeggen.

Het is een ellende, ik ben een bange schijter en het huilen

staat me nader dan het lachen. Die terughoudendheid die ik mezelf opleg – wat heb ik eraan dat ik nooit op mijn doel af durf te gaan? Bij een twijfelgeval als dit schuif ik mijn drie vragen over het probleem: Is het illegaal? Doe ik er iemand kwaad mee? Als ik één meter tachtig lang was en een snor had, zou ik het dan doen?

Natuurlijk, dan zou ik aankloppen.

Terwijl ik het hek opendoe en met overdreven grote stappen over het terras stamp, denk ik boos aan het stevig aangesnoerde korset dat mij op mijn plaats houdt. Waar wij vrouwen bijna nooit bij nadenken is onze stem, dat we die iets hoger maken dan die eigenlijk is. En dat lachen, wanneer we lachen om onszelf, om onze dwaasheid, wanneer we iets gewoon recht voor z'n raap zeggen om het meteen daarna weer terug te nemen, zo'n kreng ben ik niet, ik wil alleen maar lief zijn.

Ik bel en klop aan. En wacht. Er komt niemand. Ik scherm mijn ogen af met mijn handen en kijk door het hoge, smalle zijraam naar binnen. De donkere hal mondt uit in de open ruimten daarbinnen, waar het licht door het parket wordt weerkaatst – geen levende ziel.

Die ongerustheid. Die onvrede die ik in me heb. De bergen staan zo dicht bij elkaar met sluiers om hun toppen, ze schijnen alles te weten. Ze drukken zich met hun gewicht tegen me aan, komen dichterbij en geven me dreigende of troostende signalen, ze hebben een boodschap, de waarheid zit ergens in de mist. Waar is hij? Komt hij terug?

Wanneer ik klaar ben met drie van mijn huizen is het aardedonker en hij is nog niet terug.

Ik rijd naar het zuiden, naar huis.

Ik luister naar mijn eigen gedachten. Op de radio is toch alleen maar sport.

Er staan grote schijnwerpers opgesteld bij de plaats van de brand; witte kraanwagens tillen zwarte balken op, die ernstig verkoold zijn, maar nog steeds even zwaar. Het smeult nog na, de brandlucht is verstikkend en de Moravägen is nog steeds afgesloten. Bij het afzetten van het rampgebied hebben ze een ruime veiligheidsmarge in acht genomen, maar de bewoners van de nabijgelegen flats hebben kennelijk toestemming gekregen terug te keren, want de galerijen staan vol met mensen met camera's en voor de geldautomaat in het onlangs geëvacueerde gebouw staat een rij van een paar meter.

Rond de plaats van de brand heerst koortsachtige activiteit, waar komen ze allemaal vandaan en wat zijn het voor mensen? Brandexperts van de politie? Pyrotechnici? Ze dragen reflecterende, stevige veiligheidskleren en schijnen met felle lampen – het lijkt wel of ze iets zoeken.

Ze zijn iets aan het zoeken.

Zou je een menselijk lichaam kunnen vinden na zo veel hitte en verbranding? Ik zie mijn politievriendjes nergens en ik moet het zonder antwoord op mijn vragen stellen.

Om me heen gonst het van de speculaties, een macaber volksvermaak waar ik zelf aan meedoe. 'Ze is vast dood,' hoor ik iemand zeggen, 'de voordeur van een appartement houdt het een half uur uit bij een brand, toen ze wakker werd, stond de hele trap al in lichterlaaie.' 'Maar het raam dan?' zegt iemand anders. 'Zuurstofgebrek', luidt het antwoord. 'Het vuur neemt wat het nodig heeft en als het krachtig genoeg is, blijft er niets over.' 'Ja, maar de steigers dan, de bouwsteigers, daar had ze toch op kunnen klimmen?'

De expert blijft het antwoord schuldig. Ik kijk om me heen in deze zwarte mensenmassa, het licht van de schijnwerpers honderdvoudig in glimmende ogen. Dat er nu opeens zo veel mensen zijn in Grönland. Waar komen ze allemaal vandaan? Waar zijn ze anders? Zitten ze dan in hun eentje voor de tv te suffen? Ik dacht dat ik de enige was die dat deed.

Maar nu voelen we gemeenschap. Ik kan met iedereen een gesprek aanknopen, er ontstaan kennismakingen, er worden meningen uitgewisseld, is er een brandbom nodig in de idylle om ervoor te zorgen dat we elkaar weer zien?

Ik ben oververmoeid en voel me opgejaagd, gebonden door een belofte, maar er zijn te veel mensen. Ik durf niet met de sleutel naar binnen te gaan. Het heeft toch ook geen haast? Ze is gewoon weg, niet doodverklaard, niemand heeft het recht daar naar binnen te gaan, ik heb nog tijd genoeg. Het kan nog wel even wachten.

Opeens wordt het rumoer zachter. Een onzichtbare ploeg maakt een weg vrij naar het aluminiumhek van de politie, het dranghek dat de plastic stroken heeft vervangen vanwege de druk van het publiek.

De vriendinnen zijn mee als secondanten, ze lopen ieder aan een kant van haar. Achter me hoor ik gemompel: 'Die stakker, twee naasten verliezen in zo korte tijd, vreselijk, ja, we moeten niet meteen het ergste denken, maar het heeft er alle schijn van.'

Ze is blootshoofds en gekleed in iets lichts, ze valt op en wordt een naaf waar iedereen zijn blik op richt. Ze wil het zien, dat is niet raar. Ze is ernstig en beheerst, ze huilt niet. De vriendinnen zijn continu tegen haar aan het mompelen, maar zij zwijgt. Het is net alsof ze in een filmpje is gemonteerd waar ze niet in past.

Ik baan me voorzichtig een weg naar voren. Ik pak haar hand vast. Ze kijkt me volkomen uitdrukkingsloos aan, ik zeg hoe erg ik het vind. Het geroezemoes om ons heen wordt harder. Ik zeg dat ik heb gehoord dat het een mooie begrafenis was. Ze knikt heftig, ja, dat is zo, heel mooi. Maar nu ... Haar ogen worden groot en glanzen. Ik zeg dat er nog hoop is, dat Marlene misschien aan de brand ontkomen is of dat ze misschien niet eens thuis was. Misschien was ze wel bij een vriendin.

'Bij wie dan? Bij die overleden vriendin?'

'Nee, bij haar vriendin in Värmland.'

'Ze heeft toch geen vriendin in Värmland?'

'Jawel, daar heeft ze het misschien alleen nog nooit over gehad.'

'Moet je luisteren, ik weet veel van haar, meer dan eigenlijk goed is voor mijn geestelijke gezondheid. Ik heb nog nooit van een vriendin in Värmland gehoord en die heb ik al helemaal nooit gezien. Ik geloof het niet. Ze maakt niet gauw vrienden. Ze was – is, bedoel ik – niet zoals ik. Ze is wel aardig, in de winkel en zo. Maar vriendinnen – nee, daar is ze veel te deftig voor, te gereserveerd en te afstandelijk. Dat zal jij intussen toch ook wel gemerkt hebben als je zo dik met haar bent?'

Ze snikt, kijkt naar het asfalt en mompelt iets wat in het geroezemoes verloren gaat. Misschien huilt ze toch om haar dood gewaande zus, ook al schijnt ze haar niet te mogen.

Ik kan niet blijven staan, ik moet naar huis en wat proberen te slapen als ik morgen wil kunnen werken. Peggy krijg een plichtmatige omhelzing en daarna dring ik me weer door de menigte heen. De vermoeidheid krabt me met zijn botte klauwen.

Haar kleren hangen in de badkamer en ik heb kranten in de schoenen gestopt. Die haal ik eruit en ik zet de schoenen in de keuken te drogen. Er zitten zwartverbrande stukjes in de rubberzolen en de veters zijn geschroeid, maar de schoenen zijn van prima kwaliteit en nog steeds bruikbaar.

Wanneer ik mijn tanden poets, kijk ik naar de kleren die daar hangen. Op de pijpen van de zijden pyjama zitten schroeiplekken die er niet uit zijn gegaan, maar het jasje is er goed van afgekomen, beschermd door het jack.

De manchetten van het jack zijn verbrand. De rits is grof, robuust, van plastic, het bovenste deel ervan is jammer genoeg gesmolten.

Het hele jack is als het ware uit de dood herrezen, de oorspronkelijke kleur komt duidelijk naar voren nu het droog is en zijn vorm en kleur weer terug heeft.

Het is het rode jack dat ze aanhad op de verzamelplaats bij het Myrflocentrum, op die verschrikkelijke onheilsdag.

Toen de jongen daar op een brancard lag. En iemand zijn jas had opengesneden. Die was kapot – op dezelfde plek als dit jack hier.

Is het dat jack?

Nee, maar – ze zijn wel exact gelijk.

Ik verslik me in de tandpasta. Ik moet vreselijk hoesten en hap naar adem.

Daarna kijk ik weer naar het jack.

Het is net alsof ik een oude systeemcamera scherp probeer te stellen. Het motief wringt zich in allerlei bochten. Verschillende dingen komen naar voren en verdwijnen weer en andere vertonen zich in een onverwacht reliëf. Ik probeer de weg te vinden in deze wirwar, ik probeer te schiften, elk ding op zijn plek te leggen in een compleet ontwijkend beeld.

Wanneer ik tussen de koude lakens kruip, ben ik me heel erg bewust van dat jack in de badkamer. Het hangt daar als een vermaning, een aanklacht, een spookverschijning. Als het spook van Marlene.

Ze hadden allebei hetzelfde jack aan in het bos, Marlene en haar neefje.

Stel je voor dat er een verwisseling in het spel is!

En de brand die volgens de berichten op de radio was aangestoken? Haar angst en vlucht wijzen erop dat iemand haar iets wilde aandoen. Dat ze bang is.

Degene die Sammy heeft doodgeschoten, had het misschien in werkelijkheid op haar gemunt. Had zij het slachtoffer moeten worden van een kogel daar in het bos?

Zou het Klas Lekare geweest zijn? Die haar had willen vermoorden? Hij was immers helemaal niet dronken tijdens die jacht, hij moest net als iedereen in zo'n alcoholmeter blazen, hij had geen enkele kans daarmee te sjoemelen. De Duitser liep gelijk tegen de lamp.

Ze liepen met zijn drieën voorop in die linie. Het hoeft Klas Lekare niet geweest te zijn. Maar Bränd Sven heeft een hersenaandoening. En geen motief.

Maar de derde man – dat was Morgan Eriksson! De bekende Morgan Eriksson, de tv-persoonlijkheid, die naar Amerikaans voorbeeld liefde preekt in Zweden en op gala's mensen bekeert, de bekende Morgan Eriksson, op wie iedereen zo gesteld is vanwege zijn hartelijkheid en zijn openhartigheid.

Hij had geen reden om Sammy dood te schieten.

Maar hij had wel een gecompliceerde relatie met Marlene! Heeft ze niet zelf gezegd dat hij waarschijnlijk ooit blij zou zijn als hij te horen kreeg dat zij bij de brand was omgekomen?

VI

ALS IK OPSTA, HEEFT DE NATUUR een verrassing voor me in petto. Het is nog donker, maar de thermometer geeft tien graden vorst aan en wanneer ik naar mijn werk rijd, stijgen bomen en weilanden in glanzend satijn, brokaat en met pailletten versierde crêpe de Chine op uit het duister, de kristallen op de uitgestoken, naakte berkentakken zijn centimeters lang en glinsteren in alle kleuren. Nu wordt de grond hard, de vorst dringt erin binnen en legt de basis voor het kleed dat alles gaat beschermen en afdekken.

Het woord 'gekakel' is helaas het eerste dat bij me opkomt wanneer ik bij de deur van het lokaal kom waar we onze ochtendbespreking houden, het geroezemoes is zoals gewoonlijk luid. Ik associeer het met een kippenhok, al baal ik er zelf van dat ik zo'n achterhaalde manier van denken heb, maar afgezien daarvan vind ik het geluid prettig, het is normaal, zoals altijd, het is vertrouwd en een teken dat alles gewoon doorgaat.

Als ze niet wisten dat ik Marlene kende, had ik waarschijnlijk ongemerkt op mijn stoel kunnen gaan zitten. Nu is er toch enige opschudding – ha, daar ben je. Wat denk jij? Heb je iets gehoord? Is het niet vreselijk?

'Wat je zegt, "vreselijk"', reageert iemand. 'Een doodsteek voor ons dorp, we hebben nou ook weer niet zo veel mooie oude monumentenpanden dat we er rustig een paar kunnen opstoken.'

Op hun aanhoudende vragen antwoord ik zo beknopt mogelijk. Natuurlijk is het treurig, maar ik heb nog hoop. Misschien was ze niet thuis, misschien kan ze alleen niet bellen.

Waar ik het meest over inzit, is dat mijn mobieltje zal gaan. Ik heb er aldoor op gehoopt, maar nu wil ik het niet, want hier vertellen we bij een telefoontje altijd wie het was.

Veronica zegt dat ze zich schaamt. Natuurlijk is het allemaal verschrikkelijk, maar zij heeft nader kennisgemaakt met een technisch rechercheur uit Falun. Ze hebben elkaar ontmoet in de rij bij de Konsum, hij was een krat Ramlösa mineraalwater aan het kopen, hij zag er zo gejaagd uit in zijn werkkleding en zo dorstig dat ze hem voor liet gaan. Maar achter de kassa bleef hij staan. Hij heeft wel haast, maar hij gaat liever bij haar onder de douche dan in zijn hotel en er zijn meer dingen die hij liever doet, dus op die manier.

We lachen. Daarna worden we ernstig. Heeft hij iets gezegd? Hebben ze iets gevonden? Nu gluren ze stiekem naar mij.

Ze schudt haar hoofd, zodat haar oorhangers dansen. Hij praat niet over zijn werk. 'En daarvoor heb ik hem niet uitgenodigd. Hij is ontzettend aardig, sterk en lenig. Hij zou makkelijk aan de Vasaloop mee kunnen doen.' Een extraatje voordat het Vasaloopbal losbarst.

We hebben geen van allen een Vasalooprelatie en geïntimideerd kruipen we in onze schulp. Hoewel de meesten behalve ik wel een elandjager hebben en de start van de elandjacht is veel dichterbij, een welkome afwisseling, bijna een soort vakantie, al mogen ze zo niet denken. Babs, Ruth en Gunilla hebben allemaal mooie plannen voor de komende elandjachtweek. Dan gaan ze zichzelf verwennen met allerhande luxe, salades, snoep, fruit, bonbons en af en toe een bad met een bedauwd glas witte wijn op de rand en daarna onbeperkt de afstandsbediening, romantische komedies en alles keurig netjes wanneer ze 's avonds thuiskomen, en 's ochtends idem dito, nergens kruimels of rondslingerende sokken. Hoewel ze het daarna dubbel en dwars mogen inhalen met spareribs en T-bonesteaks op Flintstoneformaat. Als ze al het vlees van de botten hebben gesneden, moet alles in porties verdeeld worden, gemalen, ingevroren en gedurende de rest van het jaar weer stukje bij beetje ontdooid en bereid.

'Misschien kan het niet ... iets vinden', zegt Anki voorzichtig.

'Jawel', antwoordt Veronica. 'Dat heb ik nog gevraagd en hij zegt dat het wel kan. Het Lisellse huis was een groot en bovendien ontzettend solide gebouw, schijnt het, met balken van kernhout; het duurde best lang voordat de dakstoelen het begaven. Ik heb het zelf niet gezien, maar ik heb gehoord hoe het eruitzag toen het uiteindelijk allemaal instortte in een lawine van vonken.

Maar als er iemand is omgekomen, dan vind je die persoon toch, zegt hij. Ze zijn professionals en ze hebben de uitrusting voor dergelijk onderzoek.'

'Ze kan aan de brand ontsnapt zijn', zeg ik. 'Ze had contacten. Misschien was ze net bij een kennis buiten de stad op bezoek. Dat valt moeilijk na te gaan.'

'Maar dan had ze dat toch laten weten?' zegt Babs verontwaardigd. 'Ook als ze niet thuis was, moet ze weten dat het Lisellse huis in brand heeft gestaan. Dat kan niet anders, het heeft in alle kranten gestaan. Bovendien zal de politie wel naar haar op zoek zijn, daar hebben ze protocollen voor.'

'Ik heb gehoord dat ze een vriendin in Värmland heeft', flap ik eruit.

Daar gaat niemand op in.

'Over Värmland gesproken, ik weet nog dat ik een keer met haar zus Peggy ging dansen in Ambjörby', zegt Veronica dromerig. 'Dat is alweer jaren geleden, toen we nog geen kinderen hadden. We overnachtten in een boshut en de volgende dag gingen we met de bus naar huis. Kon ik me maar herinneren wie er toen optraden, het zag zwart van de mensen! Wat hadden we een lol in die tijd!'

'Een boshut?' vraag ik. 'Waar stond die?'

'O, nogal een aardig eindje lopen vanaf de weg, het was onbegaanbaar terrein, en donker toen wij er 's nachts aankwamen. Op onze pumps. Toen zorgden we dat we goed voor de dag kwamen, dat kan ik jullie wel vertellen.'

'Maar jullie hadden toch wel een begeleider?' meent Ruth.

'Nee, joh', antwoordt Veronica. 'De mannen uit Värmland kunnen goed dansen, maar verder zijn ze ... ja, hoe zal ik het zeggen.'

'Anders dan de mannen uit Venjan?' vult Ruth aan, die zelf getrouwd is met een man uit Värmland.

'Wat voor hut?' vraag ik.

Ze haalt haar schouders op. 'Ik weet het niet. Ik weet alleen nog dat ik er met Peggy was en dat ik het koud had. We zochten de weg in het donker, terwijl we zo moesten lachen dat we bijna omvielen. Er lag brandhout en berkenbast om vuur mee te maken, en er stonden petroleumlampen. Maar het werd er niet warm, dat weet ik nog wel, en de volgende dag stapten we in de bus met ladders in onze kousen vanwege alle bosjes en met onze schoenen onder de prut en we hadden maar net genoeg geld voor de buskaartjes, maar toch hadden we plezier, je was niet kieskeurig in die tijd, het was gauw goed genoeg, er was nooit sprake van dat je door je ouders werd gebracht of gehaald, er reden bussen als je geluk had en anders moest je lopen.'

Een boshut? Vijftien, twintig jaar geleden?

Ik wil meer vragen, maar nu bepaalt Anki dat we moeten beginnen. Het attitudeproject staat voor de deur. De adviseurs uit Stockholm hebben de centrale basisscholen gehad en de facilitaire diensten van de gemeente, en daarna gaan ze ons mores leren. Sorry dat ze het zo zegt, dat komt vast omdat haar attitude niet deugt.

Dan komt Gullmari binnenstormen en ik voel dat het nu mooi geweest is, de maat is vol, verdomme! Maar voordat het vuur geopend kan worden met giftige opmerkingen – ik ben niet de enige, iedereen ademt diep in voor voldoende ademsteun – komt de verklaring. 'Sorry dat ik ... maar ik ... het kwam zo ... Lekare! Klas Lekare, jullie weten wel, hij kwam net uit de cel en ik kwam aanrijden en toen wilde hij een lift, ook al woont hij vlakbij. Toen hij me had laten stoppen moest hij sigaretten hebben, de Nisskiosk was nog niet open en ik vond het sneu voor hem, dus ik parkeerde bij het Preem-tankstation en toen hebben we er samen een opgestoken, je moet je medemens immers steunen, dat is ons geleerd, en hij was nuchter, om niet te zeggen berouwvol en zo mak als een lammetje. Hij heeft niet één, maar drie nachten in de cel gezeten. Hij wilde niet zeggen waarom. Hij had alle sirenes gehoord, maar niets kunnen zien en niemand had hem verteld wat er aan de hand was. Toen pas, bij de Preem, zag hij de ravage voor het eerst, ook al had hij er zo dichtbij gevangengezeten.'

Het is niet te geloven, hoe krijgt ze het voor elkaar? Nu zijn we niet boos meer, alleen omdat ze een origineel en ander nieuwtje te bieden heeft, en wij slikken dat. Verdomme. Ik sta op.

'We zijn nog niet klaar', zegt Anki.

'Oké, geef me een dienst,' ga ik gestrest verder, 'ik heb geen tijd om hier nog langer te zitten.'

'Ik ben wel de baas hier, hoor', dient Anki me van repliek.

Ik krijg dienst vijf. Maar geen aanmoediging om bij Patrik in te springen, daar had ik wel op gehoopt.

De rijp is er nog, maar de straten zijn weer nat. De hoge hemel zakt naar beneden onder de luchtlagen, alsof zijn buik vol sneeuw zit.

Backhans Maj-Lis is blij me te zien en de kat heeft honger. Dat een kat thuiszorg krijgt, is eigenlijk tegen de regels, maar als hij tevreden spint, glimlacht Maj-Lis zo lief naar me dat het voelt alsof in haar keuken de zon opgaat.

Ze heeft het nieuws over de brand gezien op Gävla-Dala, de regionale tv-zender. De brandweercommandant en de wethouder werden geïnterviewd. Op de achtergrond had ze nog een neef van haar zien staan. Dat was leuk, al was het nog leuker geweest als hij onder andere omstandigheden op tv was gekomen.

'Maar het ergste is natuurlijk dat Marlene weg is.'

'Ken je haar?' vraag ik verbaasd.

'Kennen is een groot woord', antwoordt ze. 'Ik heb haar moeder gekend, en haar vader ook enigszins. Eigenlijk ging ik met de oudste zus van haar moeder om toen we jong waren, maar toen we allebei getrouwd waren, leerde ik Bojan, de moeder van Marlene, kennen. We woonden niet zo ver van elkaar, en dan sprak het vanzelf dat je met elkaar omging. Soms kwamen we bij elkaar koffiedrinken. We hadden het toen veel drukker, maar toch hadden we tijd om elkaar te zien. Je zat nooit te jachten of te stressen. Je kwam elkaar tegen en maakte een praatje en dan ging je weer verder met je bezigheden, het ging in een gestadig tempo. Eigenlijk had je alles wat je nodig had. In de oorlog natuurlijk niet, maar verder. Ik had een koe, die ons boter, kaas en melk gaf, natuurlijk, en waar ik ook nog een paar centen mee kon verdienen. En ik naaide uiteraard, net als iedereen, vooral handschoenen, soms met stof tussen de vingers, zogenaamde autohandschoenen als dat je wat zegt.'

'En Bojan, de moeder van Marlene?'

'Tja, wat zal ik zeggen. Niet bijzonders, zou ik willen beweren. Ze naaide ook, handschoenen, en thuis deed ze armsgaten in de voering en ook de knopen. Haar man werkte in het bos, weet ik nog, maar ze hadden zelf geen land en ze kochten de melk bij ons. Ze hadden schulden. Iets met het bos. Marlene werd kort gehouden. Ze moest hard werken, dat meisje, maar ze was niet voor één gat te vangen.'

'Weet je nog hoe ze was?'

'Ze was knap. Dat was duidelijk, zoals een filmster bijna, zoals Doris Day, maar minder sprankelend. Marlene was een serieus meisje en dat kwam vast wel ergens van, haar moeder Bojan had niet zo'n warm plekje voor haar in haar hart, dat vermoeden had ik, ook al was er niets concreets, geen blauwe plekken zeg maar, maar ik voelde het wel aan. En toen liep ze weg. Ze hadden ergens ruzie over. Het verbaasde me niet, kan ik wel zeggen. Maar uit de liefdeloosheid werd een zwaan geboren.'

'Hadden ze iets met Värmland te maken?'

'Nee. Niet dat ik weet. Ze kwamen allebei hiervandaan, haar vader uit Valleräs en Bojan uit Lissmobyn waar ze ook woonden, dat was haar ouderlijk huis. Ze hadden het dus niet breed. Paardenzaken, geloof ik, hij had waarschijnlijk een onvoordelige overeenkomst afgesloten voor werk in het bos, kan ik me zo voorstellen. Zou jij misschien de planten water kunnen geven? Kun je dat erbij doen? Ik word zo duizelig als ik ze begiet.'

Ik strijk haar over het haar als ik wegga. Die oudjes kunnen zo veel. En als je net als Maj-Lis in de negentig bent, weet je op welke tree van de carrièreladder je bent aangekomen. Het stoïcisme en de levensvreugde, het geluk over de kleine dingen. De bobo's vinden deze mensen onrendabel, maar wat zouden we moeten beginnen zonder de mensen die ons voorgaan en het pad voor ons effenen, die de mijnen opruimen en met hun machete de hoog opschietende angst weghakken? De belangrijkste taak van onze bejaarden is dat ze ons, hun opvolgers, leren hoe we moeten sterven. We zijn een apengeslacht dat leert door imitatie. Het einde van het leven valt minder rauw op ons dak als we naar het lichtende voorbeeld van deze dappere oudjes kijken.

Wanneer ik de bosweg in rijd naar Anna Katarina Bengts ben ik gestrest. Waarom heeft Marlene nog niet gebeld? Dat had ze toch beloofd! Stel dat het slechter met haar gaat? Als die vriendin maar geen verzinsel is. Dan is er niemand die voor haar zorgt als shock en koorts toeslaan.

Een pikzwart poesje verdwijnt geschrokken onder de stacaravan, maar twee volwassen katten miauwen klaaglijk en komen op me af, ook al probeer ik ze te negeren; krijgen ze niet genoeg te eten?

Ik houd rekening met Anna Katarina's kwaal en ik geloof er half en half in. Maar toch ... onder deze omstandigheden? Stel dat Marlene belt.

Ze is als gewoonlijk blij me te zien. Welkom ben ik altijd – ik moet er niet aan denken dat ik in plaats hiervan de hele dag achter een bureau zou zitten en geen hond blij zou maken. Ik heb een tas met boodschappen van de ICA bij me en ze pakt hem aan alsof er cadeautjes in zitten.

Als ik dichter bij haar wil komen, gaat het meteen fout. Ze begint te bibberen, haar onderlip trilt, evenals haar hele bovenlichaam, en ze doet een stap naar achteren. Ik kijk vast schuldbewust en dat maakt het nog erger, maar toch volhard ik. 'Kleed je nu maar uit, dan gaan we naar je uitslag kijken.'

Ze trekt haar vest alleen maar dichter om zich heen. 'Nu niet', zegt ze. 'Dat wil ik niet. Je kunt misschien maar beter weggaan, ik voel me niet zo goed.'

Eigenlijk geloof ik dat van die elektriciteit niet, maar het is wel vreemd. Ik probeer het nog een keer. 'Anna Katarina, toe, we moeten je toch insmeren? Of wil je mee naar het gezondheidscentrum, ik heb wel tijd, een douche en dan in razende vaart weer terug?'

Maar ze komt niet meer uit haar schulp en wil dat ik wegga.

Ik schaam me en voel me een complete mislukkeling. In de auto pak ik het mobieltje uit mijn binnenzak. Godzijdank is het niet gegaan. Maar voelde ze het dan? Kan dat? Alleen dat het aanstond – dat piepkleine beetje straling, heeft ze dat gevoeld? Of was het gewoon toeval? Mijn schuldbewuste lichaamstaal?

Wanneer ik een stukje gereden heb en uit het zicht ben, blijf ik staan en ik haal de telefoon weer tevoorschijn.

Peggy neemt bij het tweede signaal op. Ze is een beetje verbaasd dat ik het ben en dan ook nog midden op de dag, ben ik niet aan het werk?

Ik zeg dat ik een vraagje heb. 'Een kleinigheid maar, we hadden het erover op het werk – die Värmlandse vriendin over wie ik het had, misschien klopte dat niet, maar jij had toch wel iets met Värmland te maken, met Ambjörby?'

'Ach, bedoel je dat stukje bos? Dat had mijn vader ooit gekregen in plaats van geld, ze waren hem geld schuldig voor een transport in het bos, maar hij heeft nooit een cent gezien, hij is er bijna persoonlijk door failliet gegaan. Ten slotte kreeg hij dat perceel, het was niet groot en hij vond het niet de moeite van het verkopen waard. "We houden het achter de hand, in plaats van het kapitaal dat we niet hebben", zei hij.'

'Ben je daar weleens geweest?'

'Ja, dat is wel voorgekomen, toen ik jonger was. Er stond daar een bosarbeidershut, meer een soort keet, heel ouderwets, maar het was wel spannend, ook al was er rondom alleen maar bos.'

'Hebben jullie dat later verkocht?'

'Nee, ik zei toch al dat mijn vader dat perceel had gehouden? Het was maar klein en niet veel waard.'

'Hebben jullie het later ook gehouden, toen hij overleed?'

'Waarom hebben we het hier eigenlijk over? Nee, Marlene mocht het hebben, ik kreeg iets anders. Ze zou het verkopen, zei ze, en meer weet ik er niet van.'

'Waar ligt het?'

'Siv, toe, het is jaren geleden dat ik daar voor het laatst geweest ben, het ligt midden in Nergenshuizen, moeilijk uit te leggen. Waarom wil je het weten? Denk je dat ze daar zit? Geen schijn van kans, die keet was toen al zo wrak dat hij vast niet meer overeind staat en trouwens, ze heeft het waarschijnlijk verkocht.'

'Heb je een beschrijving van het perceel of zoiets, een adres?'

'Nee, dat heb ik niet. En helaas is ze waarschijnlijk dood. Het klinkt cru, maar de brand heeft een explosief verloop gehad omdat die was aangestoken, dat weet ik van de brandweercommandant.'

'Misschien heb je gelijk. Sorry dat ik je heb lastiggevallen. Het was zomaar een ingeving. Dag.'

Na het gesprek blijf ik de telefoon stevig vasthouden. Bel dan toch alsjeblieft! Hoor mijn smeekbede, Marlene.

Ik kijk in het handschoenenvak van mijn goed uitgeruste gemeenteauto en daar ligt warempel een kaart.

Het is een heel eind van Ambjörby naar het punt ten noorden van Sysslebäck waar ik haar heb afgezet.

Ze kan natuurlijk zijn gaan liften. Of een taxi of een bus hebben genomen.

Ik kijk op de klok. Nygårds Sigvard is weer aan de beurt om te douchen, maar hij is zo aardig, hij zegt er vast niets van als ik het niet red.

In de bibliotheek zijn ze net zo behulpzaam als ik had verwacht. Internetten is niet mijn sterkste punt, maar met de nodige hulp kom ik bij de gemeente Torsby, die heel Noord-Värmland omvat. We kunnen daar geen vastgoedregister vinden. Maar via een zoekfunctie belanden we in Uddevalla, waar het kadaster van Värmland zit. Op de site staat echter geen register, alleen een telefoonnummer.

Er wordt meteen opgenomen. Ja, dat is zeker mogelijk en natuurlijk is het register openbaar, heb ik het adres of de kadastrale aanduiding?

Is de naam niet genoeg?

Helaas niet.

Ik hang op en bedank de bibliothecaresse. Hier houdt het op.

Ik stap snel in de auto en rijd naar het huis van Sigvard Olsson. Mijn haast om hem onder de douche te krijgen ontlokt hem de opmerking dat de meisjes in zijn tijd nooit zo hitsig waren, ook al was hij zo bereidwillig dat hij eens een spiksplinternieuwe moleskin broek had gescheurd. Die meisjes uit Våmhus waren zo fantastisch dat … enzovoort.

Het is een geluk dat hij nooit chagrijnig is, dat hij gevoel voor humor heeft. Ik heb zere armen en pijn in mijn rug, maar hij ruikt lekker en het huis ziet er schappelijk uit. Hij heeft grote rollen *snus* in de koelkast liggen en ik heb nog wel tijd om een kopje koffie voor hem op te warmen in de magnetron. Een pluk snus-tabak onder je lip en een bak koffie, dat is kwaliteit van leven als je horizon krimpt. Als die al krimpt.

Stel je voor dat Morgan haar te pakken heeft gekregen, dat ze hem in verblinde eenzaamheid en benauwenis heeft gebeld. In plaats van mij.

Kan ze niet bij een telefoon komen?

Ik zou naar de politie moeten gaan. Wat ik doe is niet te verdedigen, dat ik niet vertel wat ik weet.

Maar als ik haar verraad? Als ze alleen maar laat is met bellen en als ik haar dan verraden heb? Ik kan haar blik niet vergeten.

De verstikkende brandlucht boven Grönland maakt mijn gevoel van onbehagen nog sterker. Het zou het mooiste zijn als ik haar kon overhalen zich te melden.

Er is genoeg tijd verstreken, ze had iets van zich moeten laten horen.

Ik kies een niet al te laat tijdstip waarop de mensen nog wakker zijn en er natuurlijke geluiden te horen zijn, niet in de laatste plaats van de tv-toestellen. De straat is zoals gebruikelijk tamelijk leeg, ook al zijn er wel enkele avondflaneurs onderweg naar de plaats van de brand, waar nog wordt gewerkt in het licht van de schijnwerpers, kennelijk in ploegendienst.

Ik heb donkere kleren aangetrokken en doe heel zachtjes. Het licht bij de achterdeur is niet aan en de sleutel glijdt gemakkelijk in het slot, het scharnier van de deur piept niet eens.

Er danst een vuurgloed over de muren van de kamer, over

de kleren aan hun rekken, in de hoge spiegel worden vlammen gereflecteerd. Even sta ik stijf van angst, maar dan zie ik het.

De vlammen van de brandende kaarsen in de hoge kandelaar flakkeren in de wind die ik mee naar binnen neem en ik doe gauw de deur dicht.

Ze heeft niet meteen door dat ik er ben. Ze zit met de rug naar me toe en stoot eigenaardige keelklanken uit.

Wat een geluk, eindelijk, het is Marlene!

Op het moment dat ik 'ja' roep, zie ik mijn vergissing in.

Ze schrikt en draait rond op haar stoel. Haar wangen zijn streperig van make-up en tranen, ze is goed gekleed, ziet er mooi uit, perfect gekapt, met een korte rok aan en laarsjes met hoge, scherpe hakken. 'Wie ben jij?' brul ik, want al is het een vrouw, ik ben me rot geschrokken.

'Ik heet Susanne', fluistert ze heel zacht. 'Ik ben er kapot van dat Marlene dood is. Wie ben jij?'

Haar woorden zijn moeilijk te verstaan. Ik antwoord, zonder te fluisteren zoals zij, dat ik Marlene altijd help met schoonmaken en dergelijke en dat ik geen reden zie daarmee te stoppen alleen omdat ze weg is.

De vrouw barst in huilen uit en fluistert: 'Ze is niet alleen maar weg. Ze is dood. Mijn Marlene is dood, het is verschrikkelijk, ik kan niet begrijpen dat het echt waar is.'

'Hoe ben je binnengekomen?'

'Ik heb een sleutel, net als jij.'

'Je hoeft niet te fluisteren, niemand hoort ons als we niet schreeuwen.'

Ze zwijgt, pakt een zakspiegeltje en veegt met een zakdoek onder haar oogharen. Ze snuit voorzichtig haar neus, en daarna gaat er nog een snik door het niet al te slanke lichaam.

'Woon je hier?'

'Nee', antwoordt ze met een verrassend sterke stem. 'Ik ben met de auto uit Stockholm gekomen toen ik het in de krant las, van de brand. Hier in de winkel leeft haar ziel nog. Hier kan ik rouwen en huilen. De hele weg hiernaartoe heb ik me goed gehouden, ik had me er helemaal voor afgesloten. De tranen kwamen pas toen ik hier naar binnen stapte, toen ik haar aanwezigheid voelde, die er niet meer is.'

'Of toen je in Susanne stapte?' vraag ik. 'Want je kunt je toch alleen in de persoon van Susanne zo laten gaan en zo emotioneel zijn?'

Hij staart me aan. Daarna zakt hij troosteloos huilend in elkaar. 'Had je het meteen door?' vraagt hij teleurgesteld, snikkend.

'Nee, dat niet. Ik hoorde het aan je stem. Verder was je heel goed, in dit licht en in die kleren, de leren laarsjes en de buste, het haar – alles was perfect. Misschien iets te perfect. En je bent veel te zwaar opgemaakt.'

'Ik gebruik graag veel make-up. Vanwege mijn huid en mijn baardstoppels moet ik wel een dekkende foundation gebruiken, liever een te dikke laag dan dat je het ziet.'

Hij dept zijn wang met zijn zakdoek, ik zie dat er bruine crème meekomt. 'Je hebt gelijk', zegt hij. 'Nu pas kan ik huilen – nu ik Susanne ben, nu krijgen de emoties vrij spel en kan ik me laten gaan. Is dat niet raar? In deze krappe laarzen, in ondergoed dat hier en daar knelt, met dit haar en de make-up en alle kleren die zo veel eisen aan me stellen dat ze verstikkend zouden moeten zijn – maar niets is minder waar. Voor de spiegel kreeg Susanne steeds meer gestalte en toen ik het haar op zijn plaats had, brak de dam. Nu kan ik schreeuwen en huilen om mijn verlies.'

Het bevalt me niets dat hij om haar rouwt alsof ze dood is, dat hij kaarsen heeft aangestoken in die kandelaar, het lijkt wel een macaber feest. Ze is niet dood en ik vind het niet prettig dat hij hier is, zo dichtbij. En dan dat seksuele. Hij is geen vrouw in een mannenlichaam, maar volledig man. Hij is maar af en toe vrouw, in seksueel getinte spelletjes. Heeft de dood voor hem ook iets seksueels? Volgens Marlene hield hij van zijn eigen aantrekkingskracht, van zijn denkbare lichaam en van alle vrouwelijke kenmerken, daar raakte hij opgewonden van. Maar ze hield van de man. Niet van deze Susanne, die toch dichter bij zijn hart schijnt te liggen dan de glimlachende dominee die in de vs heeft gestudeerd, en die aan de wereld verkondigt dat Gods liefde succes, schoonheid en gezondheid schenkt aan wie gelooft, en dat wie niet gelooft reddeloos verloren is. Ook predikt hij trouw en de heilige staat van het huwelijk, dat alleen door God ontbonden kan worden.

'Ik dacht dat je in Sälen zat, om in alle rust te kunnen werken, dat had je toch gezegd?'

'O, dat ben jij! Nu zie ik het. Ja, je kent Marlene natuurlijk, maak je bij haar ook schoon?'

'Nee. Maar ik help haar als ik dat kan, en ik geef de planten water.'

'O ja? Deze? Van stof en plastic?'

Ik word boos. Wat heeft hij ermee te maken waarom ik hier ben? Wie is hij om mij ter verantwoording te roepen?

Misschien ben ik er overgevoelig voor, maar hoewel hij in het nadeel is met zijn zijden kousen aan – heeft hij zijn benen wel geschoren? – proef ik, hoe vaag ook, weer zijn onmiskenbare verachting. Die ruik ik, als de geur van een citroen. Ik weet dat die er is, ook al zou ik dat nooit kunnen bewijzen, zo subtiel is het. Maar onmiskenbaar en duidelijk genoeg voor mij.

'Ja. Ze hebben af en toe een scheut water nodig. Hoezo? Wat kan jou dat schelen? Vertel mij maar eens waarom je zo halsoverkop naar huis bent gegaan. Je zou toch werken? Je had toch rust nodig?'

'De kerk breidt uit, die heeft groeipijnen. Ze hadden me nodig bij ingelaste vergaderingen. Ik ben de leider, ik schenk inspiratie en woorden, de juiste woorden.'

'En het Licht. Maar vast niet in de hoedanigheid van Susanne?'

Hij zwijgt. Hij denkt na. Hij vraagt zich af hoe hij mij ertoe kan bewegen loyaal mijn mond te houden.

'Wees maar niet bang. Ik ben niet van plan je te ontmaskeren. Dat verkleden van jou is niet crimineel en je kerk interesseert me niet.'

'Ik ben niet bang. En het is geen verkleden in de conventionele zin van het woord. Ik ga gewoon af en toe zo gekleed. Ik verkleed me niet áls iemand, maar tót iemand, zou je kunnen zeggen. Marlene hielp me daarbij. Ik kan het niet bevatten dat ze weg is, dat ze nooit meer terugkomt.'

'Hoe kun je daar zo zeker van zijn?'

'In de krant stond dat ze bij de brand was omgekomen.'

'Er stond in dat ze vermist wordt. Meer niet. Ze hebben geen stoffelijk overschot gevonden.'

'Ze zijn aan het zoeken. Maar zo verbrand als alles is. Het ergste voor mij is dat ik niet mag rouwen. Ik hoop dat ze haar lichaam vinden. Dan krijgt ze een graf, en dat kan ik bezoeken, ook al moet ik dat dan wel heel discreet doen.'

'Marlene zei dat je blij zou zijn als ze zou verdwijnen.'

'Blij?! Ben je gek? Ze was mijn geluk, bij haar kon ik op adem komen in de donkere uren van het leven. We hadden een fantastisch contact.'

'Maar wel geheim, halfslachtig en beschamend?'

'Ik draag de verantwoording voor jonge zielen. De mensen luisteren naar me. Ik kan niet zomaar mijn eigen zelfzuchtige impulsen volgen. Ik moet met morele en materiële aspecten rekening houden. Ik ben geroepen om anderen te leiden.'

'Ze hield van je. Hield jij ook van haar?'

'Natuurlijk. Waarom denk je anders dat ik hier zit? Mijn liefde is grenzeloos, ik heb genoeg voor iedereen, maar mijn liefde voor Marlene was speciaal. Ik mis haar. God, ik mis haar zo. Ik weiger te geloven dat dit de straf is – we speelden als kinderen, met onschuldig plezier, we deden toch niemand kwaad?'

'Ze wilde met je trouwen.'

Hij wappert met zijn hand, alsof hij een hinderlijke vlieg wil verjagen en gaat niet op mijn opmerking in. Hij vraagt zich nog steeds af of hij erop kan vertrouwen dat ik mijn mond houd. Hij is in het nadeel en moet snel iets van een relatie met me opbouwen, zorgen dat ik bewondering of angst voor hem voel. Hij zou zich moeten omkleden en de verbaal begaafde man worden die ik meteen sympathiek vond. Hij overweegt het vast, maar beseft dat het belachelijk zou zijn om zich pal voor mijn neus uit te kleden, en mij vragen de andere kant op te kijken zou een nog vernederender effect hebben.

'Het is waar wat ik zeg', ga ik verder. 'Ze zei dat je blij zou zijn als ze van de aardbodem verdween – net als haar bondgenote, haar vriendin Kerstin.'

'Dat was een ongeluk, dat zweer ik.'

'Ik geloof niet dat Marlene dat zo ziet.'

'Een ongeluk. Ze kwam hier zomaar binnen, net als jij. En Marlene en ik ... we hadden een rendez-vous. Ik schrok er natuurlijk van, ik wist niet wie het was. Ik wilde alleen maar praten, haar laten beloven er niets over te zeggen. Maar ze ging ervandoor. En ik rende achter haar aan. Er lagen lege dozen op de trap, daar gleed ze over uit. Ze kwam op het beton onder aan de trap terecht, op haar hoofd, helaas. Ik kon niets doen. Ik ben weggereden voordat Marlene 112 belde. Maar het was een ongeluk. Ik kende die vrouw niet.'

'Maar je kent Marlene toch?'

'Ja, hoezo?'

'Ze heeft tegen mij gezegd dat haar verdwijning veel zou oplossen. Ze hield van jou. Ze zette je onder druk. Ze heeft jou en je vrouw zelfs opgezocht en daarmee vast een grens gepasseerd. Ze wist van jouw voorliefde, die volkomen onschuldig is, maar rampzalig zou kunnen uitpakken gezien de boodschap die je verkondigt. Je energieke tv-preken in hemdsmouwen – God en Liefde en onze heilige instituten. De bewondering die je hebt geoogst zou plaatsmaken voor iets anders. Ze heeft zich vast gerealiseerd dat veel problemen opgelost zouden zijn als zij van de aardbodem verdween.'

'Insinueer je dat ze zichzelf van het leven heeft beroofd?'

'Zij zichzelf? Nee.'

'Zij niet zelf? Wat ...? Wil je zeggen dat ... iemand anders? Haar heeft vermoord? Wie dan? Ik? Wil je dat beweren? Bedoel je dat? Dat is compleet ... gestoord!'

Hij is van zijn stoel opgesprongen. Hij is langer dan ik en veel sterker en hij komt zo dicht bij me dat ik de geur van zijn poeder kan ruiken. Zijn tranen zijn in een streperig patroon op zijn wangen opgedroogd en de pruik is scheefgezakt, zodat zijn eigen blonde haar tevoorschijn komt. Toch zendt hij vrouwelijke signalen uit. En mannelijke – zijn stem. Die is luid, hij denkt absoluut niet meer aan de bovenburen en hij praat met consumptie: 'Ben je de duivel in eigen persoon? Wijs jij met een beschuldigende vinger naar mij?'

Hij pakt me bij mijn bovenarmen vast en schudt me door elkaar, hij heeft haar op de bovenkant van zijn handen, zijn nagels zijn paarlemoer en roze gelakt, en hij draagt ringen met glinsterende, geslepen nepdiamanten. Toch zijn het mannenhanden, fors en sterk, harig van het testosteron, maar tegelijkertijd vrouwelijk, verzorgd en beringd om een prettige aanblik te bieden.

Ik heb pap in mijn benen, mijn kracht en mijn arrogantie zijn op slag verdwenen en ik plas in mijn broek; dat is me sinds mijn kindertijd niet meer overkomen, dat walgelijke lauwe gevoel.

En ik heb altijd van die rationele verhalen dat ik de dood dagelijks meemaak in mijn werk en dat je er van tevoren over moet nadenken, dan word je er niet door verrast of overrompeld en hoef je niet bang te zijn.

Bang? De persoonlijkheid Siv is nu verdwenen, ik ben veranderd in het dier dat in mij woont en dat nu het einde ziet naderen, ziet dat ik niet kan ontkomen, het roofdier heeft me in zijn macht, de enige taal die ik zou kunnen spreken is vluchten als ik de kans kreeg.

Hij blijft me een eeuwigheid door elkaar schudden en ik leer iets nieuws over mezelf, over het bestaan – slachtoffers van marteling, sorry dat ik vond dat jullie niet mochten doorslaan. Nu weet ik hoe het is, ik zou het zelf nooit uithouden.

Ik hoor een stem, ik hoor mezelf volkomen onvrijwillig uitstoten: ‘Morgan, alsjeblieft, het is anders dan je denkt, ze is ontsnapt – ze leeft, ze is niet dood!’

Terwijl ik dat zeg, schudt hij zo hard aan me dat de woorden uit me schieten alsof hij ze met een pook uit me slaat.

Hij laat los. Ik wankel achteruit, tast, voel het krukje, laat me zakken en voel die nattigheid weer.

‘Hoezo leeft ze?’

‘Misschien. Leeft ze wel. Vraag het aan de technisch rechercheurs. Ze hadden haar lichaam inmiddels moeten vinden. Het is er niet en waar is ze dan?’

‘Wat weet je?’

‘Niets.’

‘Je weet wel iets!’

‘Nee! Niet waar, dat zweer ik bij alle goden die ik ken.’

‘Dat zweer je? Armzalige stumper. Bij alle goden? Jij, zondaar, wat weet jij van Gods liefde en van zijn grote plan, jij, die in dit jammerdal rondkruipt en alleen maar aan jezelf denkt?’

Door zijn gratis preek ver van de tv-camera’s kom ik weer bij zinnen. Ik ga staan, mijn benen dragen me, al trillen ze wel, en ik loop achteruit naar de deur.

Hij komt niet achter me aan. Hij kijkt me alleen aan alsof hij iets weet, al is het tegendeel waar.

'Jij sluit wel af, zeker?' vraag ik met een krakerige stem. Hij geeft geen antwoord. Onze confrontatie was een flits uit een andere dimensie en het is net of het niet is gebeurd. Zo dun is het scheidingswandje tussen leven en dood, en zo lichtvaardig wordt het vonnis geveld als het eenmaal zover is.

Diep in de nacht kom ik terug. Als een dief. Hij is weg, er is geen spoor te zien van zijn bezoek. Ik vind de sleutel in een afgewassen boterkuipje in de koelkast en ik haal wat ik heb beloofd uit de robuuste safe onder het bureau.

Daarna lig ik uren wakker, en als ik in slaap val, krijg ik nachtmerries over de Estonia met de vele honderden doden, voer voor de vissen, nooit bovengehaald om in gewijde grond te worden begraven. Ze zijn gestraft omdat ze met velen waren, terwijl een paar individuen uit de Tweede Wereldoorlog geborgen worden en een fatsoenlijke begrafenis krijgen. Je moet goed uitkijken hoe je sterft. Zoals je goed moet kiezen bij wie en hoe je geboren wilt worden, zo moet je ook zorgvuldig kiezen waar en hoe je sterft. Niet kiezen is ook een keus volgens de wet van Morgan Eriksson, en volgens die wet is God met je als je zelf de verantwoording voor je lot op je neemt.

Alleen de luier is toch nat? Nee, het bovenlaken ook. En het glijlaken. En het onderlaken – de matras! Verdomme! Het komt van de koffie, moet ze zo veel koffie drinken? Iedereen drinkt ook zo veel tegenwoordig. Als het geen wijn, bier of sterkedrank is, dan wel koffie – gewone koffie – of water. Die watermode zal jullie op termijn allemaal incontinent maken. Een plastic fles in de hand is hipper dan een piercing in je wang. Groeten doe je tegenwoordig door een flinke slok water uit je flesje te nemen zodra je iemand tegenkomt, om niet te vergaan van de dorst. Iemand er iets van aanbieden is uitgesloten, evenals je verontschuldigen. Een plastic fles in je handtas, in je zak, in je leunstoel, op je bureau, in de auto, in de bioscoop, in de bus, in bad, in bed en wanneer je geliefde je na zeven jaar wachten een aanzoek doet – neem een slok uit je fles vlak voor zijn neus, dat maakt meer geluid dan een klapzoen.

Sorry, sorry, Berta, ik denk gewoon maar wat, ik ben gestrest, ik ben moe en ik wind me op over al het modieuze gedoe, het was niet mijn bedoeling om te vloeken, zelfs niet inwendig. Ik weet dat je het voelt, moet je kijken wat ik nu weer aanricht – je stapt uit je bed met de natte luier om je benen – toe, blijf even stilstaan. Ik ben weer de vriendelijkheid zelve, dat zweer ik. Het was een ongelukje en jij voelt je ongelukkig en je wilt nu naar buiten, naar de koeien en de kippen. De melk moet in de separator en je hebt geen tijd om te staan wachten op dat brutale mens dat nu je matras aan het omkeren is, wat moet dat?

Uiteindelijk worden we het eens in onze woordeloze taal. Ze gaat lief op het krukje in de douche zitten, de waterstralen zijn lauw, ze vindt het fijn.

Als ik wegga, is ze weer schoon, droog, fris en vrolijk vanwege het ontbijt dat ik voor haar heb klaargezet nadat ik het bed heb verschoond. Laat die matras maar, wat niet weet wat niet deert, het moet zo maar, de matrasbeschermer was kapot, het was geen grote vlek, maar toch. Er komen steeds meer stankbronnen bij.

In het trappenhuis kijkt Siv toevallig weer om de hoek van de deur. Ik zeg alleen gedag, ik weet dat ze teleurgesteld is, maar ik heb geen tijd en ik wil het niet, en bovendien, lieve schat, krijgen we niets extra's voor charme, ook al gaat alles mis zodra wij chagrijnig worden.

Ik loop snel de trappen af en denk aan de vergadering van vanochtend waar ik een van Patriks assistenten heb ontmoet. Hij gaat achteruit, niet onverwacht. Ik vroeg de assistente of ze Bränd Sven had gezien. Ja, die is bij hem geweest, kennelijk zou er binnenkort een proces komen over dat schot. Hij was depressief, maar voor Patrik was het goed om een taak te hebben, namelijk om te troosten. Dat klonk positief en stiekem hoop ik dat hij weer opduikt als ik daar ben. Dan ga ik met hem praten over die mooie Morgan Eriksson; als hij hem goed kent, kan dat interessante informatie opleveren. Ik vertelde de assistente dat ik binnenkort een paar dagen bij Patrik zou invallen. Dat wist ze al en Patrik wist het ook. Oké dan. Hij krijgt een sonde, hebben ze gezegd. Dan hoef ik geen doodsangsten meer uit te staan wanneer ik hem voer. Voor hem betekent het dat zijn wereld nog verder krimpt.

Wanneer ik op de Lisagatan kom, schreeuwt een krantenbulletin bij de tabakswinkel: 'Stoffelijk overschot nog niet gevonden.'

De tijd begint te dringen.

Ik loop langs haar winkel. Schichtig gluur ik naar de etalage. Het is zo zwart daarbinnen. Het ziet er verlaten uit. Het raam zit onder de vieze afdrukken van nieuwsgierigen die hun handen ertegenaan hebben gezet om naar binnen te kunnen kijken. Ik blijf staan. Niemand. De onaangename ontmoeting van vannacht lijkt wel een droom.

Waar was ik zo bang voor? Hij deed toch eigenlijk niets? Hij schudde me gewoon een beetje door elkaar, zijn vingers hebben nauwelijks een blauwe plek achtergelaten.

Kwam het door mijn intuïtie, mijn zesde zintuig? Ik heb een extra paar ogen achter mijn borstbeen, waarmee ik door de buitenkant heen kan kijken en de werkelijkheid zie achter geconstrueerde façades.

Ik heb zijn ziel gezien, ik zag waartoe hij bij machte was, waartoe hij allemaal in staat was. Daarom knikten mijn knieën, waar was zijn aantrekkingskracht gebleven? Die had plaatsgemaakt voor de wet van de angst.

Op de plaats van de brand gebeurt niet veel meer en het

smeulen is helemaal opgehouden. Veronica is vrij en ik weet niet of haar vriendje al weg is. Alles staat stil, alles wacht, Grönland houdt de adem in.

Ik kom even na drie uur uitgehongerd thuis, want ik heb geen middageten gehad. Ik sta een hele poos in de koelkast te staren, maar daar wordt de inhoud niet minder armzalig van.

Een kop thee en een paar stukken knäckebröd later wil ik even gestrekt gaan. Maar eerst kijk ik in de kasten en onder het bed en ik doe de deuren op slot alsof ik niet thuis ben.

De oorlog begint meteen, er wordt geschoten en gebombardeerd en ik moet tientallen kilometers ver lopen naar Åsa, ik moet haar redden, ik moet door de schutterslinies heen sluipen. De ontploffingen en beschietingen worden alleen maar erger, bommen ontploffen vlak naast me, ik heb gehoord dat je er doof van wordt en er klinkt nu echt een oorverdovend gedreun op mijn deur. Mijn voordeur. Er wordt op gebeukt en nu hoor ik stemmen. Ik sta snel op. Er is nog maar een half uur verstreken.

Ik zie hun silhouetten door het raam en haal opgelucht adem.

Zodra ik opendoe, begint het gemopper. 'Verdomme Siv, wat zijn dat voor kunsten, waarom doe je midden op de dag je deur op slot? Wat doe je voor stiekems, ben je jenever aan het stoken?'

Ze snuiven, zogenaamd om te controleren of ze alcohol ruiken en ze zijn vrolijk als altijd. Ik zeg dat ze moeten gaan zitten, dan ga ik koffiezetten.

Dan slaat de schrik me om het hart. Mor Lennart zit precies naast de plastic tas die ik formeel gezien misschien wel heb gestolen uit een safe in de winkel van Marlene. Ik pak hem snel op en gooi hem in een kast. 'Oei,' barst Harskari Olof uit, 'hier broeit iets.'

Ik reageer met een glimlach, al lijkt die vast meer op een

grimas. Dan kookt de koffie. Ik draai de plaat uit, trek de koffiepot eraf en doe er een scheut water in. Dan kijk ik even in de vriezer of ik er nog iets bij heb.

Wanneer de magnetron heeft gerinkeld en de geur van verse broodjes zich verspreidt, kan ik ten slotte bij hen aan tafel gaan zitten en kunnen ze hun gesprek beginnen. Harskari Olof trekt een ernstig gezicht. Het gaat natuurlijk over Marlene, zover was ik zeker al?

'Ja, ik heb het krantenbulletin gezien.'

'Natuurlijk. En zo is het ook. Geen stoffelijk overschot.'

'Maar met al die rommel?'

'Maakt niet uit. Alles is nu gecontroleerd. Het is zo goed als zeker. Ze is gewoon weg. Maar jij kent haar toch? Heb jij enig idee waar ze is?'

'Ik?'

'Of weet je waar ze naartoe kan zijn? Ken je haar vrienden?'

'Nee, die ken ik niet. We kennen elkaar natuurlijk nog maar kort.'

'Dat hebben we gehoord. Maar ze stelt vertrouwen in je?'

'Hoezo?'

'Ze schijnt een mannelijke kennis te hebben?'

'O ja?'

'Daar weet je niets van?'

'Zou dat moeten?'

'Doe nou niet zo moeilijk, Siv. Natuurlijk zou je dat moeten weten. Als jullie vertrouwelijke gesprekken hadden.'

'Een man? Hoe dan?'

'Hoe dan? Zijn er dan zo veel mogelijkheden?'

'O ja!'

'O ja? Laat horen!'

'Ze kunnen getrouwd zijn. Met elkaar. Of allebei met iemand anders. Of maar een van hen, met iemand anders. Of verloofd met elkaar of met iemand anders. Of samen kinderen hebben, of met anderen. Niets staat vast, alles is in beweging tegenwoordig, dus wat kun je ervan zeggen? Gewoon een man? Heel alledaags normaal? Een man is niet meer vanzelfsprekend alleen maar man. Hij kan ook de grenzen oprekken en de gegeven kaders verruimen.'

'Dat is zo helder als koffiedik. Waar ben je in vredesnaam mee bezig?'

'Houd je ons voor de gek of is het echt zo ingewikkeld bij deze vrouw?'

Ze ruiken het, het zijn goede agenten, ze voelen dat ik iets verzwijg.

Het valt natuurlijk ook totaal niet te verdedigen dat ik niet samenwerk. Ze weten al dat ik het onderzoek belemmer. Toch wil ik mijn bekentenis nog even uitstellen. Haar vertrouwen beschamen is niet gemakkelijk. Ik vraag: 'Hoe weten jullie dat er een man is? Heeft iemand hen samen gezien? Of hem alleen?'

Dan knikken ze. Harskari Olof veegt kruimels van zijn mond voordat hij mij een belangrijke mededeling doet. 'Iemand heeft 's nachts een man uit het Lisellse huis zien komen.'

'In de nacht van de brand?'

'Nee. In de week daarvoor. Of nog iets langer geleden. Dat wist de getuige niet meer precies, het was vlak voor die nare gebeurtenissen in de bergen.'

'Ja, maar het pand verlaten, dat kan iedereen geweest zijn. Ook al was zij de enige die er woonde, hoeft dat nog niet te betekenen dat hij bij haar was geweest.'

'Nee, precies. Maar nu heeft onze getuige een belangrijk detail gezien. Die man draaide zich om en op hetzelfde moment kwam zij voor het raam staan, haar silhouet was zichtbaar. Hij zwaaide en gaf haar een luchtkus.'

'Een luchtkus?'

'Dat zei de getuige.'

'En die getuige is?'

'Dat kunnen we niet vertellen. Hij gaf haar een luchtkus, heeft onze getuige feitelijk gezegd, en voor hem bestond er geen twijfel over wat voor soort relatie die man met Marlene had.'

Ik zeg niets. Ze heeft mij nooit verteld dat hij bij haar thuis is geweest. Ik dacht dat ze elkaar alleen in kuuroorden en in de winkel hadden ontmoet.

Ik moet haar waarschuwen. Ik schrik van haar naïviteit. En ik moet die mannen de deur uit zien te krijgen, ze zijn erger dan een koppel jachthonden, ze hebben een geur te pakken en als ik hen nu niet weg krijg, kan het verkeerd aflopen.

Als speurhonden zouden ze iets moeten hebben om hun tanden in te zetten, een bot. En dat heb ik. Een vers en al te bloederig lokaas dat ik hun toe zou moeten werpen. Hun spot, als die mij ten deel valt, zal ik wel verdragen met het idee dat ik hen op het spoor naar de echte dader zet.

'Ik weet wie die man is.'

'Echt?'

'Ik denk dat hij Sammy heeft doodgeschoten in de bergen, hoewel hij eigenlijk Marlene, zijn minnares, wilde doodschieten.'

'Ho, stop, wacht. Wat zeg je? Nou moet je ophouden met agentje spelen.'

'Oké. Ik zeg al niets meer.'

'Beweer je dat je weet wie die man is die op een nacht uit haar appartement is gekomen?'

'Ik weet wie het is. En hij heeft geprobeerd haar dood te schieten in de bergen. Maar dat liep mis en hij heeft de jongen doodgeschoten. Ze droegen dezelfde jas.'

'Wie?'

'Sammy en zijn tante. Dezelfde jas, rood, heel modieus.'

'Dat wil ik niet horen, Siv, we hebben nu geen tijd voor spelletjes. Maar die man, die daar 's nachts was, je weet dus wie dat was? Wie was het dan?'

'Dat was Morgan Eriksson. Ze hadden een verhouding. Dat heeft ze me zelf verteld en hij ontkent het ook niet.'

'"Hij ontkent het ook niet"? Heb je hem verhoord, Siv? Ben je helemaal gek geworden?'

'Ik heb hem gesproken, is dat verboden? Ik ben hem een keer toevallig tegengekomen en hij was hier ook toen ...'

Opeens slaan de vlammen me uit en ik knijp mijn mond dicht om verdere blunders te voorkomen.

'Wanneer? Waar?'

'Hij was hier ... bij haar, in de winkel. Eerder dus, voor de brand.'

'Hoe weet je dat?'

'Dat heeft ze verteld. Hij was een klant van haar.'

'Klant, ja. Maar een relatie is iets heel anders. En hij is niet de eerste de beste. Weet je niet wie Morgan Eriksson is?'

'Natuurlijk wel. Daarom was het geheim. Voor hem is het erger als het uitkomt. Ik kan bewijzen dat ze een verhouding hadden. Marlene is namelijk bij zijn vrouw langsgegaan, dat is te controleren. Ze is bij hen aan de deur geweest, ze wonen in de wijk Täby geloof ik. En eerder had ze naar hem gevraagd in de kerk waar hij werkt. Daar was hij heel boos om.'

Nu kijken ze elkaar eindelijk aan en ik begrijp dat ze me half en half geloven. Om hen helemaal over de streep te trekken vertel ik van het grote huis dat hij in de bergen heeft. De politie van Sälen weet dat vast al, maar voor dit tweetal is het misschien nieuw. 'Hij had een reden om af en toe hier te komen,' zeg ik, 'om te jagen en in alle afzondering te werken, zonder dat dat argwaan wekte. Tijdens die uitstapjes ontmoette hij Marlene.'

Ik zeg niets over de rollenspellen of over hun gecompliceerde relatie. Ik voel dat hen dat zou afschrikken, ze zouden me niet geloven. Een agent moet natuurlijk onpartijdig zijn en hij hoeft alleen maar naar de wet te kijken, maar ik heb toch het idee dat alleen al de gedachte aan de bekende tv-persoonlijkheid met make-up en een pruik op en op stilettohakken, deze twee mannen naar hun Sig Sauer zou doen grijpen.

Het is zo'n beladen onderwerp. Die sfeer van verboden verlokkingen rond vrouwen en vrouwelijke attributen. We zouden ons gevleid moeten voelen, ware het niet dat er op een dwingende, doortrapte manier naar ons gekeken wordt. Als insecten die worden geïnspecteerd. We zitten op spelden. We voelen het maar al te duidelijk. Opgeprikt, bekeken, veracht en af en toe zijn er een paar mannen die zich ertoe verlagen het eens met ons te proberen, niet alleen op de gewone oude manier, maar concreet, als spelend subject.

'Weet je het zeker?' vraagt Mor Lennart.

'Honderd procent', antwoord ik. 'Ze hadden, of hebben nog steeds, een verhouding.'

'Dus ze zijn niet alleen maar vrienden?'

'Hun relatie is seksueel, dat weet ik. Dat heeft ze zelf gezegd. En seks heb je natuurlijk in soorten en maten, maar zij wilde trouwen, dat weet ik. Daar was ze conventioneel in.'

Ze knikken peinzend en zwijgen terwijl ze mijn woorden laten bezinken. Zij wilde trouwen en hij was al getrouwd.

Ik duw mijn schuldgevoelens weg, mijn schaamte omdat ik het heb verteld, ook al had ik beloofd te zullen zwijgen. Maar nood breekt wet, ik wil dat hij in de gaten gehouden wordt, dat hij weet dat ze hem observeren. Ik wil hem net zo laten schrikken als hij mij heeft laten schrikken.

Als ze nou maar geen contact met hem heeft opgenomen! Waarom belt ze niet, zoals ze heeft beloofd? Hoelang durf ik niets te doen? Wat moet ik beginnen?

Het belangrijkste heb ik niet verraden. Ze is nog steeds alleen maar weg, compleet verdwenen. In de ogen van de wereld is ze bijna dood.

Ze zijn opgestaan. In gedachten lopen ze naar de deur. 'Bedankt, Siv, je hebt ons goed geholpen. Sommige dingen wisten we nog niet. Je moet alleen beloven dat je het niet verder vertelt, we komen er later nog op terug. Maak je intussen geen zorgen.'

Emoties bepalen het lot van de wereld, dat is geen hol cliché. Tot in de dood sturen onderliggende motieven ons leven. Misschien zijn de machtigste mannen van de wereld maar stromannen, misschien staan de echt machtigen wel achter hen en hebben die meer vrijheid om bevelen te geven, om zich te verplaatsen; wij zien hen niet, zij zien ons wel. Terwijl degenen van wie we denken dat ze regeren slechts een deel van de macht hebben. Allemaal hebben ze motieven die we ons nauwelijks kunnen voorstellen, om te heersen en te bezitten en te beslissen over alle anderen, en je vraagt je af waarom. Omdat juist zij de besten zijn, natuurlijk, juist zij zijn het meest geschikt, ze laten het stemvee ver achter zich en in de spiegel zien ze alleen iets leuks.
Deze mannen hebben vrijheid. Ze hebben liefde. De grootste liefde is die voor het beeld in de spiegel en het mooiste van alles is: die wordt beantwoord. Bevestiging krijgen ze van andere mannen, maar niet van degenen die ze bestrijden. De strijd is genadeloos, de vriendschap is onvoorwaardelijk en de macht is alles en synoniem met vrijheid. Liefde omwille van de liefde van een ander mens, niet vermengd met vrees of bewondering is gewoon niet interessant. Die bestaat niet.

De liefde zoekt zichzelf niet. Ze is niet mild en niet rechtvaardig. Ze is zwaar en vol verdriet. Een onbedachtzaam woord kan een leven overhoopgooien en een strijd op gang brengen om een doel te bereiken uit hartstocht terwijl iemand alleen maar een grapje heeft gemaakt.

De liefde is blind en wreed en moordt in het verborgene. Ze steelt je zuurstof, bindt je ledematen, knijpt je keel dicht, ketent je vast aan het vuur waar je je brandt en niet de minste kans krijgt om te vluchten. De liefde is doof en onmuzikaal, ze hoort niets, ze walst je alleen plat en maakt zich er niet druk om of je geplet wordt, je mag dankbaar zijn dat je de liefde hebt.

De liefde heeft genoeg aan zichzelf, ze is zelfzuchtig en laat je helemaal alleen achter om op eigen houtje verbanden te zien en je uit je benarde positie te bevrijden.

De liefde is sterfelijk. Wanneer die je verlaat. Wanneer je je leven lang aan de plicht hebt voldaan om in die liefde te zijn, en je naakt, verkleumd en koud wakker wordt, maar niet langer gebonden. Wanneer je op eigen benen moet staan, maar dat niet kunt. Wanneer je de pijn voelt van eindelijk afgeworpen boeien. Wanneer het bloed en het leven weerkeren. Maar je weet niet meer wat je ermee moet.

De liefde is meedogenloos en gaat over lijken.

Wanneer ik haastig door de Lisagatan loop, schreeuwt het krantenbulletin me met koeienletters toe: BEKENDE TV-DOMINEE, om in kleinere letters verder te gaan met: 'verhoord over geheimzinnige brand.'

Ik ben tevreden.

Net goed. En ook al zal ik er niets van merken, ik hoop dat hij geschrokken is en dat het hem stof tot nadenken heeft opgeleverd, zodat hij zich een poosje koest houdt.

Marlene heeft nog niet gebeld en ik ben nu bijna gek van ongerustheid. Ik voel me heel erg schuldig. Ik ben de enige die de waarheid kent. De enige die het wist – en die haar had kunnen redden. Maar Siv Dahlin zei niets. En veroorzaakte daarmee de dood van haar vriendin?

Die brandwonden, hoe ernstig waren die? Of heeft ze hem misschien gebeld – kom, liefste, neem me in je armen! Het zou niet de eerste keer zijn dat iemand zo'n stommiteit beging. En als hij korte metten met haar heeft gemaakt, ze is immers al weg. De perfecte misdaad en wanneer de sporen eindelijk aan het licht komen is de dag van overlijden zo inexact dat hij een alibi heeft en er zijn trouwens geen sporen die naar hem leiden.

Of misschien in die map? Daar heb ik niet in gekeken. Ik kon het niet en ik heb er ook nog geen tijd voor gehad. Een factuur op zich bewijst trouwens niets, obscure kledingstukken, wat zegt dat nou helemaal? En als er sporen in het appartement waren, dan zijn ze bij de brand verloren gegaan.

Het is net alsof er nooit een band tussen hem en Marlene heeft bestaan, ook al verkeert ze nu in de grootste nood als ze er überhaupt nog is.

Zodra mijn dienst erop zit, rijd ik naar Värmland. Ik ga er op goed geluk heen om te kijken of ik haar kan vinden.

Mijn laatste cliënt van vandaag is Jerskersti Oskar Stigsson. Ik heb een flinke tas boodschappen gehaald bij de ICA en rijd naar Tällbyn. Over de brug zie ik dat de bewolking opgetrokken is, eindelijk. Het klaart op en de zon zakt achter de heuvel van Byråsen. De lucht en de wolken kleuren violet en lila, het is avond, ook al is het nog maar half drie.

Zou hij nu willen douchen na al ons gezeur? Uitgerekend vandaag, nu ik eigenlijk haast heb?

Hij reageert niet, maar ik stap toch naar binnen, het zou maar dure werktijd kosten als ik hier op de wind voor de deur blijf staan kleumen.

De keuken waar hij altijd zit als ik kom, is leeg. Maar de geur die er hangt is net zo substantieel als altijd. Zijn oudemannenlucht is fysiek aanwezig, ook als hij er zelf niet is.

De wc-deur staat half open en er brandt geen licht, daar is hij niet.

Blijft alleen de grote kamer over, daar zal hij wel achter zijn computer zitten en net doen of hij druk bezig is, ik ken dat.

Hij heeft in zijn broek geplast, zijn broekspijp is nat. Ik ben voornamelijk verbaasd. Ik heb nog nooit iemand gezien die zich heeft opgehangen, het beeld is zo overrompelend en onverwacht dat mijn hersenen de koppeling niet echt maken – wat doet hij daar? Wat wil hij me vertellen?

Dan komt de boodschap als een mokerslag aan in mijn hersenen, ik tast naar mijn mobieltje en bel 112. Ze nemen godzijdank meteen op. Ik weet het adres niet, alleen de naam van de boerderij en het dorp, maar daar doen ze niet moeilijk over, terwijl zij toch in Falun zitten. De ambulance van Malung gaat meteen op weg.

Terwijl ik wacht op hulp bedenk ik dat hij misschien nog leeft. Heb ik ook maar de kleinste kans hem te redden als ik hem los kan maken? Zijn gezicht is blauwzwart, grotesk, en zijn mond staat wijd open en zijn tong ... Ik durf niet naar hem te kijken, maar toch voel ik een onbedwingbare drang om te doen wat ik kan.

Het deftige oude huis heeft een plafondhoogte uit vervlogen tijden. Hij heeft op twee stoelen gestaan die hij heeft weggeschopt. Op die twee kan ik er nog niet bij.

Ik gooi de computer aan de kant en sleep de tafel door de kamer, zodat de staande lamp en het vloerkleed alle kanten op gaan, dan zet ik de beide stoelen erop en ren naar de keuken, waar ik in een hoekje bij het fornuis het Mora-mes vind.

Hij beweegt langzaam, begint heen en weer te zwaaien, het is net of zijn handen me willen aanraken, hij draait rond en staart me met zijn uitpuilende ogen aan, alsof ik de duivel in eigen persoon ben. Het mes is bot en het elektrische snoer met een aantal draden erin dat hij heeft gebruikt om zich aan de haak van de lamp op te hangen, verzet zich ertegen en hij wil mij maar steeds aanraken met die opgezwollen handen van hem, ook al besef ik dat het lichaam gewoon heen en weer slingert door mijn bewegingen en dat mijn gespannen zenuwen de rest doen.

Ik heb niet goed nagedacht over zijn gewicht en de hoogte, en wanneer het snoer eindelijk meegeeft, stuitert het lichaam op de tafel, mijn beide stoelen kantelen, ik val pardoes achter hem aan, maar ik kan nog reageren, ik wijk uit en kom niet boven op hem neer. Ik beland met mijn bovenlichaam op de grond, ik kan mijn hoofd nog net omhooghouden, ik houd mijn armen gestrekt en het mes nog geheven, dit had met een onvrijwillige harakiri kunnen eindigen.

Het doet pijn. Aan mijn ene pols. En daar niet alleen. Maar ik kan me bewegen, dat is in orde.

Ik kijk achter me. Hij ligt voorover, alsof hij even aan het uitrusten is, de strop om zijn nek is vanzelf losgegaan. Nu hoor ik de sirenes, ze komen hem helpen.

Ik ga voorzichtig rechtop zitten.

Er blijft een stuk krant aan mijn hand hangen. Een krantenknipsel.

En er ligt een fotootje op de vloer.

De rouwadvertentie. En een foto van een vrouw in haar jeugd, die tamelijk lang geleden genomen is. Een klein fototje, vier bij vier ongeveer, ooit zwart-wit, maar nu vergeeld. Ze glimlacht en houdt haar hoofd schuin, haar haar heeft een perfecte slag en ze draagt een ketting onder de kraag van haar bloes, de foto is in een studio genomen. De randen zijn opgekruld en beduimeld. De advertentie, 'Mijn geliefde echtgenote, onze lieve moeder en grootmoeder Stina Olivia Helmersson', is ook al beduimeld en gekreukt en er staan zwarte duimafdrukken op.

Hij heeft de foto en de advertentie in zijn hand gehouden – haar glimlach is het laatste wat hij heeft gezien.

De sirenes komen dichterbij en straks komt de ambulance het erf van Oskar op rijden.

Het klinkt als een modernistische mis, het dak gaat open om plaats te maken voor hoge gewelven en op een vuile vloer ligt Jerskersti Oskar Stigsson, vierenzeventig jaar oud, een stille, nurkse man, het dunne haar op zijn schedel nog nat van het angstzweet van de dood, maar nu in slaap, in droom, in rust, in harmonie, volkomen vrij van de kwellingen van het leven. De cantate wordt luider, de sirenes huilen nu als wolven, ze janken, de ruimte opent zich en neemt een stukje noodlot op, een hoopje mens dat het in het leven nooit voor elkaar heeft gekregen.

Ik snik.

Op dat moment komen er twee agenten binnen, de cantate verstomt, net als de sirenes. Bij de politie kent iedereen me, ze groeten. De ene agent haalt een camera tevoorschijn en maakt foto's. Dat is natuurlijk goed en juridisch correct, maar toch zo absurd onder deze omstandigheden.

Het ambulancepersoneel ziet meteen hoe het ervoor staat, ze komen snel met een brancard en apparatuur en proberen meteen het hart op gang te brengen. Vervolgens nemen ze Jerskersti Oskar mee op de brancard, snel. Misschien gaan ze in de ambulance nog een poosje door met hun reanimatiepogingen.

Maar hij is dood. Dat weten wij hier allemaal. Ulla, de agente met de altijd rode lippen, verhoort me en maakt aantekeningen. Ze vraagt of ik hulp nodig heb en wie de naaste familie is.

Dan moet ik weer huilen. Ik heb de foto en de advertentie nog in mijn hand. Degene die Oskar het dierbaarst was, is er niet meer, ze is dood en dat was het nou juist.

Ik weet niet of hij familie heeft, ik heb nooit iemand gezien. Maar als er iets te erven valt, duiken ze gewoonlijk wel op.

Ik vraag of ik weg mag.

Voor de auto van de gemeente blijf ik staan voor weer een fictieve nicotineorgie. Ik kijk uit over de oude boerderij, de grote schuren, het hoofdgebouw met de afbladderende verf. Ik ben hier voor het laatst. Wat maak je je druk – zoals ze tegenwoordig zeggen. Ik vond hem niet eens aardig, hij was gewoon een oude man.

Gewoon …

Ik bedenk hoe erg het is voor iemand om dood te gaan, om dood te zijn. Zo eenzaam als een dode kun je nooit zijn als je leeft. Je hebt de wind, de struiken, de geluiden. Je hebt je gedachten en je hebt andere mensen, op de een of andere manier.

De dood is te beklagen. Vrees de dood niet, maar beklaag hem. Je komt de mensen niet tegen die je zijn voorgegaan. Je wordt met niemand herenigd.

Je voelt niets. Je doet niet meer mee. Als je kon, zou je van veel dingen spijt hebben. Maar je bent dood en het is overal te laat voor.

In het leven bestaat een vorm van omgerichte agressie die je moet uiten, het is net als jeuk waarbij je wel moet krabben, of als een dwanggedachte die je gewoon moet uitvoeren. Als je arm bent en geen mogelijkheden hebt om vooruit te komen in het leven en in een hoekje opgesloten zit, kun je gek worden, of wreed. Je gooit een geit van een toren en je legt de basis voor een heilige sport door een stier met scherpe stokken aan te vallen zodat er bloed vloeit, je rent, je valt aan, keer op keer, dan met zijn allen tegelijk, en nu kan het maar op één manier aflopen. Of je komt op het idee om alle dieren die je eet te slachten op een manier waarbij het lijden zo lang mogelijk wordt gerekt, zodat het dier jammert en voor ons lijdt en als we in zijn glanzende ogen kijken, zien we de pijn in die blik, en dan zien we weer het verschil tussen lijden en lijden en dan kunnen we weer een poosje vooruit met ons leven. Hoe opgesloten, geïntimideerd en arm ik ook ben, er is altijd wel iets levends met gevoelens die ik kan zien, die ik nog meer kan kwellen dan ik zelf gekweld word, die ik nog willekeuriger en wreder kan behandelen dan het leven mij heeft behandeld en dat noem ik vervolgens heilig. Heilig zijn mijn woede en mijn zwarte haat zolang ik leef; religies en ideologieën zuigen die op als een spons en maken er misbruik van. Een heilige liefde is niet zo heel anders, die zit ertegenaan en is even intens. Een heilige liefde is minstens even wreed en de kwellingen zijn even erg als die van de haat.

Anki heeft medelijden met me. Het komt godzijdank niet vaak voor dat iemand een gehangene hoeft los te snijden. Meestal is het de politie die deze twijfelachtige taak krijgt toebedeeld. Ik was dapper en ik heb juist gehandeld, je kunt nooit weten hoelang iemand er al hangt, er is altijd een kans dat hij nog leeft.

Het is toch raar dat zo'n oude man toch voortijdig een einde aan zijn leven wilde maken. En dat je nooit weet wat zich achter de façade afspeelt.

Ik vertel van de foto en van de advertentie, maar Anki is te jong om iets van die geschiedenis te weten. Ze vindt wel een familielid in een map. De zoon van een broer, die in een andere plaats woont, ze gaat hem meteen in kennis stellen en zijn naam aan de politie doorgeven. Het is natuurlijk geen misdaad, niet meer willen leven.

Ik vraag toch wat ze ervan vindt, ik voel dat ik erover wil praten, dat ik het kwijt moet. Zou hij zijn hele leven op die vrouw hebben gewacht? Ook al was ze moeder en grootmoeder, en ook al was ze getrouwd?

Wat weet je ervan? Wat is de essentie van het leven? Misschien had hij het eigenlijk al opgegeven, maar werd hij overrompeld door haar dood, door wanhoop overvallen? Toen ze niet meer in leven was?

Ik ga tanken, zodat ik mijn besluit ten uitvoer kan brengen. Als ze niet gauw belt, of ik krijg haar niet te pakken, dan ben ik van plan de politie te vertellen wat ik weet, zodat ze haar kunnen gaan zoeken. Zo ongerust ben ik nu wel. Dan haat ze me maar.

Als haar maar niets is overkomen.

Ik neem de route langs Ryans zomerweiden. Het is nu aardedonker en langs de kronkelige weg liggen ook andere zomerweiden, Liselen, Nordvallsselen, Gammalselen, Ulvsliden en Böthölen en een paar grote meren, het Rönnhällsmeer en Nisterlingen. Verkeer is er niet, maar ik vertrouw op mijn karretje, dat zal het wel houden, en ik heb trouwens altijd mijn zaklamp bij me en een deken en laarzen, en ik heb ook wat eten meegenomen en die tas van haar, het geld en de kleren. Het is een boel geld. Ik vind het onprettig daarmee rond te rijden. Maar altijd nog beter dan het thuis te laten liggen.

De sterrenhemel is hoog. Waar de weg omhoogklimt langs het Nisterlingenmeer zet iemand een schijnwerper aan en vanuit het noorden, van onder de horizon, wordt een licht recht naar de hemel verspreid. Waar komt dat licht vandaan? Bosbouwmachines? Een militaire oefening? Welke accu of elektriciteitscentrale kan zo veel miljoenen lux leveren?

Het licht waaiert naar boven toe uit, het breidt zich uit tot een reusachtige tulp zoals Hydman-Vallien die geschilderd zou kunnen hebben. Hij wordt almaar groter, totdat hij de halve hemel in beslag neemt en ik besef dat dit niet door mensenhand geschapen is. Er ontstaan ook kleuren: goud, violet en roze. Ik ben onder het noorderlicht terechtgekomen, dat zich in al zijn pracht boven het meer vertoont, en ik ben de enige die het ziet.

Ik blijf midden op de weg staan, schakel de motor uit en stap uit.

Het is als gezang in de stilte, met een strakke bas als begeleiding, het beweegt over de hele hemel, verbleekt, wordt opnieuw aangestoken en verschijnt in verschillende draperingen om de toeschouwer optimaal te behagen, reusachtig, energiek en zo onbeschrijflijk mooi.

Ik ben niemand, ik voel me verpulverd tegen de aarde en als er geen rationaliteit was geweest, geen wetenschap, was ik waarschijnlijk op handen en voeten neergevallen om niet verpletterd te worden door een oppermachtige kracht. Ik herinner me verhalen over paardentransporten in deze bossen en over wolven en roofdieren waar de mensen niet bang voor waren, maar als het noorderlicht verscheen, kwam de angst los en verstopte de koetsier zich onder de vellen, het paard moest het verder zelf maar uitzoeken. Dat vertelde mijn zegsman beschaamd.

Wat weet je van een mens? Nu ligt het lichaam van Oskar Stigsson vermoedelijk in het lijkenhuis en hij kijkt vast nog steeds chagrijnig en grimmig. Diepe rimpels in zijn voorhoofd, verbitterde lijnen van zijn neus naar zijn mondhoeken. Hij is misschien nog steeds niet geschoren en misschien zelfs vies, die urine. Het omhulsel is echt niet mooi. De indruk die hij op ons maakte als wij daar waren, was ook niet mooi, alleen gemompel en 'nee' en soms een zachte vloek, maar nooit een positief woord.

En nu is hij dood. Hij heeft de hand aan zichzelf geslagen. Helemaal nuchter was hij, misschien psychotisch door de sterke emoties die kleine tekentjes in een krant in hem naar boven hadden gebracht. Hij was een vat vol hevige emoties en hartstocht. Hij hield nog vurig van een vrouw; dat was dag en nacht, uur na uur, meer dan vijftig jaar lang zo gebleven.

Voorbij de zomerweiden van Ryan verbleekt het schijnsel en de sterren nemen de hemel weer over.

Ik zie andere sterren, glinsterend als diamanten, op de berg boven Likenäs; bij de schaarse bevolking van het nauwe dal brandt het licht en dankzij de straatverlichting vormt zich een glinsterende ketting van noord naar zuid, net Shangri-La.

De Konsum is open, evenals het tankstation. Ik vat de koe bij de hoorns nadat ik mezelf de hele weg heb zitten oppeppen. Caissières weten meestal alles of kunnen je doorverwijzen, dat is bekend, ze kunnen referenties geven die je kunt raadplegen.

Inderdaad. Een bosperceel dat ooit verkocht moet zijn, met een barak erop. Als een soort aanbetaling op een schuld die niet vereffend is. Maar zo lang geleden.

Ik zie dat ze meteen geïnteresseerd is, er beweegt iets in haar bovenkamer. Wie zou dat geweest zijn, wie heeft zich zo laten afzetten? Maar ze is iets te jong en het bos is niet haar specialiteit, dus ze moet helaas passen. Maar dat zegt ze niet, ze kijkt me alleen belangstellend aan en wacht. Ik moet nu zelf iets zeggen voor ik meer van haar hoor.

Ik vertel dat een vriendin van me het perceel aan mij wil verkopen. Irritant genoeg heb ik de kadastrale gegevens en haar telefoonnummer niet bij me, heel stom, ik weet het. Ik ben erg verstrooid, maar verder goed gezond.

Ze lacht. Daarna wijst ze langs de weg naar het noorden. Drie kilometer verderop woont een oude man. Hij weet zo'n beetje alles, hij heeft in een commissie gezeten, hij is nu vijfentachtig, maar een krasse baas, en zijn vrouw leeft ook nog. Hij weet daar vast wel iets van. Ze geeft me een nauwkeurige routebeschrijving.

Ik bedank haar. En kijk om me heen. Ik koop Sterilon en pleisters. En een gegrilde kip, dat is altijd goed.

Er staat een gloednieuwe Volvo op het erf. Als ik aanklop, begint er een hond te blaffen. Een oude meneer doet met één hand de deur open en houdt met zijn andere hand de hond vast. Hij weet de hond koest te krijgen. Ik zeg waar ik voor kom en word meteen binnengelaten.

Bij de keurige keukentafel met een zeiltje erover word ik geïnspecteerd. Hij is lang, heeft grijs haar en zijn leeftijd is hem niet aan te zien. Zijn vrouw is kleiner en een beetje krom. Ik vermoed dat hij tegenwoordig het meeste doet in huis. Maar de vrouw vraagt toch of ik koffie wil. Ik bedank en vertel wat ik kom doen. Ik was toch in de buurt, dus toen dacht ik: het is wel donker, maar ik heb een felle zaklamp en ik hoef alleen maar te zien waar het is, of er een weg naartoe loopt en misschien ook een beetje hoe het bosbestand eruitziet.

Het valt me op dat hij blij is dat er een beroep op hem wordt gedaan. Dit kan hij. Dit weet hij precies, bij wie de bodem van de schatkist te zien was in die tijd, zo'n veertig jaar geleden. Weet ik niet dat alle bomen toen gekapt zijn? De nieuwe aanplant is nog niet klaar. Hij zou met me mee kunnen gaan.

Dat dreigende gevaar weer ik nadrukkelijk af. Absoluut niet, ik wil alleen zien waar het is, als hij me zou kunnen uitleggen waar ik moet afslaan, zal ik het verder zelf wel weten te vinden.

Hij trekt een laatje open en haalt een vel papier tevoorschijn, waar hij op begint te tekenen. Hij is precies, heel omstandig en niemand zegt iets om hem niet te storen.

Het wordt een perfecte kaart. Ik ben er heel blij mee. Maar als hij zegt dat het genoegen aan zijn kant is, zit daar wel iets in, dat zie ik in zijn ogen, dat hij ervan is opgeknapt.

Wanneer ik daarvandaan rijd, is iemand het winterskiseizoen op de helling van de Branäsberg aan het voorbereiden, de schijnwerpers zijn aan, en ook al ligt er nog geen sneeuw, ze branden tot boven aan toe. Daar op de berg ligt ergens het bodemloze, onpeilbaar diepe meer. Daar is Börje gestorven met zijn Valborg, die van haar vader met een andere man moest trouwen, maar weigerde. Dat is echt gebeurd. Er schijnt nog een kruis te liggen op de plaats waar de hoofddoek is gevonden waarmee ze haar haar placht te bedekken. In de dood heeft ze die afgedaan en op de oever neergelegd. Je mocht je haar niet laten zien als je een eerbare vrouw was. Haar liefde voor Börje doorbrak alle taboes en de prijs die ze betaalde was hoog, want ze moest haar liefde met de dood bekopen.

De afslag is ondanks de kaart moeilijk te vinden.

Die meneer zei dat de weg goed berijdbaar was, maar dan is hij hier vast de afgelopen twintig jaar niet meer geweest. De wielsporen zijn diep en het middenstuk dicht begroeid, en wanneer ik voor de tweede keer de uitlaat ergens tegenaan hoor bonken besluit ik het laatste stuk te gaan lopen.

Ik zie alleen maar takken en struiken. In de ene hand heb ik mijn tassen, in de andere de zaklamp. Wanneer ik die uitdoe, kan ik feitelijk beter zien. De maan is niet op, of het is een asgrauwe maan, maar de sterren geven zo veel licht dat ik kan zien hoe de weg loopt. Een kilometer, zei hij.

Ik durfde geen vragen te stellen over de barak, ik wilde geen slapende honden wakker maken.

Nu ruik ik iets. Een gezellige geur die ik goed ken, van een vuur van berkenhout.

Een overwoekerde keerzone. Een opening naar de hemel waardoor ik beter kan zien. Het silhouet van de barak. Ik roep: 'Marlene!'

Geen antwoord, alleen maar duisternis. Ik doe de zaklamp aan en baan me een weg door bosjes en opschietend geboomte. Ik roep weer en schijn op de deur. Die is bekleed met een houtvezelplaat die kromgetrokken is door het vocht; de spijkers die erin zitten zijn losgeraakt van de ondergrond. Het is donker achter de ramen, de hele barak is zo lek als een mandje en de zijkanten zijn groen uitgeslagen van de schimmel.

De deur is niet op slot. Als het niet warm was in de barak, had ik gedacht dat die al zeker twintig jaar onbewoond was.

Maar ik zie iets glinsteren door de kieren van het ijzeren fornuis. Ik roep nog eens, ook al zie ik wel dat ze hier niet is.

Ik schijn in het rond, het is een heel gewone arbeidersbarak met vier bedden, een keukentje, een fornuis met een aantal kookplaten en een paar kasten voor kleren, keukengerei en droogwaren.

Ik schijn onder de bedden en ga erop staan zodat ik in de bovenbedden kan kijken, maar ze is er niet meer. Verdraaid.

Zal ik wachten? Ze is vast in de buurt.

Ik ga naar buiten. Achter de barak staat een schuurtje, zonder ramen en op glij-ijzers, met eveneens een metalen schoorsteen. Het zal wel de droogruimte zijn voor de natte kleren van de arbeiders en het tuig van het paard.

Daarbinnen is het ook leeg; een ijzeren kachel en een paar vaste banken, dat is alles.

Ik schijn opzij met de lamp en daar staat ze, vlak bij me, stijf tegen de muur gedrukt!

Ik geef een gil. 'Daar ben je.'

'St', zegt ze en ze fluistert: 'Ben je alleen?'

Ik weet haar ervan te overtuigen dat ik niet gevolgd kan zijn en ik weet haar zover te krijgen dat ze met me meeloopt naar de barak. Als ik de petroleumlamp heb aangestoken, kan ik eindelijk een kijkje nemen.

Ze draagt nog steeds mijn oude katoenen muts. Haar gezicht is grauw, het lijkt wel uitgemergeld en haar ogen zijn groot, ze hebben de uitdrukking van een opgejaagd dier. Ze is totaal veranderd.

En ze is helaas psychotisch, daar ben ik vrijwel van overtuigd. Het is niet normaal zoals zij zich gedraagt. Ze zegt dat ze wel van plan was mij te bellen, maar ze voelde zich niet veilig genoeg, ze durfde niet naar de bewoonde wereld te lopen, bang om opzien te baren, ze bleef liever uit de buurt. Ze had immers te eten en het was ook niet zo koud, ze heeft de kachel aan, hoewel dat ook riskant kan zijn. Dat is de enige concessie, verder heeft ze zich gedeisd gehouden, maar ze heeft slecht geslapen, met haar kleren aan, voortdurend klaar om te vertrekken.

Ik dring niet echt tot haar door, hoe kan ik contact met haar maken? Hoe ernstig zijn haar waanvoorstellingen?

'Was het fout van me om te komen?' vraag ik.

'Nee, nee, dat was goed. Ik heb niets gedaan. Ik durfde het niet. Of had de energie niet. Maar nu jij me hebt gevonden, kan iemand anders me ook vinden. Dan ben ik hier niet veilig. Heb je het geld?'

Ik doe de tas open en laat het haar zien – het geld en haar kleren die nog heel aardig uit de was gekomen zijn. Ze slaakt een zucht van opluchting.

Dan bied ik haar de lauwe kip aan. Ze eet als een slootgraver. En niet als de Marlene die ik ken.

'Hoe is het met je hoofd?'

'Goed.'

'Mag ik eens kijken?'

'Nu niet.'

Ze verweert zich tegen mijn uitgestrekte handen zonder te stoppen met eten.

'En je handen?'

'Ook goed.'

'Laat eens zien.'

Ze houdt een hand met de palm omhoog als een klein kind, terwijl ze met haar andere hand eten in haar mond stopt.

'Alleen korstjes, geen infectie.'

'Ik heb me vreselijke zorgen gemaakt.'

Ze gaat door met eten, in stilte, terwijl mijn woorden onbeantwoord rondzweven. Ten slotte is al het eten op. Ze likt de zak van binnen schoon en daarna haar vingers en eindelijk kijkt ze me aan.

'Fijn dat je het geld hebt meegenomen.'

Een soort erkenning. Ik besta dus. Bedankt. Ik word bijna boos, ik ben zo ongerust geweest.

'Deze actie van jou, hoe je die ook moet noemen, is vermoedelijk illegaal.'

'Dat ik een doelbewuste moordenaar zijn slachtoffer niet gun?'

'Onzin. Je kunt nu tevoorschijn komen, je kunt in ieder geval de mensen laten weten dat je leeft. Wat wil je anders?'

Ze zakt in elkaar.

'Eigenlijk wil ik niet leven. Eigenlijk vind ik het best om dood te gaan. Het is zo zwaar dat Morgans liefde zo voorwaardelijk is, dat hij niet alles gewoon achterlaat en mij volgt. Dat ik niet de spil in zijn leven ben, zoals hij in het mijne.'

'Ze houden hem in de gaten, geen probleem.'

'Ik mag niet doodgaan. Omwille van Sammy's nagedachtenis moet ik doorgaan, ik moet voorkomen dat de mensen 'die daar' zeggen als ze onze familie bedoelen. Dat we een steekje los hadden. Ik heb veel te lang gevochten om het nu zo te laten eindigen en het op te geven.'

'Je moet naar de politie gaan.'

'Eén ding weet ik. Ik wil niet sterven. En ik weet nog iets. Dat ik mijn doodvonnis teken zodra ik mijn gezicht laat zien. Als het niet vandaag is, dan vannacht of morgen, ik kan me nooit meer in het openbaar vertonen. Denk maar eens aan wat je allemaal leest, over al die moorden op vrouwen, dat geloof je toch niet? Dat zeg je dan. Maar ondanks politiebewaking en met een contactverbod gebeurt het, dergelijke maatregelen helpen niet als je te maken hebt met gekrenkte mannen.'

'Zo'n vaart zal het toch niet lopen?'

'Nee, precies. Vast niet. Voor jou, voor iedereen die een heel gewoon leven leidt met gewone mensen om zich heen. Jullie bagatelliseren het, ontkennen het, geloven niet echt wat ik zeg. Maar ik heb geen zin om met mijn lijk te bewijzen dat jullie het mis hebben. Hoe vaak is het niet gebeurd? Kun je me daar antwoord op geven? Het gebeurt continu en haal er geen "eergerelateerd" bij, alsof het alleen om iets etnisch zou gaan. Zo simpel is het niet. Eer in zekere zin wel, maar op een veel gecompliceerdere manier – ik moet gewoon dood. Dringt dat nou eens tot je door? Niet meer en niet minder. Ik moet sterven, koste wat het kost! Geen offer is te groot. Hoe denk je dat dat voelt?'

Intussen stromen de tranen over haar wangen. Ik moet haar angst wel serieus nemen; haar woorden lijken overtuigend en waar. Tenminste in haar universum. En wat kun je ervan zeggen? Het is natuurlijk waar dat een heleboel vrouwen meedogenloos worden vermoord, zelfs als de man gevangenzit. Een verlof en hij is zo sympathiek zegt iedereen, de bedenkingen van de vrouw halen niets uit. We kunnen een ontwikkeld man toch niet levenslang opsluiten voor iets wat misschien maar een impuls was, of omdat een vrouw een voorgevoel heeft?

Maar ze worden vermoord, de een na de ander. De drang om deze vrouwen te vermoorden is zo sterk dat er geen barrières lijken te bestaan, geen wetten of kinderen, eigen kinderen of die van anderen. Wat is dat voor een wereldbeeld waarmee wij leven, als je erover nadenkt?

Ik knik peinzend.

'Je bent zeker met de auto? Kun je me naar Torsby brengen?'

'En daarna? Wanneer die veertigduizend kronen op zijn? Wat zijn je plannen op de lange termijn?'

'Ik moet slim zijn. Ik moet op mijn hoede blijven en niet verslappen zoals anderen hebben gedaan. Ik zal de deur wel opendoen, maar dan op mijn eigen voorwaarden, ik wil volledige controle. Er zijn vrouwen die het hebben gered, die met een beschermde identiteit hun leven weer op poten hebben gekregen. Als je me een lift geeft naar Torsby, red ik me daarna zelf wel weer.'

'En de winkel?'

'Ik bel je nog. Er moet een en ander geregeld worden, maar dat heeft geen haast.'

'Waarom geef je hem niet gewoon aan?'

Ze geeft geen antwoord, zwaait alleen met haar armen in een moedeloos gebaar, alsof ik de grootste sukkel ben die er op aarde rondloopt.

'Er is natuurlijk iets wat hij wil hebben', ga ik onverdroten verder. 'Geef hem dat. Beloof heilig dat je hem niet verder onder druk zult zetten. Als hij zeker weet dat hij je kan vertrouwen, hoef je waarschijnlijk niet bang meer te zijn.'

'Tuurlijk, joh. Kunnen we nu gaan?'

Wanneer mijn wekker de volgende ochtend gaat, voelt het net alsof ik mijn hoofd net op het kussen heb gelegd, maar ik heb een paar uur kunnen slapen en bovendien kan ik tevreden zijn over de vorige avond.

Haar angst, haar doelbewustheid en haar zwijgen over de concrete dreiging bezorgen me nog steeds een dubbel gevoel. Want tegelijkertijd is er een sterke liefde voor deze man. Ze houdt met open ogen van hem, het is totaal bezopen.

Maar nu weet ik tenminste dat ze belt. Ik heb zelf een mobieltje voor haar gekocht. Dat valt niet te traceren, ze is niet eens mee geweest de winkel in, die trouwens al gesloten was, maar toen ik aanklopte en het smekend vroeg mocht ik binnenkomen.

Daarna vond een gelijksoortige procedure plaats: operatie autohuur, voor een flink voorschot, ze moet hem een hele poos gebruiken. Ook ditmaal bleef ze in de auto zitten, ik klopte aan en vermurwde de man, die uiteindelijk naar de winkel kwam, hij was er waarschijnlijk blij mee in dit slappe seizoen. Ik heb een algemeen gezicht, het is moeilijk mij exact te beschrijven. Marlene liet zich geruststellen, niemand zou hier op onderzoek komen, ik heb weliswaar mijn naam en adres opgegeven, maar dat maakt verder niet uit, alles is immers betaald. Zij nam mijn oude karretje en ik stapte in de huurauto; op het plein in het centrum van Torsby zagen we elkaar weer.

We namen een kamer in hotel Björnidet, dat deze fraaie naam draagt omdat die in de roman *Gösta Berling* wordt gebruikt. Ditmaal stapten we samen de vestibule binnen, maar ik huurde de eenpersoonskamer voor 'mijn schoonzus', die kennelijk verlegen was en naar een schilderij stond te turen met haar gezicht afgewend. Ik betaalde vooruit onder het voorwendsel dat ik haar er niet mee wilde lastigvallen, omdat wij aan het verbouwen waren en zelf geen plaats hadden.

Ze liep mee naar buiten, met de hotelsleutel in haar zak, ze zou zo laat teruggaan dat ze niet het risico liep de portier tegen het lijf te lopen.

Toen we afscheid namen, meende ik die vonk in haar ogen weer te zien. Ze was besluitvaardig en ook al was het allemaal waanzin, het was wel consequent, ze was logisch en ik kon haar gedachtegang volgen.

Tot aan het onderwerp Morgan, daar houdt het op. Ze wil niet over hem praten. Ze is labiel. Toen ik haar die nacht naar Värmland bracht, zei ze al dat haar liefde voor hem alle perken te buiten gaat. Tegelijkertijd is ze doodsbang. Ik hoop dat ze geen contact met hem opneemt. Dat ze deze smetteloze façade van afwezigheid zelfs in haar benauwdste momenten niet durft te doorbreken.

Tijdens het ontbijt gaat mijn mobiel, het is Marlene. Ze klink rustig. Ze gaat een zonnebril kopen en daarna blijft ze eventueel nog een paar nachten.

Ze is een brief aan het schrijven aan de officier van Justitie, ze is op zoek naar de meest geloofwaardige formuleringen, het is zaak de gedachtegang van de machthebbers niet te blokkeren. Zonder zichtbaar bewijs is het moeilijk iemand als schuldige aan te wijzen. Ze kan alleen het gevaar op zich aanvoeren en dat schiet niet op. Ik antwoord dat ik een aardige vrouw ken bij een blijf-van-mijn-lijfhuis. Ze wijst mijn idee af met de opmerking dat iemand anders ook bij de mensen die ik ken langs kan gaan, dat zijn moedige vrouwen, maar zij durft er geen contact mee op te nemen, nu in ieder geval nog niet.

Wanneer ik naar mijn werk rijd, heb ik er vertrouwen in, het zal wel goed komen. Ik ben niet degene die gek is. Marlene is in leven en zal zich te zijner tijd wel melden, en dan krijgen we allebei eerherstel voor onze verdachtmakingen – de schuldige zal gepakt worden.

Het leven ratelt door. We gaan richting oktober en achter de horizon wordt de zon continu bedreigd; het licht is futloos en de nachten zijn de baas, ze strekken zich uit tot over de dag. De rijp knispert.

Het is zoals gewoonlijk weer een luidruchtige bedoening. Ik glip naar binnen en zink neer in de lauwe zee van niet heel nauwe, maar toch hechte relaties, zoals je die met collega's hebt.

Iemand eet het eten van Nissjers Sigge op, wat kunnen we daaraan doen? De maaltijden op ons kantoor bewaren? Weer iets waar we elke dag aan moeten denken: zijn eten meenemen. Wat zijn dat voor kennissen die hij heeft? Hij drinkt, schat; ja, maar het eten van een bejaarde zomaar opeten! Gucku Matilda heeft 's ochtends geen hulp meer nodig nu haar been weer in orde is. We kunnen het bed opmaken en de emmer legen als we daar rond lunchtijd komen. Er barst een heftige discussie los over de vraag hoe we het allemaal beter kunnen doen. Die 'attitude' waar ze het nu continu over hebben – efficiënter en transparanter werken, flexibel zijn en afslanken. Als ze wat sneller zouden eten en niet zo vaak zouden poepen, als ze een kwartiertje langer in bed zouden blijven liggen en als ze wat eerder gingen slapen, dan zou je daar minuten en uren mee winnen. En als je ze ook nog zou dwingen wat sneller te vertellen over hun kwalen en over de tv, dan hoefde je er misschien nog maar af en toe heen, een dag in de maand, dat is nog eens een besparing! Kon al het eten, poepen, slapen en praten maar in één keer voor een hele maand gebeuren.

Niemand lacht, het is niet leuk meer.

Zelf ontsnap ik ternauwernood aan een vrouw in Holsbyn met een gebroken heup; dankzij Patrik, want daar moet ik naartoe. Anki smeekt en commandeert zonder succes, iedereen is zo moe en er zijn er al te veel ziek, er mag er niet één meer bij komen. Ten slotte strijkt nota bene Gullmari over haar hart. Wat zeg je me daarvan? En ze was nog op tijd ook. Zelfs van een notoire zondebok kun je niet zeker meer zijn.

Na de vergadering zie ik dat ik een sms'je heb gekregen: 'Mag ik gauw komen? Als je niet antwoordt, begrijp ik het wel/J.'

Recht in het middenrif, wat gemeen, midden op mijn werk, de hoop, het verlangen, halleluja, en de innerlijke strijd wanneer de gevoelens van één kant komen.

Ik hoef nu niet te reageren, ik moet nadenken. Straks als ik thuis ben.

Hij heeft me Åsa gegeven, hij heeft me veel pijn gedaan en me met een onbeantwoorde vraag opgezadeld: waarom was ik niet goed genoeg? Waarom wil hij er gewoon een streep onder zetten en net doen alsof er niets gebeurd is? Waarheen wil hij dan verder, met mij? Is hij ook zo'n man die niet rust voordat er niets meer van de vrouw over is?

Bijna al onze oudjes hebben een telefoontoestel dat ze hoogst modern vinden, omdat het een draaischijf heeft. Sms'en, dat kennen ze niet, evenmin als internet, en ook de fax is in hun zonnestelsel nog niet uitgevonden. Ze leven nog gelukkig met brieven en postzegels en *Dagens eko* op de radio, gesprekjes over niets, bij hen gaat het nog langzaam. Van die stroom van informatie, de kleinste schermutseling en de wereldwijde verschrikkingen van de commerciële nieuwsvoorziening blijven zij verschoond. Nieuws is hier dat iemand in het dorp van de weg geraakt is of dat een buurman naar Mora is om aan zijn heup te worden geopereerd.

Mijn nieuwe klant na Jerskersti Oskar heet Helge Stoor. Het is een kleine man; alle jaren in het bos hebben zijn wervels op elkaar gedrukt. Hij is net zo chagrijnig als Oskar: het is ook altijd wat en nooit word je met rust gelaten. Het 'altijd wat', dat ben ik, weer een nieuwe, daar heeft hij een hekel aan, en dan vraagt hij naar zijn luiers. Als je bij deze man komt, kom je op een plaats waar alles al gebeurd is – de oorlog is al afgelopen, het puin ligt er nog. Op het kastje staat een foto van een mooie jongen, zou hij dat zijn? In een andere lijst staat dezelfde man met een vrolijk gezicht vlak naast een mooie bruid. Zij is overleden, dat weet ik, ze is een natuurlijke dood gestorven, van ouderdom. Maar de man, hoe oud hij ook is, spartelt tegen, hij leeft in het verleden en wanneer hij naar de luiers vraagt, hij weet zelf maar al te goed dat hij lekt, merk ik algauw dat ik maar over het paard of de zomerweide hoef te beginnen en dan komt hij op gang – de oude man zit nog vol leven.

Hij is charmanter dan Jerskersti Oskar, zijn manier van schelden en mopperen is sappiger en pittiger, er zit een grof soort poëzie in: 'Waar is mien bokse, verduld, nou zit ik hier in die luier.' Wij zullen op den duur wel vriendschap sluiten.

Voor Backhans Maj-Lis neem ik off the record kattenbakvulling mee. Maj-Lis is filosofischer dan ooit. Zo gaat dat waarschijnlijk als je zo oud bent en je verstand is nog goed, dat je dieper gaat nadenken. De competentie van oude vrouwen is waardevol. Doordat zij er zijn, met hun wijsheid en ervaring, kunnen er meer kleinkinderen geboren worden, wat ook materiële zekerheid biedt aan het nageslacht. Voor olifantenvrouwtjes geldt hetzelfde.

Haar lichaam is een gebarsten pantser dat nu half doorzichtig is, haar dunne haar wolkt wit en licht boven haar gladde schedel. 'Is Marlene nog steeds verdwenen?'

Ik knik, ik schaam me een beetje, maar dat kan ik niet laten blijken.

Mompelend vertelt ze dat ze heeft gedroomd van alle gezinnen daar in Lissmobyn uit de tijd van haar jeugd en middelbare jaren, toen ze het leven over zich heen liet komen en er niet al te veel over nadacht. De kerk nam het denkwerk rond het hogere voor zijn rekening. Voor het lagere waren er politieke bewegingen en de geheelonthouders. Alles was zo vanzelfsprekend in die tijd. En de romantiek, niemand kan zich nu meer voorstellen hoe romantisch het soms was op een zomerboerderij, wanneer de melkemmers geboend waren en de koeien in hun stal lagen te herkauwen na een enerverende dag in het bos. Misschien zong je gewoon wat. En dat was meer dan genoeg. Marlenes moeder, Bojan, was smoorverliefd op een man die Fredrik heette, maar die liet haar zitten. Kort daarna trouwde ze met de man die Marlenes vader werd, dat was vlak na de oorlog. En zoals zo vaak gebeurt, moest het kind de teleurstellingen van de ouders meezeulen, die hun ambities op haar projecteerden. Haar naam alleen al verried dat. Daar leed Marlene onder en ze werd ermee geplaagd, maar toen ze ouder werd overschaduwde ze iedereen. Er was toen geen straatverlichting, één lantaarn bij een kruispunt en net als in het lied 'Lili Marleen' stond ze daar 's avonds met andere jongeren. Te wachten, jazeker. Waarop, dat weet ik niet. We waren allemaal kleinbehuisd, ze stonden daar 's avonds na het werk onder die lamp. Nozems kwamen aanrijden in grote auto's, stopten en verdwenen weer, de achterlichten verkondigden dat er weer een meisje weg was, dat daarna prompt zwanger bleek. Maar Marlene bleef staan, de jongens die geen auto hadden ook en ik zag hun verlangen.

Op een dag was ook Marlene verdwenen. Onder de lantaarn wierp het wachten lange schaduwen.

Ze kwam niet meer terug. Pas veel later, met haar man, haar nieuwe leven en alle ervaringen in haar bagage. En nu is dat ook weg, de cirkel is gesloten, of ze nu dood is of alleen maar verdwenen zoals wordt gezegd, ditmaal is ze vast niet weg om carrière te maken. Alles is verpest en straks gaat het bergaf, verraad moet goedgemaakt worden, wat je verdrongen hebt, komt altijd weer boven.

Na Maj-Lis' beschouwing op de vroege ochtend ga ik in een nogal bedrukte stemming naar Patrik. Dat is niet zo erg, want we hoeven niet meer te keten; flauwe grapjes over zijn toestand kunnen de pijn niet meer verzachten, alleen maar erger maken.

De sonde zit er, recht in zijn maag. Ik hoef er alleen maar

voor hem te zijn, als mens, en hem te helpen met het verzorgen van dat lichaam waarin de vlam nog brandt. Gevoelens worden niet minder, ook al takelt het lichaam af. Ik zet me schrap.

Hij is alleen. De geur van de nacht hangt nog in het appartement, maar hij ligt niet in bed. Ik zie hem in het tegenlicht, hij zit in de keuken, nu aan handen, voeten en hoofd gebonden om niet uit zijn stoel te vallen. In de slaapkamer is het donker, zie ik door de kier, het rolgordijn is niet opgetrokken. Zijn bed is vast niet opgemaakt en er zal ook wel niet gelucht zijn. De geuren van de nacht zijn als de uitademing van een dier uit die kamer, alsof de demonen uit de vroege ochtenduren zich daar nog verstopt houden.

Ik loop naar hem toe en groet. Het blijft stil.

Dan zie ik de canule – tracheotomie, een slang in zijn keel waardoor hij ademt, of waar de techniek door ademt. Patrik zoekt me met zijn ogen.

Ik knik alsof ik begrijp wat hij wil en ga bij de tafel staan, ik blader in de map zodat hij mijn gezicht niet kan zien.

Zo ver is het dus al. Ik wist wel dat het er ooit van zou komen, maar niet zo, zonder nadere aankondiging. Zijn de ademhalingsspieren opeens zo hard achteruitgegaan? Hij moet toch opgenomen geweest zijn voor die tracheotomie? En zo snel weer ontslagen? Op eigen verzoek natuurlijk, zo is Patrik. Hij had nog een hele poos op de afdeling moeten blijven, maar dat wilde hij natuurlijk niet – koppig en weerspannig tot het uiterste.

En is hier geen assistente of iemand anders? Ze kunnen hem hier toch niet zomaar laten zitten, terwijl er pas een opening in zijn keel is gemaakt?

In de map staat een onleesbare handtekening achter 'Familie'. Dan is zijn broer hier zeker geweest en daarna meteen snel naar zijn werk gegaan? En de wond dan? Het verband? De personeelssituatie is allerbelabberdst. En: 'Spreekventiel besteld, wordt over enkele dagen geleverd.' Nou, fantastisch, geweldig!

Ik kijk naar hem, laat het beeld op me inwerken. Het ademhalingstoestel is definitief opgerukt en is op de rug van de elektrische rolstoel geklommen, het blaast suizend in en uit voor Patrik en slaat alarm als er iets misgaat, hoe heeft iemand hem hier alleen kunnen laten?

Ik ga zitten en begin te praten, maar hij antwoordt niet. Zijn ogen zijn zo groot, en die uitdrukking?

Waarom hebben ze mij niets verteld? Dan had ik me kunnen voorbereiden. Nu moet ik me heel ontspannen, rustig en zelfverzekerd gedragen en zijn verlengstuk in de wereld zijn. Ik moet net doen alsof we dit helemaal onder controle hebben. Ik glimlach, maar ik zou eigenlijk op de grond willen gaan liggen schoppen, huilen en tieren.

Zijn ogen weer, ze volgen me alsof hij iets wil. Wat is er Patrik, heb je het warm? Of te koud? Heb je pijn, en zo ja, waar dan?

Zijn ogen trekken me als het ware aan, maar zijn gelaatsspieren zijn er schijnbaar mee opgehouden, want er is geen mimiek meer over die ik kan interpreteren.

Hij kan de computer via een stokje met zijn mond besturen. 'Je kunt toch opschrijven wat je wilt?'

Zijn ogen zijn zo vochtig, kan hij nog knipperen?

Ik rol het tafeltje met de computer naar hem toe.

Zijn ogen trekken nog harder aan me, alleen zijn ogen, maar geen bewegingen en niet eens het kleinste trekkinkje.

Ik ga naast hem zitten met mijn rug naar de rest van het appartement en begin deze nieuwe manier van communicatie voor te bereiden. De computer start rustig op als een spinnende poes en het scherm wordt verlicht, alsof er driftig geflitst wordt bij de laatste sprong.

Ik glimlach weer en kijk hem aan.

Ik denk net: in de spieren van de iris zit nog leven, want zijn pupillen verwijden zich opeens. Ze worden zo groot dat het lijkt of hij atropine in zijn ogen heeft gekregen, komt er opeens zo veel licht naar binnen?

Dan – vanuit mijn ooghoek een schaduw langs de wand, het geritsel van kleren en een windvlaag

De overval snel en bruut

Een pijnlijke greep om mijn nek mijn lichaam zit geketend,
vastgeklonken. Mijn armen, ik kan ze niet bewegen en ik
voel druk op mijn hals mijn nek gesmoord paniek.
Je ogen, Patrik.
Dat je niet over mijn schouders keek, me niet
stuurde met je blik, niet knipperde maar me continu aan bleef kijken, steeds indringender, terwijl je het wist.

De verwijding, volkomen onvrijwillig, dat ik die zag
je ogen
hoe ze overliepen. Je schaamde je ondanks alles voor je verraad. Daarna wordt de bloedtoevoer naar mijn hersenen afgesneden. Zwart.

Na afloop werd je samengetrokken om me heen en kwam ik weer klaar in jou. We lagen stil en je kneep me met je zachte spieren, je wrong me uit. Een heleboel keren stierf ik in jouw nabijheid. Sindsdien ben ik niet bang meer voor de dood, je komt gewoon thuis en alles wordt zacht en stil, het zinnebeeld van de mildheid, de bekoringen, ik stierf daar in je armen mijn eigen armen met jou erin, met mij in jou en we fluisterden iets in een oertaal die verder ging dan alle beloften, toezeggingen of verzekeringen. We wisten het gewoon, en we hielden het vast, veel luider dan we het ooit hebben gezegd.

Het leven is een omhulsel en het is kort; de mens als fysiek wezen wordt afgebroken, stopt met ademhalen, rot en stinkt. Dit leven is zo primitief en relatief en zo'n simpele verpakking rond onze kern.

Als een nat stuk papier dat kapot gaat – kapot moet gaan – om niet langer te verbergen wat erin zit.

De eeuwigheid hoewel theatraal bezongen gewoon banaal, is dan van ons, wanneer we aan die tocht begonnen zijn. Het eeuwige dat we hebben zal je naar de plaats brengen waar we altijd samen zijn. Die overgang is gemakkelijk en ik kan niet langer wachten. Ik wil jou nu hebben in duizendsten van seconden en in eeuwigheden. Ik zal je bedwingen en je zult me niet afwijzen, je zult het rechtvaardige ervan inzien en met mij meegaan door tijd en ruimte aan gene zijde.

Je mond zo zacht en de geur van je huid, je stem, je borsten en je schoot een seconde in de eeuwigheid, maar het is genoeg om het hele universum te breken, hoor je het niet knarsen, kraken en instorten, de aarde beeft, grote brandende brokken vallen op ons neer, we mogen er niet zijn, in alle eeuwigheid zullen jij en ik alleen in elkaar bestaan, want je zult me nooit verlaten en nooit meer bij me weggaan. De glans van je ogen is het laatste wat ik zie – mijn ogen zijn het laatste wat jij ziet.

VII

JE ZULT ME NOOIT VERLATEN en nooit meer bij me weggaan.

Is het Jan die me door elkaar schudt en van wie ik zo hou? De aarde beeft alles stort in en er wordt met me gegooid als met een zak aardappelen, is er nog een deel van mijn lichaam dat geen pijn doet? Is dit liefde? Hoe ziet haat er dan uit?

Ik word trillend wakker op de vloer van een auto. Die rijdt zo hard dat ik heen en weer gesmeten word, de cardanas stoot tegen mijn zij, het voelt alsof mijn ribben dwars door mijn long prikken, ik kan niets doen, het doet pijn, mijn voeten zijn aan elkaar gebonden en mijn handen achter mijn rug geboeid, er zit iets voor mijn mond en mijn ogen, ik kan niets zien en niets zeggen.

Nu komt de paniek als een reusachtige golf, ik kom niet weg, ik begin te spartelen, in de diepte klinkt een geluidloze schreeuw en nu komen er tranen alle slijmvliezen in mijn hele hoofd een enorme hoeveelheid slijm snot en stromen tranen

alleen mijn neus

mijn mond zit dichtgesnoerd, ik krijg geen lucht

paniek

ze zwellen op ik krijg geen lucht

ik spartel

door het snot de tranen en het slijm die ik zou laten stromen als dat kon. Maar mijn neus zit dicht. Ik krijg geen lucht ik stik. Ik ga hier dood.

Wanneer ik weer wakker word, is de snelheid nog net zo hoog en de pijn zo mogelijk nog heviger, het lawaai even erg als eerst maar de nieuwe paniekgolf die in aantocht is duw ik weg – weg. Ik moet ademhalen. Ik moet een beetje lucht hebben en ik kan alleen door mijn neus ademen, mijn mond zit veel te stijf dichtgeplakt. Plakkerig snot en stof op mijn wang, de ribbels van de rubbermat mijn ribben, de bloedtoevoer naar mijn handen wordt afgesneden.

Ik lig stil achterin op de vloer en beweeg mee op de snelheid, met de bochten en de hobbels, ik doe geen poging om te schreeuwen, als ik het al kon, zou toch niemand het horen. De autoradio staat zo hard aan, een Fins programma en daarna tango. Ik denk alleen: ontspannen. Het komt goed. Ontspan en denk niet na, waar we heen gaan weet ik niet, rustig ademhalen, adem in die lucht. De deken over me heen, een deken die naar hond ruikt. Het bordje op het hekje voor zijn houten terras met 'pas op voor de hond' en nu een hondendeken. Het is koud. Ik begin te rillen. Ik krijg koude rillingen, ik kan de bewegingen niet bedwingen die het lichaam maakt en het doet pijn bij elke kramp, elk spasme.

Dan keer ik terug naar een barmhartige duisternis.

Als ik wakker word, is het stil.

Het is koud. Ik lig op iets hards, op planken. En ik kan me bewegen! Mijn voeten zijn niet meer vastgebonden. Mijn handen rusten vrij op mijn borst. Naast elkaar gelegd alsof ik dood ben. Mijn mond zit niet meer met kleefband dichtgeplakt. Ik kan ook mijn ogen opendoen.

Het is schemerachtig licht. Voorzichtig beweeg ik mijn hoofd, waar ben ik?

Een soort schuur, maar met een stookplaats, een deur en ramen met luiken ervoor. En een stevige tafel met banken.

Ik ben niet alleen.

Vlak naast me, onbeweeglijk. Solide, zwaar en groot als een berg zit hij daar. Een glinstering in zijn oog wanneer hij ziet dat ik wakker ben.

Ik doe mijn ogen weer dicht.

Ik blijf stil liggen. Ik wacht totdat het tot me doorgedrongen is.

Dat hij het is. Hoe kan dat?

Als ik weer opkijk, begint hij te praten. Zijn stem is even diep en gecultiveerd zacht als ik me herinner van de keren dat we elkaar bij Patrik hebben ontmoet.

Hij houdt een toespraak.

Rechtvaardigheid bestaat, daar heeft hij altijd voor gevochten. Toen hij een politiek bewuste puber was en zich inzette voor de zwakkeren en toen hij een invloedrijke positie had, het lot van bepaalde mensen kon sturen en zijn macht aanwendde om de zaken in evenwicht te brengen en het systeem rechtvaardig te maken. Iedereen was evenveel waard, had evenveel rechten en plichten, dat was niet raar. Nu zijn er andere spelers op de markt, hij heeft niet meer de energie om voor zijn kwesties te ijveren en hij is met pensioen, maar toch. Hij wil dat ik het principe begrijp, hoe hij redeneerde – hoe hij nog steeds redeneert. Rechtvaardigheid en eerlijkheid en afspraak is afspraak. Dat staat zelfs allemaal in de wet, over afspraken, schriftelijke en mondelinge. Eens gezegd blijft gezegd. En een principiële rechtvaardigheid, gelijkheid voor de wet, we zijn allemaal evenveel waard, iedereen moet dezelfde mogelijkheden krijgen, dat is het streven. Want iedereen heeft dezelfde basisbehoeften: voedsel, kleding, verzekeringen, fatsoenlijke woonruimte en opleiding, en op het innerlijke vlak de meer immateriële waarden, cultuur – bibliotheken bijvoorbeeld, media, kunst, concerten. Alles voor de geest, want we moeten completer worden en allemaal dezelfde kans krijgen op een zinvol en waardig bestaan, dan worden we vrij, dan bannen we alle oorlogen uit.

Maar een leven is pas helemaal compleet als alle bestanddelen er zijn. Wat is het voor een component die ontbreekt en die iedereen moet hebben, omdat het leven anders alsnog niets waard is?

Hij zwijgt, wacht kennelijk tot ik iets ga zeggen. Hij heeft me in zijn macht, ik moet antwoord geven. Het draait tegenwoordig allemaal om behoeften, en in alle damesbladen kun je over de bestanddelen van het leven lezen. Mijn hersenen kraken en rochelend en hijgend breng ik het vaak gebruikte en o zo afgezaagde 'relaties' uit.

Hij knikt. Kennelijk tevreden dat ik het volg. 'Relaties, ja', zegt hij. 'En waarom niet nog wat kernachtiger: liefde? En wie de liefde niet heeft ... staat het zo niet geschreven? Het belangrijkste bestanddeel van ons leven. En ook in dat opzicht geloof ik in eerlijkheid.'

De situatie is absurd. Hij spreekt gecultiveerd, maar waarover? Over eerlijkheid in de liefde? Ik lig rechtstreeks op de planken van een bed dat vastzit aan de muur. Ik heb het koud, al ligt de hondendeken over mijn benen, dat zie ik. Maar wat wil hij? Komt het door zijn hersenaandoening?

Ik vermoed echter al wat het antwoord is.

'Eerlijkheid in de liefde is staan voor wat je belooft. Je moet je houden aan de afspraken die je bent aangegaan. Ook mondelinge afspraken, ook als er geen getuigen bij waren. Eerlijkheid is het enige en de hele maatschappij is op vertrouwen gebaseerd, op de veronderstelling dat je eerlijk bent, dat je woord houdt en dat je niet opeens iets anders beweert. Kun je me zeggen waarom iemand alles bereikt, en dat hem dit dan toch onthouden wordt? De passie, de energie die hem doet leven?'

Hij zwijgt, ik moet kennelijk weer iets zeggen, ik moet antwoorden, hij wil een soort gesprek tot stand brengen. Hij is gekwetst, het is een absurde scène, ik moet hier weg!

'Ik moet ... naar de wc.'

Hij staat meteen op, gehoorzaam bijna. Hij staat te wachten, kennelijk totdat ik ook opsta.

Ik zak haast door mijn benen, ik ben helemaal dizzy van de schok, ik heb geen jas, het is koud en mijn nek doet pijn waar hij heeft geknepen. Ik draag mijn sloffen voor binnen, het laatste wat ik me herinner is Patrik.

'Wat is er met Patrik gebeurd?'

'Geen nood. Het ademhalingstoestel stond aan en jouw dienst zit er nu op, de volgende assistente is er al.'

Ik sla de deken om me heen en loop naar de deur. Hij houdt me niet tegen, maar loopt achter me aan.

Het is schemerig en mistig, stil en verlaten. Het komt me hier helemaal niet bekend voor, wildernis en alleen moerassen?

Ik blijf even staan – ja, het is stil. Nee, niet echt, het ruist en bruist. Water?

De latrine zit naast een houtschuur. Ik kijk om me heen, een open veenlandschap met bos een heel eind verderop.

Hij volgt me, dichtbij genoeg om me in te kunnen halen als dat nodig mocht zijn.

Ik weet niet eens welke kant ik op zou moeten rennen. En ik ben geen sprinter. Het is hier zo open met dat grote veenmoeras. Er staan geen andere huizen en ik zie geen weg – waar ben ik?

Het is donker daarbinnen, maar ik moet nu meteen bellen.

Mijn mobieltje is weg.

Tranen, wanneer het laatste beetje hoop verdwijnt.

Ik blijf een hele poos zitten en hij wacht op me. Er is geen andere keuze dan teruggaan. Hij weet vast wat ik denk, dat ik geen schijn van kans heb. Ik ben nog geschokt dat hij het is, hij is de laatste die ik ervoor zou aanzien. Daarom ben ik zo verlamd van angst. Ik heb geen idee wat er in zijn hoofd omgaat. Morgan Eriksson begreep ik, niet in de laatste plaats zijn motief. Maar Bränd Sven? Waarom deze irrationele criminaliteit? Draait hij door? Waarom heeft hij mij ontvoerd? Heeft hij de brand gesticht en Sammy doodgeschoten?

Hij laat me voorgaan over het paadje. Bij de hut aangekomen houdt hij galant de deur voor me open. Binnen is het inmiddels donker. Ik heb het zo koud dat ik ervan klappertand.

'Ik wil jou niets aandoen, Siv, echt niet.'

'Wat wil je dan?'

'Dat weet je wel.'

'Nee, daar heb ik eerlijk gezegd geen idee van.'

Maar ik heb wel een idee. Die gedachte wil ik alleen niet toelaten. Intuïtief begrijp ik het, maar ik mis nog te veel stukjes, de nieuwe afbeelding is nog niet ingekleurd en kan de oude nog niet vervangen.

Hij wroet tussen het hout bij de open haard, trekt de bast eraf en steekt die aan. Een vuurtje. Ik ben wel bang voor hem, maar ik ga er toch naartoe. Uiteindelijk ga ik vlak voor het vuur zitten, ik strek mijn handen ernaar uit, en draai dan mijn rug ernaartoe om warm te worden. Ik kijk schichtig naar hem op, hoelang moet ik gevangen blijven?

Hij staat naar me te kijken. Hij is zo lang. Hoe ver is het naar de auto? Heeft hij me helemaal hiernaartoe gedragen? Ik hap naar woorden, zwijg, durf geen vraag te stellen.

Hij glimlacht, het is net een grijns. Hij houdt mijn mobieltje als een trofee omhoog. Hij heeft wel door dat ik daarmee contact zou kunnen opnemen met Marlene, wat zou hij van haar willen? Eigenlijk weet ik dat natuurlijk wel. Dan steekt hij van wal.

Hij had het rouwjaar ruimschoots voorbij laten gaan. Hij had geen haast. Alles lag nu immers voor hem, binnen bereik.

Er zou nooit meer verandering komen in zijn situatie, dat had hij aanvaard. Maar toen haar man overleed, kwam er een lawine in hem op gang. Duizend ijzeren banden raakten los en verdwenen in het niets. In de loop der jaren had hij zich met de pijn verzoend, maar toen hij opeens weer een mogelijkheid zag om verder te komen en opnieuw het bloed door zijn aderen voelde stromen, voelde hij in zijn pijn ook dat hij al die tijd niet had kunnen ademen. Hij had zich niet kunnen bewegen, hij was gebonden geweest en had niet de kans gehad om los te komen.

Die avond was belangrijk, en hij pakte het allemaal zo correct en juist aan als je mocht verlangen, gezien wat er op het spel stond.

Dankzij de vertrouwensopdracht bij haar zus Peggy was hij vrij goed op de hoogte van Marlenes doen en laten en van haar omstandigheden. Dankzij Sammy kwam hij dichtbij, indirect, en dat was de hele opzet, hij had die rol lang voordat ze weduwe werd op zich genomen. Hij kon toen niet denken, alleen maar voelen, hij was helemaal in haar ban. Hij wilde alleen maar in de buurt zijn, al was het maar door een paar losse opmerkingen van die lastige en brutale Peggy. Maar daar kon haar zoon niets aan doen, haar zoon was immers ... daar wilde hij nu niet aan denken.

Hij belde van tevoren, vroeg of hij langs mocht komen om iets te bespreken. Ze zei ja en dat beschouwde hij als een teken dat de strijd al half gewonnen was. Hij was vrolijk, nam een theatraal besluit en kocht een grote bos bloemen, alle bloemen die er nog stonden, een soort witte seringen. Net voorjaarsbloemen. Alleen was het nu herfst en waren ze geïmporteerd. Hij had zijn openingszin al klaar, hij zou beginnen met een dichtregel van Karlfeldt over het voorjaar dat door zwakke mensen herfst wordt genoemd, en dat het voor hen nu begon, wat ze elkaar hadden beloofd.

Ze was er blij mee, ze zei dat hij zijn jas moest uitdoen, ze ging hem voor naar de woonkamer en duwde hem op een stoel.

Het was zo onwerkelijk, ze was zo cool tegenwoordig, zo wereldwijs, zo kende hij haar niet. En die steigers voor de ramen, net tralies, het verlaten plein buiten en zij helemaal alleen in deze grote flat en dit enorme gebouw dat nu ontruimd was. Al haar spullen, het leven dat voorbijgegaan was, alle herinneringen en die afstand.

En toch zo dichtbij.

Ze wilde hem iets aanbieden. Hij nam een glas wijn aan,

dan liet hij de auto wel staan. Hij voelde dat hij het wilde, die wijn. Hij was zenuwachtig, tot zijn verbazing gaf hij dat toe, jazeker, ook al had hij gekroonde hoofden en regeringsleiders toegesproken, toch was het niet vreemd dat hij bijna bibberde, met het oog op wat hij wilde gaan zeggen.

Ze stak kaarsen aan en zette schaaltjes met noten, olijven en blokjes kaas neer en ten slotte de dieprode rioja.

Ze was zo onbeschrijflijk mooi, de jaren waren voorbijgegaan en hadden de kern van haar persoonlijkheid zichtbaar gemaakt. Toen ze glimlachend het glas naar hem hief, wilde hij in stilte sterven omdat alles perfect was, volmaakt. Het was het eeuwige, het lot, het heelal, de tijd was een constructie, een laagheid in het grote.

De witte seringen hadden geen geur, maar stonden te pronken op het dressoir, ze waren van hem afkomstig, ze waren de hoop. Ze proostten en vervolgens keken ze elkaar diep in de ogen. Hij werd compleet opgezogen door haar glimlach.

Hij had erover nagedacht, maar het er niet op gewaagd, hij had geen ring durven kopen, de dure ring die hij had gezien en die hij aan haar wilde geven. Dat kwam later. Maar nu.

Hij haalde diep adem en zei: 'Lieve schat, ik aanbid je oprecht. Je weet dat ik heb gewacht. Nu zijn we eindelijk zover. Ik heb je altijd al liefgehad, dat weet je. Nu wil ik dat je mijn bruid wordt, ditmaal ten overstaan van de hele wereld. We gaan trouwen en blijven de rest van ons leven bij elkaar zoals we destijds hebben afgesproken. De tijd heelt alle wonden en ik heb het je allemaal vergeven.'

Ze keek hem aan. Haar ogen werden groot en donker. Daarna nam ze een slok wijn uit het glas. Maar voordat ze kon slikken, keek ze naar het plafond alsof de woorden die hij had gesproken op haar afkwamen.

Ze richtte haar lieve ogen weer op hem. Hij dacht dat ze zou gaan huilen. Ze kneep haar ogen een beetje dicht. Haar wangen werden dik en toen spoot er opeens een rode wijnwaterval over hem heen, ze gierde ... van het lachen?

Ze moest zo lachen dat ze bijna van haar stoel viel.

Zijn overhemd zat onder de wijn, evenals zijn jasje, zijn stropdas, de hele tafel, het kleed. Maar ze kon niet stoppen.

Ze zei sorry. Ze begon de wijn op te deppen en bood aan zijn spullen te wassen.

Voordat de avond voorbij was, lagen al zijn kleren in de afvalbak. Maar nu zat hij nog gespannen te wachten. Terwijl het antwoord zo duidelijk was. Hij vernederde zichzelf en hij zat nog steeds op zijn stoel toen zij eindelijk haar gezichtsuitdrukking en haar stem weer onder controle had en weer serieus kon zijn.

Ze ging tegenover hem aan tafel zitten en keek hem aan.

Ze kreeg een nieuwe aanval, ze lachte en kon niet meer stoppen.

Hij stond op. Hij zei precies hoe hij erover dacht, dat niemand het verleden kon ontvluchten. 'Vroeg of laat word je de mijne en als je me nu niet wilt, dan maar in de eeuwigheid.'

Daarna vertrok hij. Rustig en vastbesloten het contact te vervolmaken dat jaren geleden was aangeknoopt. Op het plein draaide hij zich zelfs om, en zij kwam bij het raam staan. Toen kuste hij haar, van een afstand, de kussen van al die jaren zond hij haar – dat kon ze niet meer verhinderen.

Ze waren dan wel jong, maar wat kan het gevoelens schelen of iets verstandig is of niet. Ze waren zo arm, en het grootste gebrek was dat aan genegenheid. Hun honger was bodemloos, thuis was er geen plaats voor haar, hoewel ze nog enig kind was en echt heel eenzaam. Hij had een heleboel broers en zussen, maar kwam toch te kort, hij was ondervoed en zijn moeder had een hekel aan hem.

Wat ze niet aan liefde, veiligheid en genegenheid hadden gekregen, vonden ze bij elkaar. Ze waren altijd samen, maar wel in het geheim. Zij moest werken van haar ouders en bij hem thuis was de maaiende, gespierde arm van zijn vader een continue dreiging.

Marlene was flink, ze pakte aan, ze was niet van plan over de gebaande paden voort te sjokken, ze wilde meer. Ze bezwoer hem dat hij die sprong ook moest wagen. Pas dan zou ze er gerust op zijn, pas dan konden ze echt een stel worden, als ze zich door niemand meer iets lieten opleggen.

Op een dag was ze opeens weg. Ze was overal bij weggelopen, ook bij hem. Ze had van tevoren niets gezegd, ze nam gewoon de benen en het was onmogelijk om contact met haar te krijgen. Ze liet geen adres achter en toen ze belde om te voorkomen dat iemand ongerust zou worden en haar zou laten opsporen, zei ze niet eens waar ze zat. Ze was gewoon weg, ze was niet van plan terug te komen en voor haar ouders was dat geen ramp.

Hij begreep er niets van. Maar hij maakte er het beste van en deed wat ze had gezegd, hij werkte zich op en ging zijn eigen weg. De jaren gingen voorbij en hij genoot steeds meer vertrouwen in de politiek, terwijl hij zijn middelbare school afmaakte, economie studeerde en daarna nog een aantal losse vakken. Elke baan die hij ooit heeft gehad, heeft hij op eigen kracht en op grond van zijn capaciteiten gekregen. Geen netwerken, nepotisme of vriendendiensten op zijn weg naar de top.

Allemaal voor haar.

Dat kan niemand begrijpen, alleen Marlene zelf misschien.

Achteraf begreep hij haar ook, dat ze haar eenvoudige milieu verstikkend vond en zich daaraan moest ontworstelen. Hij begreep haar, hij vergaf haar in zekere zin en veroordeelde niemand toen ze terugkwam met die man die centen had, toen ze met haar winkel begon. Hij begreep het. Dat de armoede op zich niet de oorzaak was. Haar ouderlijk huis, daar lag het aan, ze had daar geen liefde gekregen en ze hield het daar niet uit.

Het kwam door haar ouders dat ze weggelopen was.

Natuurlijk was hun liefde pril. Maar groter dan hij ooit ergens had gelezen – de weergave in de kunst was zo banaal, geen kunstenaar in welke kunstvorm dan ook had ooit iets tot stand gebracht wat hieraan kon tippen. Wanneer je ouder wordt, krimp je, krimpt je beeld van de liefde, verbleekt helemaal. De eerste liefde, de pure liefde, zo groot als het hele universum, zo sterk als de zwaartekracht en heter dan smeltend ijzer. Romeo en Julia waren ook zo jong. De liefde is onverbiddelijk, in dat toneelstuk komt de kracht naar voren die alles op het spel zet – tot in de dood.

Toen hij die avond naar huis reed, dacht hij: de eerste de beste vrachtwagen, want nu is het klaar.

Maar er kwam geen vrachtwagen. En het was niet eerlijk geweest tegenover de chauffeur.

Wanhoop is een schreeuw, maar wat hij voelde zat dieper. In zekere zin was het zacht, bodemloos, zwart als de ruimte, groter, kouder, eindeloos. Zonder een sprankje licht.

Aan de voorwaarden die zij indertijd had gesteld had hij voldaan en hij was er de gevangene van, altijd al, zij kon nu niet terugkrabbelen. Hij had de test doorstaan, hij had gedaan wat zij van hem had gevraagd, hij werkte in stilte aan zijn eigen carrière om haar waardig te zijn, ook al was ze verdwenen en had ze hem gedumpt, zou je kunnen zeggen. Ook al had hij zo nooit gedacht. Maar nu kan ze hem niet nog eens dumpen, dat mag ze niet doen, dat kan niet. Zijn hele leven heeft hij gewacht, misschien is zij een ander mens geworden, en hij misschien ook. Maar toch is zij in alle eeuwigheid de zijne, want de kern is onveranderd. Hij heeft het gelijk aan zijn kant, en wat nonchalant liefde wordt genoemd is voorbehouden aan degene die verantwoording neemt en aan alle eisen en voorwaarden voldoet; wie een test heeft doorstaan moet ook de beloning krijgen, die moet niet domweg worden belazerd na zo veel jaren van trouw en nadat hij alles heeft vergeven.

Zij is van hem en hij van haar en daar valt niets meer aan te veranderen. Weliswaar is niemand het bezit van iemand anders, dat is een ouderwetse instelling die niet de zijne is. Maar hij staat in zijn recht als hij na al deze jaren een eerlijke behandeling eist en krijgt, zij heeft niet het recht hem kapot te maken, ze heeft niet het recht dat niet eens te begrijpen, om geen traan te laten en hem alleen maar te vernederen.

Als zij niet weet wat goed voor haar is, dan moet hij maar voor haar denken.

Toch was die nacht de langste nacht van zijn leven. Oude gevoelens flakkerden op, pakten hem vast en hielden hem in hun greep, lieten hem naar adem snakken. Hij liep door de kamer, maar zat toch vast; hij kon nog geen vinger verroeren, niet horen, niet ademen, in zijn binnenste zat alles vast en het krabde, verscheurde hem met zijn klauwen.

Hij zat opnieuw gevangen in deze al te harde omhelzing, waaruit hij zich meende te hebben bevrijd. Toch was dat nog maar het begin. Hij had het medische vonnis nog niet gekregen – de allerergste vernedering, ze zou hem langzaam ten onder zien gaan, ze zou hem langzaam geknakt zien worden. Dat wilde hij zien te voorkomen.

Hij heeft het moeilijke verhaal aanvankelijk op zakelijke, kalme toon verteld, maar langzamerhand hebben zijn emoties een extatisch niveau bereikt. Hij loopt heen en weer, de vloerplanken kraken, hij ademt zwaar en ik kan hem bijna niet zien, zo schemerig is het. Het vuur is langzaam uitgedoofd en ik ben stijf van kou en angst. Hoelang moet dit duren? Wat moet ik doen?

'Mag ik nog wat hout op het vuur gooien?'

Hij wordt wakker als uit een trance. 'Natuurlijk, gooi er maar wat bij, geen probleem. Nu weet je waarom ik Marlene weer wil zien, nu weet je alles. Nu zou je moeten begrijpen dat jij me naar haar toe moet brengen.'

'Maar misschien is ze wel dood, omgekomen bij de brand.'

'Welnee. Er zijn immers geen stoffelijke resten gevonden en trouwens, je hebt het zelf gezegd.'

'Wat?'

'Dat ze nog leeft.'

'Wie beweert dat?'

'Dat heeft Morgan me verteld. Morgan mag jou niet zo, zal ik je vertellen. Hij vindt dat je te veel je neus overal in steekt. Klas Lekare heeft ook een hekel aan je, je bent veel te ver gegaan. Als je je gewoon koest had gehouden, had je de mensen niet zo voor het hoofd gestoten.'

'Hoe bedoel je?'

'We houden er nu over op. Jij vertelt gewoon waar ze zit, en dan vergeten we dit verder.'

'En anders?'

'Anders? Niets. Ik wil je geen kwaad doen, heb ik toch al gezegd.'

'Dus dan kan ik weggaan?'

'Jij niet. Dan ga ik weg. En dan krijg jij de tijd om na te denken.'

Hij loopt naar de deur, meent hij dat nou? Gaat hij gewoon weg?

Inderdaad, zonder omhaal van woorden. Hij doet de deur open, loopt de hut uit en doet de deur zorgvuldig achter zich dicht. Ik hoor dat hij een balk voor de deur schuift en die vergrendelt. Daarna hoor ik stappen, ik hoor hem weglopen.

Ik schreeuw: 'Kom terug, Sven. Kom hier. Ga niet weg. Laat me hier niet alleen. Ik heb het koud. Kom terug. Ik heb niets te eten, Sven. Kom hier. Ik zal het uitleggen.'

Doodse stilte. Hij is verdwenen. Ik ga dicht bij het vuur zitten en wacht. Als er een half uur verstreken is, besef ik dat hij niet meer komt.

Had hij maar iets gezegd. Dan hadden we kunnen onderhandelen. Maar hij is sluw, het moet bij hem meteen kwaadschiks om mij te laten toegeven. In zijn wereld zal dat wel tactisch, goed en juist zijn.

Er is wel brandhout, een heleboel zelfs, er ligt een grote stapel opgetast tegen de muur. Tot mijn vreugde vind ik een emmer water in een hoek, dan ga ik in ieder geval niet dood van de dorst.

Op een plank met een paar gedeukte pannen vind ik een pakje van iets. Ik neem het mee naar het vuur om te kijken wat het is. Ierse lamsstoofschotel. De kleine letters kan ik niet lezen, maar ik ben zo flauw van de honger dat ik de diepvriesverpakking meteen openmaak en de inhoud met een bodempje water in een zwartgeblakerde pan doe, die ik rechtstreeks op de brandende houtblokken zet.

Er is geen bestek. Ik verbrand mijn mond wanneer ik het mengsel rechtstreeks uit de pan probeer te drinken. Het smaakt afschuwelijk, misschien heeft iemand het laten liggen omdat het over de datum is?

De schamele uitrusting van de hut zegt me dat dit geen particuliere zomerboerderij is, maar meer een soort algemeen toegankelijke hut. Ik ben waarschijnlijk ergens in de bergen. Ik wacht, als het is afgekoeld kan ik het opeten en trouwens, hoelang moet ik op deze ene portie teren? Misschien wist hij niet eens dat die er lag. Hij heeft me hier gewoon in de kou en het halfduister achtergelaten. Zodat ik kan nadenken. Met tegenzin verlaat ik de warmte van het vuur en ik loop naar de tafel. Het enige wat ik daar vind is een multomap, op het eerste blaadje staat 'Gastenboek'. Wat er verder in staat kan ik onmogelijk lezen in het donker.

Als hij terugkomt, zal hij van mij willen weten waar ze is. En als ik het dan nog steeds niet zeg?

Hij zal me toch niet slaan? Hij zal me toch hooguit hier weer alleen laten als ik weiger? Maar zijn waanzin dan, die meedogenloze geobsedeerdheid? Of zou hij mij vergeten, doordat er in zijn hoofd iets misgaat?

Ik heb natuurlijk mijn baan, ik moet morgen werken. Als ik niet op kom dagen gaat er iemand bellen. En als ik niet opneem op mijn thuisnummer en mijn mobieltje wordt niet opgenomen, of er neemt iemand op die alleen maar luistert en niets zegt, dan zullen ze dat vreemd vinden. En misschien gaan zoeken. Maar dan? Hoelang duurt dat?

De tijd is een slak. Ik blijf zo dicht mogelijk bij het vuur zitten en heb beurteling een koude rug en een koude voorkant.

Aan de buitenkant zitten er luiken voor de ramen, langs die weg kan ik er niet uit. Even overweeg ik de schoorsteen – ik ben toch al zwart van het roet. Maar bij een inspectie waarbij mijn ogen tranen van de rook, kan ik alleen maar constateren dat het rookkanaal veel te nauw is. Ik zit opgesloten. Kwam er maar iemand langs die me kon bevrijden. En wist ik maar waar ik was. Een schrale natuur, schraler dan thuis, ik ben vast in de bergen. Ik weet niet meer hoelang de autorit heeft geduurd. Mijn nek en keel doen zeer. De toeristen zijn nog niet gearriveerd, wie weet hoelang ik hier op hulp moet wachten.

De tijd is een slak. Ik ga staan en schreeuw zo hard mogelijk in alle windrichtingen. Ik heb een eigenaardig zwakke stem, ik probeer het met ademsteun, daar heb ik over gelezen. Toch voelt het alsof het geluid nauwelijks meer dan een paar meter buiten de muren van de hut komt.

Ik moet zuinig zijn met het hout, ik weet niet hoelang ik ermee moet doen. De kou is mijn vijand. Nee, Bränd Sven is mijn vijand, wat een ironie, die naam. Ik durf er niet aan te denken wat hij zou kunnen doen. Hoe staat het met zijn ziektebesef? Krijg je echt zo'n kronkel als je die ziekte hebt? Iets zegt me dat hij altijd al zo geweest is. Zijn krankzinnigheid heeft ingekapseld gezeten en misschien heeft de alzheimer die geactiveerd.

Het is laat en ik ben moe, maar de kou houdt me wakker. Ik zit bij het vuur te doezelen. Eén keer word ik wakker van de pijn, als er een gloeiend kooltje tegen mijn hand is gerold. Een andere keer is het vuur bijna uit en word ik wakker van de kou. Ik wakker het weer aan met behulp van extra berkenbast en door te blazen. Ik doezel en huiver, als een vos in de val, zo machteloos. Binnen een etmaal schijn je een mens van al zijn waardigheid te kunnen beroven door hem voedsel en water te onthouden en hem te beletten zich te wassen en naar het toilet te gaan. Je wordt net een beest.

Maar mijn hersenen denken niet alleen aan het fysieke en tastbare. Mijn hersenen zijn druk bezig met vragen: Waarom heeft ze niets gezegd? Waarom gaf ze mij het idee dat het Morgan Eriksson was?

Ze was natuurlijk doodsbang. Ze voorzag meteen dat hij het er niet bij zou laten zitten. Ze wilde mij geen informatie geven waardoor ik haar zou kunnen verraden, dat ik hem bijvoorbeeld in mijn boosheid ter verantwoording zou roepen. Ik ben zo bang dat ze nog in het hotel zit. Dat was immers gerieflijk en ze was er incognito, ze had behoefte aan rust en ze moest die papieren in orde maken om eindelijk in het gelijk gesteld te worden, om bescherming en eerherstel te krijgen.

Als hij het hard speelt, wat moet ik dan doen? Er schieten me belachelijke tv-programma's te binnen waarbij de deelnemers honger krijgen en tienduizend kronen betalen voor een stuk brood.

Ik droom van dat brood, ik zit ook op dat eiland, dat dan wel tropisch is, maar waar het toch akelig koud is.

Geleidelijk aan wordt het licht, een grauw en krachteloos schijnsel door de kieren van de vensterluiken. Ik blaas leven in de gloed, ik vind wat afval om erop te gooien en leg er nog een stuk hout op. Mijn lichaam is gevoelloos geworden door de ongemakkelijke houding. Ondanks de kou ga ik voor de open haard op de grond liggen. Maar hoe dichtbij het ook is, daar komt niet de minste warmte, toch val ik weer in slaap. Ik droom dat ik tegen wil en dank door een Siberische rivier zwem, onder het ijs.

Ik word ergens wakker van. Mijn lichaam is stijf en stram, het gehoorzaamt niet meteen wanneer ik probeer op te staan. Het vuur is weer bijna uit. Ik leg er een houtblok op en wil gaan blazen.

Dan hoor ik het geluid weer waarvan ik wakker geworden moet zijn.

Gekrabbel. Iets – is het een dier? – sluipt om de hut heen!

Zal ik roepen? Het lijkt vast alsof hier niemand is. Maar de schoorsteen dan en de geur van rook?

Een dier? Dat is niet logisch vanwege de mensenlucht. Maar als het een mens is, waarom klopt hij dan niet aan? Hij kan de deur toch opendoen, de dwarsboom optillen, binnenkomen en fatsoenlijk groeten? Dat zou het meest logische zijn, als hij geen duistere bedoelingen heeft.

Het gekrabbel beweegt zich langs de muur. Ik weet niet wat ik moet doen, ik tril van de spanning en de kou.

Voorzichtig sluip ik naar de muur waar het geritsel klinkt, daar beweegt iemand, bij het raam.

De vensterluiken zijn oud, een kier is zo breed dat het daglicht door het luik en de smerige ruit heen dringt. Ik buig eindeloos voorzichtig naar voren en houd mijn oog tegen het glas.

En kijk recht in een ander oog!

VIII

ALS DOOR DE TERUGSLAG VAN EEN GEWEER word ik zo heftig achteruitgeduwd dat ik omval. Door de kier zie ik het oog nog – evenals de wang en een stukje van de mond. Het is een vrouw. Ze playbackt: Siv!

Ik snik: 'O god.'

Ze komt me redden. Ze heeft me gevonden. De rollen zijn omgedraaid, nu moet ze mij redden. Ik roep luid: 'Marlene!'

Ze geeft geen antwoord. Het is weer stil.

Ik vlieg naar het raam, bons erop met gebalde vuisten. Het maakt me niet uit of het kapotgaat, ik schreeuw, ik huil: 'Niet weggaan, Marlene. Help me. Doe de deur open, snel. Ik kan niet meer. Kom nou, laat me eruit!'

Ze reageert niet. Ik luister, wacht, roep nog eens haar naam, ik krijg geen antwoord. Is ze weg?

Dan hoor ik eindelijk geluiden bij de deur, het hangslot dat piept en een bons wanneer de dwarsboom weggehaald wordt.

Ik ren erheen en de deur zwaait open op zijn scharnieren en – maar hij is het!

Wie anders? Zij heeft geen sleutel.

Hij kijkt verbaasd dat ik zo dicht bij de deur sta. 'Heb je erover nagedacht?' vraagt hij. 'Ben je op betere gedachten gekomen?'

Mijn ogen lopen weer over. Door de teleurstelling en door de lichamelijke uitputting. Door alle onbegrijpelijke dingen en doordat deze man het recht heeft genomen over mij te beslissen. Omdat het zo oneerlijk is dat hij met zijn fysieke kracht mijn wil kan bedwingen. Waar is Marlene? Heb ik het verkeerd gezien? Heb ik gehallucineerd?

Dan hoor ik haar stem. Ze staat vlak achter hem. Hij draait zich om.

Er lijkt een last van zijn schouders te vallen en hij recht zijn rug.

Zijn grote zwarte silhouet. In het nevelige licht achter hem doet ze nog een stap naar voren, terwijl ze hem strak blijft aankijken. Vanuit een ooghoek moet ze mij wel zien staan bij de ingang, maar ze houdt hem vast met haar blik.

Ze draagt nieuwe, rode rubberlaarzen en het rode jack met de verbrande manchetten en de kapotte rits, die gesmolten is. Ze heeft haar handen in haar zakken gestoken en als ze zich een stukje omdraait zie ik de wond, open en bloot, op haar hoofd, maar die is nu aan het helen. Ze staat er trots en levend bij, ook al is ze gehavend door de brand in het Lisellse huis. Ze richt zich in eenvoudige woorden tot hem met een sterke, mooie stem. Ze is nu hier. Dan kan hij Siv Dahlin vrijlaten. Er is kennelijk een nieuw en vreemd element toegevoegd aan zijn toch al destructieve gedrag – hoe haalt hij het in zijn hoofd er onschuldigen bij te betrekken? Moest Siv hetzelfde lot tegemoetgaan als de onschuldige Sammy?

De zwarte rug voor me beweegt, maar er komt geen antwoord. In plaats daarvan zet hij een stap naar voren. En zij stapt precies even ver naar achteren. 'Wacht even. Moet de vrouw die niet de jouwe wilde worden nu definitief vernietigd worden? Wat is er in de voorbije jaren met je gebeurd, Sven? Je was de meest fantastische man die ik kende, ook al was je nog maar een jongen. Je had grootse idealen en je hield van al wat leeft, de schors van de bomen mocht niet beschadigd worden, het was hun huid en het mos waarop we lagen, als dat zich maar herstelde, en de vogels en alle vissen daarginds bij de dam. Je voelde toen liefde voor alles en vooral voor mij en uit die rijkdom aan emoties ontstond je eigenlijke zelf, je sociale bevlogenheid, het zat er allemaal al in. Ik volgde je van een afstand en ik was trots, dat kan ik je wel vertellen.'

'Maar je ging er toch vandoor?'

Hij doet nog een stap naar voren en ze volgt als bij een tango, ze stapt naar achteren. Er staan struiken en jonge boompjes aan de rand van het moeras waar ze haar ene voet neerzet, ik hoop dat ze niet valt, er heerst een gespannen sfeer. Als ze haar ogen afwendt is hij zo bij haar, dat voel ik aan mijn water. Ze moet blijven praten, zij moet het heft in handen houden.

'Ja, ik ben ervandoor gegaan en jij weet waarom. Dat weet je heel goed. We waren wel jong, te jong, maar onze liefde was groot en oprecht en deed niemand kwaad. Die was onze veilige haven, en ik heb lang gedacht dat die ons zou redden van het kwaad daar in Mobyn. Maar onze zomer hier in de bergen veranderde alles. Jij weet waarom.'

Er gaat een koude rilling door het lichaam van de grote man voor me, hij wankelt. Marlene pareert met een drietal stappen, terwijl ze mij heel even aankijkt. Dat is genoeg.

'Nee, dat weet ik niet. Veranderd? Hoe dan? Het was zoals jij zegt, zo was het precies. In ons eigen universum. Als iemand mij had gevraagd de zon te doven, dan had ik me maar een klein beetje gebrand, alles was mogelijk binnen de energie die onze liefde opwekte. Jij en ik, Marlene, meer was er toch niet?'

Zijn stem is dik, hij heeft hem niet meer in bedwang. Ik herken die stem niet meer als de zijne, zo vol van onderdrukte emoties, moeilijk te interpreteren, dof en rommelend als de grond voor een vulkaanuitbarsting.

'Alleen jij. Ik was je slaaf. Je liefdesslaaf, maar dat ben je vergeten. Jij maakte de dienst uit, jij was de dompteur en de leider bij onze spelletjes en uiteindelijk verklaarde je dat je niet langer zo voorzichtig wilde zijn. Ook al wist je wat ik met mijn leven wilde. Toch besloot je dat we niet meer hoefden op te passen, je wilde mij helemaal. Toen nam ik mijn besluit. Er viel niet meer met je te praten. Je liefde was zo intens dat je totaal verblind was. Door het vuur zag je het voorwerp van je passie niet meer. Mijn gevoelens of mijn capaciteiten, daar maakte je je niet druk om. Jouw liefde werd zelfingenomen en de oprechte genegenheid hield op. Jij wilde de baas spelen over mijn toekomst. Jij nam alle beslissingen en na die zomer werd je mijn gevangenis. Hoe meer ik tegenstribbelde, des te steviger hield je me vast.'

'Je bent weggelopen. Maar dat was toch omdat ze thuis zo onaardig tegen je waren?'

'Ze hielden niet van me. Daarom konden ze me niet echt raken, maar dat kon jij wel. Jij kwam door alle verdedigingslinies heen, je gaf mij iets waarvan ik niet wist dat het bestond, iets wat ik nodig had. En ik vertrouwde je en stelde me helemaal open. Daarna ging het allemaal op jouw voorwaarden.'

Ze staat nu aan de rand van het moeras, ik zie de rijp glinsteren in het gras en ik zie het bruine moeraswater langs de schachten van haar laarzen omhoogkomen.

Ik ben de hoge drempel al over en sta vlak achter hem. Mijn lichaam zit propvol adrenaline, ik voel niets en zie maar één ding.

Ze doet nog een stap naar achteren. Ze richt haar blik op mij en schreeuwt: 'Nu!!'

Ik schiet gebukt onder zijn zwaaiende arm door, als een afgeschoten kogel passeer ik hem, ik ben hem te snel af en voel een vinger die de stof op mijn rug vast wil pakken, ik ruk me los en voel het moeraswater niet hoe koud het is ik ren gewoon achter Marlene aan die al ver het zachte veen op is gelopen en ik zak weg als ik blijf staan maar dat ben ik bepaald niet van plan ik beweeg snel ik hoor hem maar neem niet de tijd om te kijken ik ren alleen maar of ploeter voort door de nattigheid, ik hoor hem kreunen ik hoop maar dat hij trager beweegt dan ik.

Marlene heeft zich omgedraaid, ze loopt nu niet zo hard meer, zodat ik haar kan inhalen.

Ik zie open water. Wanneer ik dichterbij kom, slaat ze af om die open hindernis te pareren en ik volg haar, ik vertrouw erop dat zij het overzicht heeft waaraan het mij totaal ontbreekt.

Wanneer ik nog dichterbij kom, zie ik haar angst. Haar blik

die de zelfverzekerdheid logenstraft die ze net naar Bränd Sven toe uitstraalde. 'Niet blijven staan,' zegt ze hijgend, 'trappel met je voeten, dit is een drijftil.'

Op dat moment horen we hem brullen, hij is vlakbij, hij heeft een kortere weg genomen. Hij is niet om dat smalle stuk heen gelopen, om het water heen, maar er gewoon dwars doorheen. Hij is in een gat gestapt, maar een paar meter van ons af. Zijn benen zijn erin weggezakt, hij slaat met zijn handen op de bovenkant van het moeras, zodat het spettert, hij probeert uit alle macht zijn benen op te tillen, maar hij komt niet los.

We stappen instinctief naar een eilandje met een door de wind geteisterde, eenzame den. Ik voel de ondergrond reageren. We storten ons gezamenlijk op die kleine den, zodat die heen en weer zwiept en kijken dan om. Hij is er nu tot aan zijn middel in gezakt.

Ze zijn allemaal zo, maar jij niet. Alleen maar aan jezelf denken was nooit jouw stijl. Nu zit je vast tot aan je borst en word je onverbiddelijk naar beneden gezogen. Al die vrijheid verstikt je, die maakt je klein, die heeft de wereld klein gemaakt totdat je gewoon wel aan de slag moest met je eigen gedachten die je tot dan toe uit je leven had verbannen. De vrije samenleving bezwoer je alleen voor je eigen onbenullige agenda te zorgen. In plaats van in het groot te denken, aan alle anderen, werd je nu samengeperst tot het kleinste, bekrompen atoom. Dat is de echte gevangenis, wanneer je niet in staat bent verder te kijken dan je neus lang is. Als dat niet mag. Wanneer de horizon stijgt totdat je opgesloten zit, teruggeworpen in je eigen kringetje, zonder hemel, waar je niet vrij kunt ademen en geen vin kunt verroeren. Maar dat is vrijheid en in de lichtkring vind je misschien geen solidariteit, maar in het donker wil je het natuurlijk ook niet zoeken, die oude socialistische dictatuur waarbinnen iedereen het verplicht naar de zin moet hebben.

Jij stelde je leven in dienst van het ontwikkelen en perfectione-

ren van maatschappelijke strategieën, die opeens, verbazingwekkend snel, hadden afgedaan en werden besmeurd. Er zat niets anders op dan de mislukking achter je te laten en daarna solidair mee te huilen met de wolven in het bos, ook al druiste dat tegen je diepste overtuiging in.

Nu wordt het verende ribbenpakket van de borstkas tegen de steeds kleinere ruimte van de longen geduwd, het is zwaar, zo zwaar, om adem te halen.

Het wordt nog zwaarder.

Maar als het voorbij is, is het maar voorbij. Wanneer de paniek overgaat en je vrij in de vrije onbewustheid van het zuurstofgebrek zweeft, kun je solidair glimlachen om die grote maatschappij diep beneden waar je in woonde, die je leven was. Je bent nu waarlijk vrij.

Je obsessie met wat jou ver weg is gebeurd zorgt weer voor heftige stuiptrekkingen. De laatste gedachten die je denkt zijn voor haar voor wie je al die emoties voelde, maar je hebt haar gebrand met je destructieve liefde, die geen echte liefde was. Ze heeft gelijk, je zag haar niet. Je was toen doof en blind en stom.

Maar toen dat voorbij was, lag het leven nog voor je, al het werk voor rechtvaardigheid en eer. Later kreeg je nog meer liefdeskansen en je dacht er wel over na, maar het kwam er nooit van. Je was bezeten, in de ban van het grote werk, je had geen tijd voor een gezin.

Toen jouw tijd gekomen was, begreep je er niets van. Je keek onnozel om je heen. Je besefte wat je miste – je hart brak. Die vonk, dat maagdelijke en oprechte gevoel – je verlangde terug, maar waar was zij nu?

Daarna dat gewone, banale, geen nee kunnen accepteren. Nu zie je angst in haar ogen terwijl zij zich in veiligheid heeft gebracht. Zit er barmhartigheid in dit zuigende systeem? Je wilde alleen maar thuiskomen en de liefde leek in dit stadium mogelijk. Daarna wilde je afscheid nemen met de vlag trots in top voordat je door je eigen ziekte werd ingehaald.

Maar je lichaam wil leven en nu komt de paniek want je zit tot aan je schouders vast. Natuurlijk wil je leven, het maakt niet uit hoe of waarvoor, en 'waarom' is een woord zonder enige betekenis. Het is het leven op zich dat je wilt hebben.

Terwijl je leven hebt gedoofd en het leven van iemand anders wilde doven.

We klampen ons aan het dennetje en aan elkaar vast. Ik ben zo dun gekleed, we rillen allebei van de kou en van de angst. Niet zo ver van ons af vecht Bränd Sven om boven te komen.

We zijn niet meer bang dat hij ons te pakken zal krijgen. Maar bang zijn we, daarom staan we te klappertanden.

Hij is er al tot aan zijn borstkas in gezakt, hoe harder hij vecht, des te verder lijkt hij naar beneden te worden gezogen. Marlene haalt snikkend haar mobieltje tevoorschijn, maar wat we al vermoedden, de display vertoont geen binnenkomende signalen, er is geen bereik.

We moeten nog een groot stuk drijftil over ploeteren naar het droge land aan de overkant. Daarna om de dam heen en dan misschien een pad over naar de weg waar ze haar auto heeft verstopt en dan nog een heel eind voordat we alarm kunnen slaan.

Zijn ene arm gaat naar beneden, de andere maait door de lucht, het lijkt wel of hij ons wenkt. Ik kan niet meer ontsnappen aan zijn blik.

Zijn ogen vochtig, vragend en nog net zo vertrouwenwekkend als eerst, als je niet beter zou weten. Hij kijkt me aan. Ik kijk hem aan. Ik tril, snik, die besluiteloosheid. Als we wegrennen is het toch al veel te laat, hij houdt het nooit vol totdat er een reddingsteam komt. Maar als we blijven waar we zijn is het net alsof wij hem zelf om het leven brengen, als we gewoon toekijken, hadden we hem dan niet kunnen redden?

Hoewel we weten dat het niet kan, kijken we elkaar zwijgend aan. Marlene trekt haar jas uit. Ze loopt erheen, ze loopt zo langzaam dat er bij elke stap moeraswater met kluiten modder in haar laarzen loopt. Ik waad op mijn huisschoenen achter haar aan, mijn lange broek is tot aan het kruis zwart van de moerasmodder.

Als er nog maar een paar meter rest, gooit ze haar jas naar hem toe.

Met zijn vrije hand probeert hij die vast te pakken, zijn linkerhand. Maar die is zwak. Wanneer Marlene trekt, laat hij los. Om zo'n gewicht omhoog te trekken heb je een vast punt nodig. Dat hebben we niet.

Met moeite weet Marlene zich los te maken uit de greep van het moeras en ze stapt naar voren en terug, zoals ik ook continu doe.

Bij de volgende worp met de jas pakt hij die vast en hij windt de ene mouw van de jas om zijn pols.

Maar wat helpt dat? Marlene trekt uit alle macht en ik trek aan haar. Een stevige greep om haar ceintuur, ik trek met alles wat ik in me heb en zij laat haar jas niet los.

Het murmelt, slobbert, pruttelt en zompt en we glijden achteruit als ja-knikkers, we kunnen ons nergens tegen schrap zetten. Maar Bränd Sven, die er tot zijn ene schouder in is gezakt, krijgt nu de geest. Of is hij gek, in paniek? Hij brult als een oerbeest en spartelt met zijn grote lichaam onder het oppervlak.

Dan zien we wat voor effect zijn strijd heeft, hij zakt nog dieper weg, de arm die de jas vasthoudt, zinkt in de modder. Marlene gaat rechtop staan, het water druipt van haar rug, ze verplaatst zich continu over de drijftil om houvast te vinden.

Te laat.

We voeren een waanzin-step uit, terwijl we zien hoe het hele lichaam, de hele man, onder de humuslaag, onder het veen glijdt, het moeras dat waarschijnlijk bodemloos is. Een schreeuw, als van een vogel, het geluid van een zinkende Titanic.

Dan is hij weg.

We schreeuwen, we stappen heen en weer en vluchten terug naar het eilandje, houden elkaar vast, hijgen, huilen, durven bijna niet om te kijken. We zien nog een puntje van de rode jas wapperen voordat die onder het veen verdwijnt. Daarna is het gat haast niet meer te zien.

Na een paar uur, of misschien maar een paar minuten, staat Marlene op. Ze trekt haar laarzen uit en loopt op sokken over de til en zet de laarzen zo dicht bij het gat als ze durft.

Daar staat ze, ze staat met haar rug naar me toe te trappelen. Ze blijft staan en kijkt naar het gat alsof het haar hypnotiseert.

Daarna komt ze terug, ik sta bibberend op haar te wachten en we zijn sprakeloos. We klampen ons huilend aan elkaar vast. We kijken naar de laarzen en de plek waar hij verdwenen is.

Opeens komt er een vogel aanvliegen, een rappe, venijnige vogel, die fladderend en kwetterend heen en weer rent langs de rand van het moeras, bij het open water. Het lijkt wel of hij ons continu aankijkt.

Ten slotte probeer ik hem weg te jagen. Hij vliegt niet weg, maar blijft gewoon zitten.

Snikkend maken we dat we wegkomen.

De reddingswerkers waren een paar uur later ter plekke. Haar laarzen vormden het belangrijkste baken. Er werd een boot in het meer gezet. Het rupsvoertuig met zijn last van politie en reddingswerkers bleef op de drijftil staan. Later die avond voerde een kikvorsman, die met een helikopter vanuit Uppsala was ingevlogen, een duik uit. Ondanks felle schijnwerpers was het zicht op een paar meter diepte zo slecht dat er niets anders meer op zat dan dreggen, een precaire onderneming. De drijftil, het moeras en de grens met het water waren de slechtst denkbare omgeving waarin je naar een overledene kon zoeken.

Marlene had haar auto achter het Myrflocentrum verstopt en was daarna naar de hut gerend waar ik opgesloten zat. Ze had meteen vermoed wat er was gebeurd toen ze de stem van Bränd Sven op mijn mobieltje hoorde.

We zitten aan een tafeltje in het Myrflocentrum. De schemering is ingevallen en de agent die ons heeft verhoord is net vertrokken. Behalve de jonge vrouw achter de balie is het er uitgestorven. Een ambulancezuster zit zwijgend te wachten tot we klaar zijn met eten, ze heeft onze bloeddruk opgenomen, naar ons gekeken en ons in de verplichte gele dekens gewikkeld. Ik heb het nog niet warm, maar ik heb wel genoeg gegeten. Ik wil alleen niet met de ambulance.

'Ik ben toch met de auto', zegt Marlene.

We staan op.

'Ze konden ons moeilijk dwingen', zegt Marlene wanneer we een paar kilometer gereden hebben. Ze heeft de ventilator ingeschakeld en de kachel op de hoogste stand gezet. 'We zijn geen verdachten en niet gevaarlijk, niemand kon ons dwingen om te blijven.'

'Wist je aldoor al dat hij de dader was?'

'Ik wist niet wat ik moest geloven toen Sammy stierf. Ik wilde het niet geloven. Maar toen knaagde de ongerustheid al een beetje. Ik wist nog wat hij had gezegd toen hij op een avond bij me was. "Als je me nu niet wilt, dan maar in de eeuwigheid." Dat zei hij toen. Dat het hem ernst was, begreep ik pas later. Op dat moment vond ik dat aanzoek alleen maar komisch en aanstellerig, net een parodie op een levenslange verliefdheid, ik kon er niet op ingaan. We waren immers oud. We waren niet meer dezelfden van destijds. Maar toen – dat schot in de bergen, mijn gedachten en emoties. Ik wilde het niet geloven, het moest een ongeluk zijn. Maar de brand maakte een einde aan al mijn twijfels, hij wilde me van het leven beroven.'

'En zichzelf.'

'Hij wilde nog eens voor ons allebei beslissen.'

'Hij wilde waarschijnlijk niet dat jij zijn vernedering zou zien als de hersenaandoening hem in zijn greep kreeg.'

'We moesten opnieuw verenigd worden, vond hij, voor de eeuwigheid.'

'Weet je nog dat we hier een keer eerder samen langs gereden zijn, Marlene? Toen zat ik achter het stuur.'

Ze denkt na, beiden gaan we in gedachten terug naar wat er toen in de bergen was gebeurd, die elandjacht, verschrikkelijk. Die kogel was voor haar bestemd. Dader en slachtoffer zijn nu dood, zij is er nog.

'Je hebt me zo geholpen, Siv. We zouden meer met elkaar moeten omgaan.'

'Dat zal er wel niet van komen. Maar vanavond ga je met me mee naar huis.'

Ze schrikt en kijkt me aan. Dan concentreert ze zich weer op de weg, ze is stil. Wanneer er een tegenligger komt, zie ik in het tijdelijke licht dat haar gezicht opgeklaard is – een glimlach. 'Ja, Siv, potdorie, nu kan ik met jou mee naar huis. Morgenvroeg kan ik naar mijn winkel. En daarna kan ik andere woonruimte gaan zoeken. Ik hoef nooit meer bang te zijn.'

IX

DE LOOIER KOMT MET EEN DUBBELNUMMER, de redacteur vergast ons op een heftige column waarin hij vertelt dat hij weleens veertig elanden op één dag heeft gevild. Er staan advertenties in voor jagersbrood, vizieren en prima laarzen en een bericht van iemand wiens jachthond is weggelopen. Er wordt flink geadverteerd voor vette, machtige voedingsproducten, want wie nu proviand gaat inslaan voor deze ene keer in het jaar versmaadt geen enkele lekkernij – inhoud en prijs vergelijken, wat is dat voor flauwekul? Het hele dorp kookt van een onbeschrijflijke koorts, de scholen gaan dicht, kantoren en werkplaatsen kraken bedenkelijk onder het grote aantal uitvallers. En als het eerste schot tussen de bergen weerklinkt, gaat het gerucht als een lopend vuurtje. Daarna wordt er elke avond in de huisjes de balans opgemaakt, de telefoons staan roodgloeiend, over de jachtploegen van Gärdås, Västra en Östra Fors, Vallerås en Västra Utsjö en alle andere, Päll Oskar en Bond Lisa, een vrouw, wat een topwijf, die legt de meeste elanden neer van de hele ploeg, de hele gemeente kookt in zijn eigen vette elandbouillon.

Ook onze oudjes krijgen er iets van mee. De maaltijden van Sala zijn opeens niet goed genoeg meer, ze willen rood, krachtig elandvlees met gelei en jeneverbessen, gebraden in een gietijzeren pan, niet dat in plastic verpakte uit de magnetron.

Backhans Maj-Lis hoort bij de bevoorrechten met een hele stapel pas bereide elandburgers in de koelkast. Ze is een beetje duizelig, maar goed bij de tijd, terwijl haar lichaam het een beetje af laat weten. Ze heeft het in de krant gelezen. Ze wist het aldoor al, hoewel ze het eigenlijk niet wilde weten. Die twee waren een stel, in hun jeugd, dat was algemeen bekend. Maar de tijd verstreek. De band was niet onwrikbaar. Maar het gaf haar wel meteen te denken toen Marlene daar was, op dezelfde plaats als Bränd Sven, toen het fatale schot afging. En toen er brand uitbrak, was het wel duidelijk. Marlene zat immers als enige nog in de flat. Het was zonneklaar. Maar je moet het initiatief aan de politie laten.

Ze vindt uiteraard dat ze zijn lichaam hadden moeten vinden. Nu gaat het spoken op de plek waar ze een aantal dagen totaal vergeefs hebben gezocht, ze leest er elke ochtend over.

Ik zie ertegen op bij Anna Katarina Bengts langs te gaan. Hoe moet zij zich voelen nu de kogels om haar huis fluiten en de elandkoe vast al in stukken gesneden, gefileerd, gemalen en ingevroren is?

Maar er staat mij een verrassing te wachten. Anna Katarina Bengts is van gedachten veranderd. Ze kan al die ongerustheid niet meer aan. Nu legt ze haar lot in Gods hand, ze schermt zich niet meer af en gaat tussen de mensen wonen.

Ik ben stomverbaasd. 'Maar je allergie dan? En al je wonden? De katten? En de pijn van de straling?'

Haar gezicht is glad geworden, ze heeft minder rimpels en in haar ogen glinstert een vonk. 'Eén kat houd ik, de andere mogen ze doodschieten. Zij lijden niet, ik ben degene die heeft geleden. En als ik uitslag krijg, wat dan nog? Ik ga er niet aan dood. En als ik toch doodga, dan heb ik in ieder geval geleefd! Ik twijfel niet, ik ben blij en ik kan niet wachten tot ik onder de mensen ben.'

Wel heb je ooit!

Wanneer de werkdag eindelijk om is, rijd ik naar huis op de klanken van 'You keep on knocking but you can't come in' en daarna het begin van 'Gene is coming, Gene is coming back tomorrow'. Achter het stuur doe ik slapjes de bugg, ik voel me flauw en ik heb trek.

Maar ik kan de schuur niet openkrijgen. Die verrekte schuurdeur zit vast, wat is er aan de hand, is er een plankje klem gaan zitten waardoor ik niet binnen kan komen?

Ik ben moe en boos geef ik een schop tegen mijn tot garage

omgebouwde schuur. Nou, blijf dan maar dicht. Werk maar niet mee. Wees dan maar gewoon een schuur en geen garage.

Ik loop naar mijn kleine huisje, hongerig, koud, moedeloos. De moeilijke weg naar Kerst ligt voor me, ik heb nog niet eens een leuk elandfeestje in het vooruitzicht.

En weer ben ik vergeten af te sluiten. Niet dat het iets uitmaakt. Er komt hier toch niemand en de laatste vijftig jaar is er in mijn dorp geen dief gesignaleerd. Maar toch. Slecht van me.

Een paar maanden later loop ik op straat midden in Stockholm, midden in de kerstdrukte, ik ben op proef toegelaten. Het geld dat ik met huisjes schoonmaken heb verdiend brandt in mijn tas en ik ga de kennismaking hernieuwen met de man die jarenlang mijn minnaar en vriend is geweest. Ik vond het niet goed dat hij naar mij toe kwam, ik kies ervoor naar de zetel van de macht te komen, waar hij woont. Dat vindt hij echter geen goede woordkeuze. De politici hebben bijna geen macht meer, poneerde hij aan de telefoon, waarna we begonnen te ruziën, ook al wilden we een soort rendez-vous afspreken.

Nu ben ik hier. Ik weet dat onze ontmoeting bepaalt hoe het verder gaat met ons.

Ik wil wel. Maar wie is hij tegenwoordig? Wat bedoelt hij met 'marginalisering'? Ik word zo kwaad – dat er zo veel vrouwelijke politici zijn geeft aan dat de politiek geen macht meer heeft, het is hetzelfde als in de kerk nu er zo veel vrouwelijke dominees zijn. Wat zegt hij?

'Ik blijf daar niet,' zei hij, 'of je nou tegenstribbelt of niet. Ik hoef niet hogerop, ik had daar een weids uitzicht verwacht, maar dat was er niet.'

In de Kungsgatan is het een heel gedrang. Ik sta naar een etalage te kijken wanneer iemand opeens de kraag van mijn jas vastgrijpt en me een portiek binnensleept. Het is Marlene.

'Hè? Wat doe jij hier?'

'Dat kan ik jou ook vragen. Kom mee, ik moet je iets laten zien.'

Nieuwsgierig gehoorzaam ik. Haar verschijning is zoals gewoonlijk elegant op een manier zoals je het met geld alleen niet voor elkaar krijgt. Haar pony steekt kwajongensachtig onder haar hoed uit, die de kale plek smaakvol verbergt. We wringen ons door glazen deuren een foyer binnen en ik hoor ritmische tamboerijnen, trommels en een compleet swingend orkest.

De zaal wasemt een collectieve betovering uit. Hij staat op het podium, stralend, het jasje gaat uit net wanneer het applaus begint te daveren. Hij neemt het woord, loopt over het toneel, met vurige hartstocht praat hij geëngageerd over iets wat iedereen uit het hart gegrepen is. Iemand gaat staan, er wordt luid gezucht om de lieflijke boodschap en de beloften om heilig te leven. Hij komt van het podium af en loopt langs de rijen om handen te schudden. Hij glimlacht breed en toont zijn hagelwitte, glinsterende tanden; zijn ogen weerspiegelen zijn passie.

Hij is charmant, mannelijk, elegant, vrij. Ook ik ben onder de indruk van zijn verschijning. Marlene pakt me bij de elleboog en vraagt: 'Nou?'

'Ja, hij is fantastisch. Zeg niet dat jullie nog steeds ...'

Ze krijgt tranen in haar ogen, maar ze glimlacht.

'Zie je dat, onder zijn overhemd?'

'Nee, waar dan?'

'Vlak onder zijn schouderblad, als je het niet weet zie je het niet.'

'Je bedoelt ...'

Ze knikt verontschuldigend, alsof het een klein kind betreft.

'Van zijdebrokaat, ik heb hem vermaakt. Kost een vermogen, poederkleurig, daarom zie je hem niet. Het is toch een soort liefde dat hij die draagt, dat ik die voor hem heb vermaakt, of niet?'

'Ach, Marlene.'

Stom van me, vergeten de deur op slot te doen.

Maar brandende kaarsen, dat heb ik niet gedaan. En ook deze eetlustopwekkende geuren niet.

'Surprise!' gilt Åsa. Ze springt achter een deur vandaan en er verschijnt nog iemand achter haar. Haar vriend, met wie ze samenwoont.

Ik ben iets. Waarschijnlijk ben ik blij, toch schieten de tranen me in de ogen, wat ben ik een huilebalk, maar het zijn tranen van boosheid, ik ben verontwaardigd dat ze hun auto bij mij in de schuur hebben gezet, wat uitgekookt.

Toch hoef ik mijn dochter maar aan te kijken om te voelen waar het in wezen om draait. Ze zitten al binnen, ook in mijn hart, ik ben degene die weg is geweest.

Åsa's vriend kijkt bezorgd, maar nu glimlach ik.

Ik ga meteen dat sms'je beantwoorden.

Aino Trosell bij De Geus

Onder druk

Als enige vrouw maakt Ingrid Larsen deel uit van een duikteam dat een olielek bij een platform moet onderzoeken. Het wordt haar eerste duik. Terwijl het team zich in de duikkamer van het schip voorbereidt, komt een onderzeeër in aanvaring met het platform. Het duikteam krijgt opdracht de bemanning te redden. Ze slagen erin drie opvarenden uit de onderzeeër te halen. Het blijken Russen te zijn, die zich bezighouden met oliepiraterij. Met twee ampullen zeer besmettelijk gemuteerd pokkenvirus chanteren ze de duikers in de duikkamer. Onder water bewijst Ingrid hoe koelbloedig ze kan zijn.

Vijf vrouwen

Eli gaat als zevenjarig meisje met haar tante Hildur van vijftien mee om een plek als dienstmeid te zoeken. De meisjes stappen in een onbekende wereld, er is niemand die hen beschermt. Trosell beschrijft de overlevingdrift waarmee haar overgrootmoeder Eli, haar grootmoeder Stina en haar moeder Edit zich door het leven slaan. En ze schetst vervolgens haar eigen jeugd.

Als het hart nog slaat

Nadat ze haar man heeft betrapt op een buitenechtelijke relatie, besluit Siv een nieuw bestaan te beginnen buiten de stad. Ze verhuist naar de woning van haar onlangs overleden tante en vindt een baan in een leerlooierij. Op een dag komt een jonge collega om het leven. Omdat de jongen weleens heeft gezinspeeld op het naziverleden van de fabriekseigenaar, vermoedt Siv dat zijn dood geen ongeluk is. Ook aan de 'natuurlijke' dood van haar tante begint Siv te twijfelen.